DO TRZECH
RAZY SZTUKA

Izabella Frączyk

DO TRZECH RAZY SZTUKA

Prószyński i S-ka

Projekt okładki
Agencja Interaktywna Studio Kreacji
www.studio-kreacji.pl

Zdjęcie na okładce
© Irene Lamprakou/Trevillion Images

Redaktor prowadzący
Michał Nalewski

Redakcja
Maria Talar

Korekta
Maciej Korbasiński

Łamanie
Jacek Kucharski

ISBN 978-83-8069-389-0

Warszawa 2016

Wydawca
Prószyński Media Sp. z o.o.
02-697 Warszawa, ul. Rzymowskiego 28
www.proszynski.pl

Druk i oprawa
OPOLGRAF Spółka Akcyjna
45-085 Opole, ul. Niedziałkowskiego 8-12

Dla Alicji i Zuzanny ♡

Rozdział 1

O d godziny wmawiała sobie, że niczego nie pamięta, ale jak na złość pamiętała całą tę nieszczęsną sytuację aż nazbyt dobrze, mimo że od tamtej pory minęło sporo czasu. Prawie nigdy nie chorowała, jednak tamtego dnia złapała ją angina w najcięższym wydaniu. Był piątek i już od rana czuła się źle. Profilaktycznie połknęła dwie tabletki gripexu i licząc na szybką poprawę, zaparzyła sobie kawę. Zignorowała łamanie w kościach, burknęła innym pracownikom znienawidzonej agencji ubezpieczeń „cześć" na powitanie i punktualnie o czasie zasiadła za biurkiem. Jesienna pogoda za oknem pogorszyła się tak, że psa by nie wygnał, więc tego dnia Anka nie mogła narzekać na nadmiar klientów, a przecież brak klientów oznaczał brak prowizji dla niej. Około południa czuła się już tak źle, że zaczęła odliczać czas do szesnastej i marzyć o własnym łóżku, co jej się nigdy nie zdarzało. Dotkliwe dreszcze zdradzały gorączkę i była już pewna, że dopadła ją jakaś poważniejsza infekcja. Szczęśliwie nadchodził weekend, a wraz z nim szansa na wyzdrowienie do poniedziałku. Potrzebowała pieniędzy i nie mogła pozwolić sobie na przestój w pracy. Obowiązujący w firmie tak zwany „motywacyjny system wynagrodzeń" w swojej genialności nie zakładał absencji i chorób.

Doskonale pamiętała tę chwilę, kiedy do jej biurka podszedł zdenerwowany młody mężczyzna i zapytał o ubezpieczenie zapewniające pokrycie kosztów leczenia za granicą. Anna udzieliła mu wtedy wyczerpującej odpowiedzi i nieprzytomna wypełniła polisę. W uszach jak na złość rozbrzmiały jej własne słowa.

– Przepraszam, który dzisiaj mamy? – zapytała nieprzytomna.

– Czternasty – odparł klient.

Machinalnie wpisała datę w polisie. Czuła się fatalnie, było jej wszystko jedno i marzyła, by ten facet już sobie poszedł. Mężczyzna podał niezbędne dane ojca, którego chciał ubezpieczyć, złożył zamaszyste podpisy na dokumentach i zadowolony uiścił należną składkę. Wybiegł z agencji, jakby go ktoś gonił, a Anna uznała, że dłużej już nie wytrzyma. Przeklęte chorobsko praktycznie ścięło ją z nóg. Nie pamiętała, jak wróciła do domu i gdzie zaparkowała samochód. Nawet nie miała siły, by cokolwiek zjeść, tylko od razu padła na łóżko i zapadła w ciężki sen. Przez całą noc pociła się tak, że dwukrotnie zmieniła piżamę. Raz było jej gorąco nie do wytrzymania, a za chwilę kłapała zębami z zimna. W sobotni poranek obudziło ją istne piekło w jej własnym gardle. Niestety wszystkie przychodnie były zamknięte, a ona nie chciała wydawać pieniędzy na prywatną wizytę lekarską. Angina na dobre zadomowiła się w gardle Anki, na migdałach pojawiły się ohydne ropne czopy i zupełnie odeszła ją chęć do życia. Pomimo chorobowej maligny zdała sobie sprawę, że nie obejdzie się bez podania antybiotyku. Podgrzała jogurt w mikrofalówce i nagle doznała olśnienia. Od razu chwyciła za telefon i wybrała numer do Lucyny. Przyjaźniły się od czasu, kiedy w pierwszej klasie liceum wychowawczyni posadziła je w jednej ławce. Od razu zapałały do siebie sympatią, choć mogło się wydawać, że zarówno pod względem wyglądu, jak i charakteru zupełnie do siebie nie pasują. Lucyna była drobną dziewczyną o błękitnych oczach. Ze swoją aniołkowatą aparycją i szopą blond loków na głowie stanowiła kompletne przeciwieństwo Anki. Ta, sporo od niej wyższa, mogła poszczycić się naturalnym hebanowym odcieniem prostych włosów i równie ciemną oprawą brązowych oczu. Dodawszy do tego apetyczne kształty, całość stanowiła całkiem atrakcyjne zestawienie. O ile jednak Lucyna od zawsze zdradzała ciągoty do wygłupów i zawsze o wszystkie szaleństwa na terenie szkoły w pierwszej kolejności posądzano właśnie ją, o tyle Anka stanowiła żywy przykład chodzącej opoki i solidnej firmy. Od dziecka była tak obowiązkowa i zdyscyplinowana, że jej przyjaźń z Lucyną stanowiła lokalne kuriozum. Były jak ogień i woda, ale rozumiały się bez słów. Nawet w czasie studiów, gdy Lucyna wyjechała do Lublina studiować wymarzoną weterynarię, a Anka w tym czasie rozgryzała taktyki marketingowe na krakowskiej uczelni, dziewczyny nie rozluźniły kontaktów.

– Lucyna, ratuj… – Anka wychrypiała do telefonu ze łzami w oczach. Ból w gardle doskonale imitował setkę szalejących superostrych żyletek.

– Boże, co znowu? – zapytała przyciszonym głosem Lucyna pewna, że to jakiś miłosny zawód albo jakaś inna awaria w sferze uczuć.

– Gardło, nie mam już gardła. Antybiotyk... Jezu, jak boli.

– Zaczekaj, oddzwonię za chwilę... – szepnęła. – Właśnie kastruję kota, a właściciel wygląda, jakby miał stan przedzawałowy i był następny w kolejce do obcięcia jajek.

Niezawodna Lucyna zjawiła się po dwóch godzinach. Wyposażona w swój weterynaryjny kuferek, bez wstępów wypędzlowała przyjaciółce gardło jodyną i zaordynowała augmentin. Wcześniej przytomnie zrobiła dla Anki podstawowe zakupy, by ta w najbliższych dniach nie padła z głodu, i pewna, że zrobiła wszystko, zabrała się do sprzątania kuchni.

– W poniedziałek muszę być w robocie – wykrztusiła z trudem Anka. Z jej twarzy biła trupia bladość. Mimo dwóch kołder i koca dygotała na całym ciele.

– Taa. Jasne.

– A co?

– Bóg cię opuścił? W poniedziałek to ty będziesz dziękować Dzieciątku Jezus, że samodzielnie doszłaś do łazienki. Osłabienie murowane.

– Ale ja muszę przed południem złożyć raport z ostatniego tygodnia. Muszę...

– Jaki ten raport? Trudne to?

Anka wzrokiem wskazała na swoją aktówkę. Lucyna w lot pojęła, o co chodzi, i wyjęła dokumenty. Raport dla towarzystwa ubezpieczeniowego był praktycznie gotowy. Do uzupełnienia pozostał tylko piątek.

– Dobra, wpiszę ci ten piątek i rano w poniedziałek podrzucę to do agencji. Gdzie masz te polisy? Dużo tego?

– Jedna – powiedziała szeptem Anka i wykończona opadła na poduszki, a Lucyna z uwagą przejrzała dokumenty.

– Ale data jest z czwartku.

– Niemożliwe. A który dzisiaj jest?

– Dziś szesnasty, moja miła.

– Boże – westchnęła. Zdawała sobie sprawę, że powinna coś z tym zrobić, ale teraz nawet nie miała siły o tym myśleć. – Pisz, jak jest. Na świecie jest pewnie z milion agentów i przecież każdy z nich się może pomylić.

– Dobra. Popatrz tylko, jaki zapobiegliwy dziadek. – Lucyna pozwoliła sobie na komentarz. – Jeszcze do niedawna ludzie w pewnym wieku tak się o siebie nie troszczyli, bo im się wydawało, że będą żyli wiecznie. O, a jaki ma podpis wycudowany – skwitowała Lucyna z uśmiechem.

– To syn go ubezpieczał – sprostowała szeptem Anka.

– I ma tak samo na imię?

– Pokaż! – mimo osłabienia wykrzesała z siebie nieco energii i spojrzała na polisę. – Niech to cholera.

– Co?

– Nic, wpisz, jak jest – Anka nie miała siły tłumaczyć przyjaciółce, co się stało. Z dokumentów jasno wynikało, że syn, ubezpieczając swego ojca, zamiast zrobić to we własnym imieniu, po prostu podpisał się za ojca, co było niedopuszczalne. I jeszcze ta nieszczęsna pomylona data na dokładkę.

– Cholerna robota – mruknęła Anka z rezygnacją.
– Matko, jak ja tego nienawidzę.

– Załatwione. Jak będziesz czegoś potrzebowała, dzwoń. – Lucyna jeszcze chwilę zakrzątnęła się przy kuchni, przygotowała dla Anki stosowne dawki antybiotyku i wypisała nań receptę dla owczarka niemieckiego o wadze pięćdziesięciu pięciu kilogramów. – Masz, we wtorek wykupisz lekarstwo, bo nie mam więcej przy sobie, a musisz kontynuować kurację i dociągnąć ją do dziesięciu dni. I nie zapomnij o osłonie na żołądek. Wiesz, te kultury bakterii, pij jogurt.

Chora posłusznie skinęła głową i w infekcyjnej malignie z trudem uniosła rękę, by pożegnać Lucynę. Przyjaciółka i bez niej miała mnóstwo na głowie. Mąż, małe dziecko, praca i całodobowy dyżur pod telefonem. Uwielbiała zwierzęta, kochała swoją pracę, ale równolegle z satysfakcją związaną z leczeniem czworonogów trafiła też na sferę ludzkich słabości, wad i przywar prezentowanych przez właścicieli wyżej wymienionych. Niejednokrotnie, zanim obcięła paznokcie filigranowemu yorkowi, wcześniej musiała jakoś uporać się z roztrzęsioną właścicielką, której zachowanie wskazywało co najmniej na amputację kończyn u pupila, a nie na zwykły psi manicure. Niedawno Lucyna doszła do wniosku, że w swoim fachu powinna dodatkowo zrobić drugą specjalizację – z psychologii. Zwierzęta były w porządku, gorzej z ich właścicielami.

Pomimo stref płatnego parkowania znalezienie w okolicy sądu miejsca na zaparkowanie samochodu graniczyło z cudem. Anka od razu skręciła na strzeżony parking, ale i tutaj było krucho z wolnymi miejscami. Była dobrym kierowcą i zawsze dostawała szału, kiedy ktoś próbował pomagać jej w parkowaniu. Tak było i tym razem. Pracownik parkingu widocznie uznał, że żadna kobieta nie umie parkować, więc pospieszył z pomocą.

– Czy mógłby mi pan nie przeszkadzać? – wycedziła przez zęby głosikiem pełnym jadu. Parkingowy poszedł jak zmyty.

Sprawnie wpasowała służbowego passata w ciasną przestrzeń między innymi samochodami. Miejsca było na tyle mało, że aby wydostać się na zewnątrz, musiała porządnie wciągnąć brzuch. Przy okazji wyfroterowała płaszczem brudny błotnik sąsiada i klnąc pod nosem, weszła do brzydkiego gmaszyska. Instytucja sądu od zawsze kojarzyła jej się źle. Poza kilkoma mandatami Anka nigdy nie była z prawem na bakier, niemniej podświadomie wolała omijać to miejsce. Teraz miała stawić się w charakterze świadka w sprawie o wyłudzenie odszkodowania. Już od blisko roku nie zajmowała się akwizycją ubezpieczeń majątkowych, ale wystarczył jej rzut oka na lakonicznie zapisany formularz, by od razu zorientować się, w czym rzecz. Nieraz zastanawiała się nad perfidią ludzkiego umysłu. Im mniej chciała o czymś pamiętać, tym częściej o tym czymś myślała. Im mocniej chciała zamazać wspomnienia, tym stawały się bardziej wyraziste. Również i teraz, nawet po tak długim czasie, nieszczęsny petent co rusz stawał jej przed oczami, a przecież co dnia spotykała dziesiątki, jeśli nie setki innych ludzi. Pocieszało ją jedynie to, że w tej sprawie mogła usprawiedliwić się upływem czasu i na każde pytanie odpowiedzieć, że niczego nie pamięta. I tak też zrobiła, choć siedzącego w pierwszym rzędzie mężczyznę poznała od razu, a jego ojca, który z jej przypadkową pomocą naciągnął towarzystwo ubezpieczeniowe na niemałe koszty operacji i pobytu w berlińskim szpitalu, nigdy w życiu nie widziała na oczy. Trochę rozgrzeszyła się faktem, że ubezpieczyciele też nie zawsze są fair, ale i tak czuła się jak typowy krzywoprzysięzca. Zawsze była osobą uczciwą do bólu i kłamstwo nie leżało w jej naturze. Nawet niedawne doświadczenia wyniesione z korporacyjnych kuluarów nie były w stanie tego zmienić. Owszem, uodporniła się trochę i nieco wzmocniła zbroję, ale w dalszym ciągu została tą samą Anką. Sama stanowiła chodzący przykład tego, że pracowitością i zapałem można góry przenosić, a bycie w porządku prawie zawsze się opłaca. W ostatnim czasie udało jej się osiągnąć niezłą pozycję zawodową w pierwszoligowej firmie farmaceutycznej. Startując z posady zwykłego młodszego handlowca, którego zadaniem było codzienne obskoczenie kilkunastu aptek i zbieranie zamówień na maść przeciwko grzybicy, w dość krótkim czasie awansowała na szefa regionu i przejęła nadzór nad podobnymi jej handlowcami. Oczywiście nie wszystkim jej awans był w smak, zwłaszcza konkurencja w postaci jej podwładnych dopiero po jakimś czasie była skłonna nieco przymknąć oko na karierę szefowej.

Ance ten czas w zupełności wystarczył, by okrzepnąć i odnaleźć się w nowej sytuacji. Wcześniej, sprzedając ubezpieczenia, nawet nie zdawała sobie sprawy, ile w pracy i życiu zawdzięcza się innym ludziom. Chociaż ten układ zazwyczaj opierał się na intrygach, kłamstwach i podkopach, w tym spienionym morzu zawiści i hipokryzji od czasu do czasu trafiało się koło ratunkowe, a czasem nawet i cały okręt płynący pod przyjazną banderą. Anka z marszu polubiła swoje nowe zajęcie głównie za to, że pozwoliło jej zerwać z branżą ubezpieczeń. Teraz nie wyobrażała sobie, że można robić coś tak nudnego i nieciekawego. W agencji również rządziły układy, a podział na równych i równiejszych był aż nadto widoczny. Lukratywne zlecenia dostawali dokładnie ci, którzy mieli je dostać, a Ance i jej podobnym wpadały w sieć same nieciekawe płotki i nie było w tym nic dziwnego, ci na górze bowiem mieli po prostu gęstszą sieć, a ci na dole nie mogli się do nich dopchać. Wspomnienia z tamtych czasów wcale nie były miłe. Fatalna atmosfera w pracy, chora rywalizacja, marne zarobki i Łukasz – nieszczęsny narzeczony.

Wyszła z sądu, zapłaciła za parking i usiadła za kierownicą. Na szczęście w międzyczasie obok zaparkował jakiś mniejszy pojazd i teraz mogła otworzyć drzwi na całą szerokość. Potrząsnęła głową, jakby chciała z niej wytrzepać niewygodne myśli, ale nieszczęsny petent sprzed lat nie chciał zniknąć.

– Cholera by go wzięła – powiedziała i włączyła komórkę. Nie zdążyła uruchomić samochodu, gdy rozdzwonił się telefon. Dzwoniła Maria, kadrowa z firmy. Dziewczę było z gatunku tych bystrych, co wcale nie wykluczało gadania głupot i bezsensownego mieszania w korporacyjnym tyglu. Dziewczyna właśnie uzyskała skądś jakieś nowe informacje dotyczące planowanej restrukturyzacji w pracy i postanowiła podzielić się tą rewelacją.

Anka zamieniła się w słuch. Dziewczyna paplała jak najęta, mając w nosie zachowanie zawodowej dyskrecji, do której się zobowiązała. Anka, nie chcąc jej spłoszyć, zachęcała ją półsłówkami, ale w chwili gdy usłyszała, jakież to kierownictwo ma plany wobec niej samej, wstrzymała oddech.

– Skąd o tym wiesz? – Anka w końcu nie wytrzymała.

– Och, wiesz. Czyżbyś mnie nie doceniała? – odparła kadrowa z wdziękiem.

– Ależ doceniam, doceniam. Jestem pod wrażeniem – wymruczała Anka tonem pełnym uznania. Doskonale wiedziała, że owo dziewczę jest wyjątkowo łase na pochlebstwa.

– No, to się szykuj na najbliższą konferencję sprzedaży. Tam prezio wszystko ogłosi.

– Przecież jeszcze nikt na ten temat ze mną nie rozmawiał. A jak się nie zgodzę? Jesteś pewna?

– Tak. Przecież wiem, co robię, nie?

Anka zaskoczona przebiegiem rozmowy dla uspokojenia wzięła kilka głębokich oddechów.

Spojrzała w lusterko wsteczne. Ujrzała w nim zaczerwienione policzki i roziskrzone oczy. Wcześniej nawet przez myśl jej nie przeszło, że przy swoim zamiłowaniu do porządku tak dobrze odnajdzie się na stanowisku handlowca. Ceniła porządek, stabilizację i lubiła wiedzieć, co czeka ją jutro. Wcześniej była pewna, że jest jej przeznaczona poukładana, choć nieco nudnawa egzystencja. Od kiedy zaczęła spotykać się z kolegą z pracy, całkowicie nabrała przekonania, że wspólne sprzedawanie polis na życie to milowy krok naprzód w ich wspólnej karierze. Rzeczywiście świetnie im szło, a gdy połączyli narzeczeńskie siły, stali się naprawdę niezłym teamem. W agencji ukrywali swoją zażyłość, ale z chwilą gdy ich związek okazał się faktem, w firmie wybuchła afera stulecia. Jak się okazało, Łukasz wcześniej spotykał się z Renatą, szefową działu ubezpieczeń komunikacyjnych, i zrywając z nią, naopowiadał bzdur, że to dla niego zbyt trudne, że ma problemy z oceną własnej orientacji seksualnej i że musi odbudować od podstaw swoje nowe ja, a to wymaga czasu. Wkrótce zaczął spotykać się z Anką. Siłą rzeczy poprosił ją o dyskrecję, a ona się zgodziła. Nie była to znajomość naznaczona kolorowymi fajerwerkami, ale Łukasz ze swoją posturą atlety, nieprzeciętną bystrością umysłu i dobrze rokującą karierą w sprzedaży życiówek od zawsze stanowił dla Anki atrakcyjny egzemplarz. Bardzo szybko zostali parą i nie wiadomo kiedy wypłynął temat usankcjonowania związku. Było to tak oczywiste i naturalne, że żadne z nich nawet nie zadało sobie trudu, by przeanalizować sytuację i rozłożyć wspólną przyszłość na czynniki pierwsze. Anka postanowiła zdać się na bieg wydarzeń i z braku czasu poddała się temu, co wymyślił za nią Łukasz. A on wszystko załatwił i ustalił z pomocą matki, która w całym tym ślubnym ferworze rozwinęła skrzydła urodzonego organizatora. Anna, początkowo zadowolona, że ktoś robi coś za nią, oprzytomniała dopiero w chwili, gdy przyszła teściowa zabrała się do wybierania ślubnej sukni. Przy tym zachowywała się tak, jakby to ona sama miała brać ślub, i gdy tylko Anka wkroczyła do akcji, tamta zareagowała pełną obrazą majestatu.

– Błagam cię, pogódźcie się – mina Łukasza rzeczywiście wyrażała błaganie.

– Ale ja nie mam nic do twojej matki – zdziwiła się Anka. – Naprawdę doceniam, że tak nam pomaga, ale na wybieranie dla mnie sukienki do ślubu w życiu się nie zgodzę. To nasz ślub, a nie twojej matki. To przesada.

– Kochanie, nie bądź taka. Matka ma świetny gust.

– A ja niby nie?! – dziewczyna nie wytrzymała. – To, do cholery, ja idę do ślubu, nie ona!

Łukasz wymownie przewrócił oczami i w duchu podziękował Bogu, że telefon od dużego kontrahenta właśnie wybawił go z opresji. Wykręcając się poszukiwaniem spokojnego miejsca do rozmowy, wyszedł na ulicę i nie było go ponad godzinę. Po powrocie oznajmił, że za kilka dni wyjeżdża na weekendowe szkolenie w Szklarskiej Porębie. Anka zareagowała zdziwieniem, bo zawsze jeździli razem.

– A ja? – zapytała wyraźnie rozczarowana.

– Kochanie – przygarnął ją czule. – Masz tyle na głowie z tym ślubem. Przecież to już za dwa tygodnie. Nie chcę cię fatygować. Jedno trzepanie mózgu na szkoleniu mniej czy więcej nie sprawi ci chyba różnicy, prawda? A tak w ogóle mają tylko jedno miejsce.

– Niech będzie – burknęła niezadowolona, choć w duchu przyznała mu rację. Jedno bicie piany mniej nie robiło w jej wypadku większej różnicy.

– Wezmę na weekend twoje auto, bo moje muszę zostawić w serwisie, wiesz, przegląd gwarancyjny. Dobrze? – pocałował ją w usta. Na jego dotyk zareagowała jak zwykle. Poczuła, że cała mięknie i jest skłonna zgodzić się na wszystko. Nie umiała odmówić mu czegokolwiek.

– Dobrze. – Niechętnie, ale jednak się zgodziła. W nadchodzący weekend miała sporo do załatwienia, a brak auta mocno komplikował sprawę.

– W razie czego weźmiesz taksówkę. Ja jadę trochę dalej – roześmiał się zadowolony z siebie.

Anka przyjęła wszystko, co powiedział, za dobrą monetę i nawet przez myśl jej nie przeszło, by o cokolwiek podejrzewać narzeczonego.

W chwili, w której zobaczyła swoje auto zaparkowane przed podmiejskim hotelem, uznała, że ma jakieś omamy. Normalnie omijała tę część miasta, ale tego dnia w Krakowie remontowano spory fragment ulicy. Wyznaczono dość skomplikowany objazd, a taksówkarz przy okazji pomylił drogę.

– Przepraszam, czy mógłby pan zawrócić pod ten hotel po prawej, który właśnie minęliśmy?

– Wedle życzenia, szanowna pani – taksówkarz odparł usłużnie i zawrócił.

Zamrugała z niedowierzaniem i na dokładkę uszczypnęła się w udo. Niestety nie miała omamów i nic jej się nie przywidziało. Pod hotelem stał zaparkowany jej własny samochód. Z wrażenia wstrzymała oddech i przez dłuższą chwilę bezmyślnie gapiła się na żółtą fasadę hotelu. Miała wielką ochotę iść do recepcji i zapytać o przyszłego męża, ale resztkami woli się powstrzymała i wróciła do taksówki.

– Jak się nazywał ten hotel? – zapytała taksówkarza w chwilę później, gdy odzyskała już mowę.

– Arkadia, proszę pani.

– Dzięki – odparła matowym głosem i pogmerała w smartfonie. Znalazła w internecie namiary hotelu Arkadia, wybrała numer telefonu i poprosiła kierowcę, by zapytał o Łukasza Skoczowskiego. Taksówkarz bez problemu spełnił jej prośbę i po minucie oddał Annie komórkę.

– I co powiedziała recepcjonistka? – zapytała niczym automat.

– Że państwo Skoczowscy mieszkają w pokoju numer siedem – odparł mężczyzna doskonale świadom, czego jest świadkiem, a że niejedno już w swojej karierze widział, uznał, że chwilowo lepiej nie będzie się odzywał.

Od dłuższej chwili czuła się, jakby ktoś ją wrzucił na plan jakiegoś serialu dla mało wymagającej widowni i cała ta sytuacja w ogóle jej nie dotyczyła. Teraz jednak zaczęło do niej docierać, że to, co się dzieje, to niestety nie brazylijska mydlana opera. Rzeczywistość dotarła do niej z całą jasnością. Łukasz nie przebywał na żadnym szkoleniu, a szczególnie na tym w Szklarskiej Porębie. Pierwszą rzeczą, jaką zrobiła po wejściu do mieszkania, było sprawdzenie historii rozmów Łukasza na gadu-gadu. Nigdy nie korzystała z jego komputera, nie miał więc hasła ani zablokowanego dostępu. Musiał czuć się całkiem pewnie, ponieważ nawet nie wylogował się z komunikatora. Historia rozmowy z niejaką Reniczką została wykasowana, ale w oknie dialogowym pojawił się ostatni wpis od niej, który pozbawił Ankę resztek złudzeń.

Dwa tygodnie przed ślubem zawalił jej się świat, a że nie ma na ziemi większej furii niż zdradzona kobieta, Anka postanowiła się zemścić. Natychmiast potrzebowała ratunku. Długo się nie namyślając, zwaliła się więc na głowę Lucynie.

Przyjaciółka już od progu wyczuła, że stało się coś złego, ale nie przypuszczała, że aż tak. Wystarczyły dwa zdania, by w lot załapała, co się stało.

– Matko, czułam, że coś jest nie teges, ale nie sądziłam, że tak bardzo.

– No, pochrzaniło się wszystko – westchnęła zdruzgotana Anka.

Mąż Lucyny przebywał na konferencji, więc wyprawiwszy synka do spania, gospodyni w pierwszej kolejności sięgnęła po zapasy wina. Wybrała białe półwytrawne.

– Niezłe – chlipnęła Anka znad kieliszka.

– Kochana, na taką okoliczność nie można pić byle czego. Jak już masz się wstawić, to przynajmniej czymś dobrym. Przecież wszystko naraz nie może być złe. Zaraz zamówię pizzę – powiedziała i profilaktycznie ustawiła pod ręką paczkę chusteczek higienicznych. Anka nigdy nie była beksą, ale przy takiej akcji mogło być różnie. Lucyna dwoiła się i troiła, by rozruszać przyjaciółkę, ale sama miała świadomość, że sytuacja jest beznadziejna. Przygotowania do ślubu szły pełną parą, wszystko było zaklepane i zapłacone. Sukienka wisiała w szafie. Planowanie zemsty samo w sobie było cudowne. Zemsta z zasady była rozkoszą bogów, ale jeśli Anka byłaby skłonna zastosować się do swoich pomysłów choć w połowie, do końca życia nie wyszłaby z więzienia.

– Mam ochotę go zabić. Boże, moja głowa – czknęła rano skacowana Anka.

– Lepiej nie tak prędko. Może najpierw upewnij się jeszcze. Przecież to nie są żarty.

– Co ty powiesz – syknęła Anka sarkastycznie i nagle pobladła. Wyraz jej twarzy nie zdradzał niczego dobrego. Wstała i biegiem rzuciła się w stronę toalety.

– Żyjesz?

– Tak! Cholerna pizza mi zaszkodziła.

21

– Noo, jasne. Jak długo żyję, jeszcze nie widziałam, żeby ktoś miał kaca po pizzy.

– Ale ja mam mdłości – jęknęła Anka znad pistacjowego sedesu z motywem oliwek, których nie znosiła.

– Masz! Weź to pod język – Lucyna zaordynowała przyjaciółce tabletkę.

– To dla kotów czy koni? – zapytała Anka świadoma, że przyjaciółkę stać na wiele.

– Nie, głupia – roześmiała się Lucyna – to homeopatyk dla dzieci.

– To jeszcze mi powiedz, jak można dać zielone oliwki na desce od kibla? Równie dobrze mógłby tam być motyw schabowego z kapustą, ech! – Anka mruknęła zniesmaczona, a Lucyna zareagowała głośnym śmiechem.

– To prezent od klienta. Niedawno robiłam jego suczce cesarkę i z wdzięczności, że wszystko dobrze poszło, sprezentował mi tę deskę. Ma jakieś studio reklamowe i robią tam różne takie zabawne rzeczy, a że pękła mi stara deska, tymczasowo dałam tę w oliwki. Lepsza taka niż zimny fajans na tyłku, no nie?

– No pewnie, a co się urodziło? – zapytała Anka przez grzeczność.

– Pięć biszkoptów.

– Czego? – Anka spojrzała na przyjaciółkę jak na wariatkę.

– Matko – Lucyna westchnęła z politowaniem. – Biszkoptowych labradorów, sieroto.

Koniec końców zemsta okazała się słodsza i w stu procentach wynagrodziła zdradzonej narzeczonej wszystkie krzywdy. Co prawda wiele kosztowało ją, by do dnia ślubu nie ujawnić się z pomysłem i niczego nie dać po sobie znać. Któregoś dnia po powrocie Łukasza z zakrapianej imprezy odczekała, aż zaśnie, i sprawdziła w telefonie historię wiadomości i połączeń. Teraz nie miała już żadnych wątpliwości. To w dalszym ciągu była Renata z ich wspólnej firmy. Obie zostały oszukane i obie miały rogi. Gdy minął etap czarnej rozpaczy, w głębi duszy Anka poczuła dziwną pustkę. Miała wrażenie, jakby nagle przestała czuć, wszystkie emocje gdzieś się ulotniły, a ona zachowywała się jak zaprogramowana na zemstę drewniana kukła. O dziwo dusza przestała boleć. Liczyła się tylko zemsta. Anka do końca działała na zimno. W przeddzień ślubu zwróciła sukienkę do sklepu i za otrzymane pieniądze wykupiła wyjazd do Maroka w systemie last minute. Do kościoła pojechała w trampkach i podartych dżinsach. Nie mogła sobie odmówić ostentacyjnego spóźnienia na własny ślub, którego miało nie być. Miny pana młodego i niedoszłej teściowej w chwili, gdy życzyła im udanej weselnej uczty, wynagrodziły Ance całe wcześniejsze upokorzenie. Nieliczni goście z jej strony już wcześniej zostali uprzedzeni, zatem na placu boju pozostali tylko zaproszeni ze strony Łukasza. Zemsta naprawdę była słodka, zwłaszcza że to jego rodzina poniosła koszty wesela.

– A udławcie się wszyscy – rzuciła pod nosem i odwinęła się na pięcie. W bagażniku miała już spakowaną walizkę, a w kieszeni voucher na wyjazd do Maroka. Otworzyła okno w samochodzie, nastawiła rytmiczną muzykę na cały regulator i nie zważając na ograniczenia prędkości, pognała w stronę lotniska.

Sięgnęła ręką na siedzenie pasażera i wykonawszy ostatnie połączenie, wyłączyła telefon. Do końca nie była pewna swej decyzji, ale telefon do Renaty rozwiał ostatnie wątpliwości.

– Jest twój. Gratuluję ci rogów, ja jadę na wakacje nieco spiłować moje.

Renata nie kryła zaskoczenia, a na twarzy Anki niespodziewanie zagościł uśmiech. Poczuła się wolna i lekka jak osoba, która nagle schudła pięć kilo.

Krótkie wakacje w luksusowym hotelu nieco podreperowały skołatane emocje zdradzonej narzeczonej. Cała ta burzliwa historia nie dość, że zszarpała jej nerwy, to jeszcze solidnie zachwiała jej wiarą w siebie. Planowała, że wylegując się na plaży pod parasolem z palmowych liści, będzie miała mnóstwo czasu na analizowanie sytuacji, ale jej plany spaliły na panewce. Już w samolocie poznała wesołe towarzystwo. W założeniu chciała spędzić ten wyjazd samotnie i nie miała najmniejszej ochoty na żadną integrację, ale tamci byli tak sympatyczni, że nawet nie zauważyła, kiedy wpadła w ich kompanię. Osiem osób mniej więcej w jej wieku. Pary i rodzeństwa. Po kilku dniach czuła, jakby znała ich od lat. Gdy przyszedł czas, kiedy uznała, że chce się zwierzyć, wszyscy słuchali jej historii z otwartymi ustami, a niektórzy nawet zapomnieli o stojących przed nimi drinkach z parasolką.

– No więc widzicie. Jestem jak tabula rasa – powiedziała, bo właśnie chwilowo znalazła się bez mieszkania i bez pracy – wszystkie jej potajemnie spakowane rzeczy wylądowały w garażu u Lucyny, a powrót do agencji zdecydowanie nie wchodził w rachubę. Po przyjeździe Anka miała w planie rozejrzeć się za jakimś odpowiedzialnym i nieco bardziej wymagającym zajęciem.

– No faktycznie, czarna dupa – skwitował poważnie Artur. Niewysoki, przez wszystkich zwany Arturkiem, piegowaty osobnik o marchewkowych włosach nie grzeszył ani urodą, ani posturą. Za to matka natura obdarzyła go tak wielkim urokiem osobistym i tak ciętym dowcipem, że z powodzeniem mógłby nimi obdzielić cały autokar smętnych smutasów.

– Dokładnie, ale masz dziewczyno jaja. Jaja jak głazy – podsumowała Agnieszka, siostra małego rudzielca. – Ani chaty, ani roboty, ani faceta, a ty się bujasz po świecie i świetnie się bawisz.

– To ostatnie skreśl. Facetów mam dość. O! Potąd ich mam! – Anka wykonała poziomy gest na wysokości czoła. – Po kokardę.

– A umiesz sprzedawać? – Arturek jakby nagle doznał olśnienia.

– No pewnie, że umiem.

– Maści na hemoroidy i na grzybicę stóp też?

– Matko jedyna… – Anka znała Arturka dopiero kilka dni, ale już zdążyła się przekonać, że facet potrafi nieźle narozrabiać. Teraz nawet bała się słuchać tego, co ten błyskotliwy korporacyjny informatyk ma jej do powiedzenia.

Rozdział 2

Do agencji nie miała po co wracać. Całe szczęście pracowała tam w ramach własnej działalności gospodarczej. Taki układ zawsze ją mierził, za to teraz nie musiała się martwić o to, jak wywinąć się z tej ze wszech miar niewygodnej współpracy. Jeszcze przed wyjazdem uprzątnęła swoje biurko, spakowała dokumentację. Formularze polis, traktowane jako druki ścisłego zarachowania, planowała w najbliższych dniach zwrócić poszczególnym towarzystwom ubezpieczeniowym, ale na to miała jeszcze czas. Najpierw musiała wynająć jakieś sensowne mieszkanie. Jak to jednak w życiu bywa, gdy człowiek nie jest w potrzebie, oferty spływają zewsząd, w odwrotnej sytuacji natomiast ze świecą szukać sensownej propozycji. Na razie korzystała z gościny Lucyny, w zamian rewanżując się opieką nad trzyletnim Franiem, który właśnie złamał nogę i wymagał pomocy. Tak więc do południa siedziała z dzieckiem i robiła internetowy rekonesans, by popołudniami osobiście sprawdzić te cud-mieszkania do wynajęcia. Szukała intensywnie już od tygodnia, ale nie znalazła niczego sensownego. A czas naglił. Dzień rozpoczęcia nowej pracy zbliżał się wielkimi krokami. Początkowo potraktowała propozycję Arturka z przymrużeniem oka, pewna, że nowy kolega robi sobie z niej żarty. Jedynie dla świętego spokoju wysłała swoje podanie tam, gdzie jej kazał, i gdyby jej nie przypilnował, pewnie wcale by tego nie zrobiła. Ostatniego dnia pobytu w Maroku podstępem zagonił ją do komputera. Wspólnie napisali życiorys i list motywacyjny. Marek, inny kolega z ekipy, zrobił Ance ładną fotkę i w programie do obróbki zdjęć ubrał ją w elegancki biznesowy strój. Anka cały czas pękała ze śmiechu przekonana, że to wszystko dla hecy i że nic z tego nie wyniknie, tymczasem dzień po powrocie do Polski otrzymała zaproszenie na rozmowę kwalifikacyjną. Przejęta niczym uczennica, której po raz pierwszy w życiu przyszło deklamować wierszyk na szkolnej akademii, o czasie stawiła się na spotkaniu. Biuro handlowe OTC International mieściło się w samym centrum Krakowa w sąsiedztwie najbardziej ekskluzywnego hotelu w mieście. Starannie odremontowana i naszpikowana elektroniką zabytkowa kamienica na każdym musiała robić wrażenie. Biura urządzono z niebywałą wręcz dbałością o detale. Mistrzowskie połączenie gustownych mebli stylizowanych na antyk z nowoczesnym sprzętem ostatniej generacji sprawiało, że każdy, kto przekroczył próg biura, pragnął pozostać w nim na dłużej. Ance takie uczucie towarzyszyło przez cały czas. W trakcie rozmowy czuła się jak u siebie. Dwójka elegancko ubranych menedżerów fachowo wypytała ją o kwalifikacje, a że ton rozmowy był tak miły, Anka nawet nie zdążyła się zdenerwować, tylko grzecznie odpowiadała na krzyżowy ogień pytań. Starała się odpowiadać krótko i na temat, co przy jej wrodzonym gadulstwie niemało ją kosztowało. Po skończonej rozmowie niechętnie opuściła to urocze miejsce. W drodze na strzeżony parking przysiadła na chwilę w kawiarnianym ogródku i postanowiła zaszaleć. Od kiedy sięgała pamięcią, była na permanentnej diecie. Zasadniczo całe jej odchudzanie sprowadzało się do nieustannego gadania o tym, że jest na diecie i musi schudnąć, oraz do wyrzutów sumienia po tym, kiedy zdarzyło jej się zgrzeszyć. Pełna jak najlepszych przeczuć i zadowolona z siebie uznała, że należy jej się nagroda. Zamawiając espresso i czekoladowy torcik, przysięgła sobie, że tym razem nie będzie żałować, tylko cieszyć się chwilą. Miała dobre przeczucia i choć jej doświadczenia w kwestii rozmów kwalifikacyjnych nie były zbyt bogate, czuła, że dobrze jej poszło. Wcześniej zagoniona przez samą siebie w życiowy kozi róg teraz uznała, że powstanie z martwych niczym Feniks z popiołu. W końcu tyle się działo i wszystko wskazywało na to, że to początek czegoś dobrego, a Anka teraz potrzebowała zmian. Jak nigdy dotąd. Wypad do Maroka i wrażenia z wyjazdu nie pozwoliły jej na emocjonalną rozsypkę, niemniej jednak zdrada Łukasza ugodziła ją dotkliwie i wbrew pozorom wcale nie było jej łatwo. Za żadne skarby nie chciała się rozkleić i dzielnie walczyła, ale w końcu zadziałała bomba z opóźnionym zapłonem. Wtedy na szczęście dostała zaproszenie od OTC International i znów przestała mieć czas na roztkliwianie się nad sobą. Były przed nią ważniejsze rzeczy niż rozdrapywanie ledwie co zagojonych ran.

Anka bezmyślnie zagapiła się na nogi przechodniów. Zdziwiła się, że nigdy wcześniej nie zwracała uwagi na czyjeś buty. A pole do obserwacji było niemałe. Od szykownych biznesowych czółenek z górnej półki i najeżonych ćwiekami trampek na koturnie z najnowszej kolekcji do zdartych fleków i sandałów, z których wysuwały się palce, od popękanych pięt po piękny pedicure. Jej uwagę przykuły masywne dziwadła na wysokiej gumie imitującej bieżnik w oponie samochodowej typu off-road. Również i w męskim wydaniu było w czym wybierać. Ulubione przez turystów adidasy i rozczłapane sandały w towarzystwie nieodłącznych skarpetek, od czasu do czasu przewinęły się też japonki. Anka upiła łyczek minikawusi i z namaszczeniem wbiła widelczyk w apetyczną brązową masę. Uśmiechnęła się, kiedy słodki kęs rozpłynął się w ustach, i z powrotem skierowała wzrok na chodnik. Tuż obok zatrzymała się para męskich wyglansowanych brązowych butów. Po kilkunastominutowych wnikliwych obserwacjach wiedziała, że klasyczne półbuty stanowiły rzadkość. W szczególności te czyste i zadbane, więc zaintrygowana powoli podniosła wzrok. Właściciel eleganckiego obuwia ubrany był w jasny, jednorzędowy garnitur. Błękitna koszula i świetnie dobrany do niej krawat znakomicie współgrały z mocną opalenizną. Mężczyzna stał na chodniku i przyglądał się Ance z wyraźnym zainteresowaniem. W jego szarych oczach tliły się wesołe iskierki.

Nieco skonfundowana obejrzała się za siebie, czy aby przy sąsiednim stoliku nie siedzi ktoś, komu przygląda się ten dziwny facet. Ale nie, za nią nie było nikogo. A buty wraz z właścicielem właśnie stanęły przy niej.

– Przepraszam, że przeszkadzam, ale od dawna nie widziałem nikogo, kto śmiałby się sam do siebie – powiedział uprzejmie mężczyzna w garniturze.

– Nic nie szkodzi. To wszystko przez ten torcik. Ponoć słodycze dostarczają organizmowi endorfin, a ja rzadko je jadam – odparła wesoło Anka i wpakowała do ust ostatni kęs z talerzyka. Na jej twarzy znów zagościła błogość.

– A ja rzadko zaczepiam obcych ludzi na ulicy, a właściwie to nigdy. Grzegorz Bugajski. Miło mi.

– Mnie również. Anna Jaskółka. – Wyciągnęła rękę na powitanie. Lubiła taki zdecydowany i energiczny uścisk dłoni, który wbrew pozorom zdarzał się nieczęsto. Ostatnimi czasy mężczyźni zwykle serwowali jej na powitanie przysłowiowego flaczka lub dla odmiany uścisk tak mocny, jakby chcieli pogruchotać jej kości.

Z jeszcze większą ciekawością przyjrzała się nowemu znajomemu. Nie mógł mieć więcej niż trzydzieści kilka lat i sprawiał bardzo sympatyczne wrażenie. Właśnie stanął pod słońce i padające od tyłu promienie sprawiły, że jego jasne włosy rozbłysły jak aureola na głowie anioła z kościelnego fresku.

– Wybacz proszę, że cię tak bezczelnie zaczepiłem. Naprawdę nie mam tego w zwyczaju. Co więcej, prawie nie zwracam uwagi na mijających mnie ludzi, ale dziś jest mój dobry dzień, czuję się, jakbym fruwał.

– Coś szczególnego? Jakieś święto?

– Tak. Dostałem podwyżkę. Wyszedłem właśnie na spotkanie z klientem, kiedy zobaczyłem, że śmiejesz się sama do siebie, a ja lubię wesołych ludzi.

– W takim razie gratulacje. Wybacz, ale muszę już iść. – Anka podniosła się z rattanowego krzesła i przygładziła spódnicę. Grzegorz z uznaniem otaksował jej nogi, po czym pożegnał się i poszedł w swoją stronę.

Anka, pogwizdując wesoło, ruszyła z parkingu. W domu Lucyny błyskawicznie przeskoczyła w wygodny cienki dres. Trzylatek z gipsem mimo wszystko trochę ważył, a ona obiecała Frankowi wypad na lody. Synek Lucyny i Karola był uroczym stworzeniem. Anka nieraz się śmiała, że przyjaciółka powinna go wypożyczać osobom, które boją się dzieci bądź ich nie lubią. Zmiana frontu gwarantowana.

– Spokojna głowa – śmiał się Karol. – Ja też byłem taki słodki, dopóki nie poszedłem do szkoły.

– I co?

– W podstawówce tak dałem rodzicom popalić, że o mały włos się przeze mnie nie rozwiedli. Uciekałem z lekcji, kłamałem jak najęty, do wszystkich pyskowałem i w ogóle dawałem czadu po całości. Raz nawet nawiałem z domu, ale wróciłem, zanim zdążyli zawiadomić policję.

– Poważnie? – Anka nie mogła uwierzyć. – A co się stało?

– Nie chcieli mi kupić obiecanego nowego roweru. Wyszło na jaw, że pieniądze, które mi dawali na korki z matmy, przepuszczałem na automatach do gry, a na korepetycjach nikt mnie nigdy nie widział.

– Ale dlaczego wróciłeś?

– Bo po kilku godzinach uznałem, że uciekać w zimie to głupota. Lepiej dać nogę latem, a nawet i wtedy trzeba wcześniej sprawdzić prognozy, bo jak ci tak na gigancie cały czas leje, to też niedobrze.

– Karol, a na ile silne masz geny? Bo jeśli bardzo, to szykuj się, ale na razie Franek to święty dzieciak.

– Spokojna głowa. Niczym mnie nie zaskoczy, tyle mam własnych doświadczeń. Jeszcze się taki nie urodził, żeby mnie przebić w te klocki.

Dzień obfitował we wrażenia. Frankowi nie zamykała się buzia i tak zagadał ciotkę, że ta przytarła sobie zderzak o stojący na chodniku kubeł na śmieci i tylko przez wzgląd na obecność małego zmełła w ustach stek przekleństw pod swoim adresem. Dodatkowo dała się namówić na podwójną porcję lodów i teraz już pozwoliła dojść do słowa wyrzutom sumienia. Co za dużo, to niezdrowo, więc w drodze powrotnej zrobiła zakupy na następny dzień. W ramach pokuty kupiła główkę sałaty i chudy stek z rostbefu. Wydrukowany jadłospis diety kopenhaskiej nosiła w torebce od miesiąca i jakoś nie mogła zebrać się w sobie, żeby chociaż porządnie go przeczytać, o zastosowaniu nie wspominając. Wiedziała, że potrafi zacisnąć zęby i wytrwać konsekwentnie na drakońskiej diecie, ale odsuwała od siebie ten temat od ponad pół roku, co rusz wyszukując nowe wymówki na swoje usprawiedliwienie. Teraz, kiedy jej niedoszły związek szczęśliwie rozsypał się w proch, zanim zdążyła go usankcjonować, spędziła sporo czasu na zastanawianiu się nad sobą. Próbowała przypomnieć sobie moment, w którym popełniła błąd i kiedy pozwoliła sobie stać się ofiarą. Bezskutecznie. Wnikliwie przeanalizowała praktycznie wszystko, co mogło wpłynąć na ten nieszczęsny bieg zdarzeń, ale poza tym, że wyszukała u siebie mnóstwo wyimaginowanych wad i niedociągnięć, niczego sensownego nie wniosła do sprawy. Wszystko wskazywało na to, że jest bliska wmówieniu sobie winy za całokształt, na szczęście Lucyna i Karol, widząc, co się święci, w try miga wzięli ją w obroty. Musieli nieco się nabiedzić, by skutecznie wbić jej do głowy, że z nią wszystko w porządku, a że trafiła na drania i popaprańca, to zwykły pech.

Nieoczekiwanym sprzymierzeńcem stał się Artur. Jako szef działu IT w OTC International miał wgląd do wszystkich informacji, mógł, jeśliby tylko chciał, dysponować nieograniczonymi możliwościami inwigilacji całego obiegu firmowej poczty elektronicznej. Nie chciał jednak. Nie zaliczał się do grona korporacyjnych intrygantów i nigdy nie wtykał nosa w cudze sprawy. Po prostu robił swoje i w zupełności wystarczała mu sama świadomość, że w razie jakiejkolwiek draki będzie dysponował wystarczającym materiałem, żeby załatwić każdego. Od portiera począwszy, a na prezesie i przewodniczącym rady nadzorczej skończywszy. Zupełnie przypadkiem trafił na informacje o rozbudowie działu handlowego i naborze reprezentantów firmy. To było powodem, dla którego podsunął Ance pomysł aplikowania do firmy. Bardzo polubił tę sympatyczną dziewczynę, może nawet więcej, niż polubił, więc nie widział problemu, żeby jej pomóc.

– No chłopie, nareszcie – sapnęła Anka i otarła pot z czoła. Nie przypuszczała nigdy, że kąpiel trzylatka to takie wyczerpujące zajęcie, a kąpiel trzylatka z nogą w gipsie to już jest coś, co ciężko sobie wyobrazić komuś, kto nie ma własnych dzieci. Nastawiła na kuchence mleko i wykończona usadziła Franka przed telewizorem. Nie była zwolenniczką karmienia dzieci telewizyjną sieczką, ale miała nadzieję, że chwilowo powstrzyma jego chęć kolejnego ogrania cioci w chińczyka.

– Ciociuuu??? – ton głosu chłopca zdradzał, że w jego głowie właśnie wykluł się jakiś genialny pomysł. Anka nawet nie chciała zgadywać, ale usłyszała ruch w przedpokoju i tajemnicze nawoływanie Lucyny. Na paluszkach podbiegła do drzwi.

– Trzymaj! – Lucyna bez wstępów wcisnęła jej w ręce małe futrzaste stworzenie.

– Boziu, to przecież kot!

– Jaki tam kot. To najmilsza kicia świata – wyjaśniła Lucyna. – Właśnie jakiś idiota przyniósł mi ją dziś do uśpienia, a hyclowi ze schroniska zepsuł się samochód.

– Milusia jest. Zostawisz ją sobie?

– Mowy nie ma. Młody ma alergię na sierść, żadnych kotów. Ech, jedno jest pewne, weterynarzem nie zostanie na pewno. Wzięłam ją ze sobą, żeby odwieźć do azylu, ale jestem taka głodna, że zrobię to jutro. A ty jej nie chcesz? – Lucyna sprytnie zarzuciła haczyk. – Taki kotek nie wymaga opieki. To bezobsługowe stworzenie. Niewiele je, dużo śpi i ładnie mruczy do ucha.

– I jest się do czego przytulić, nie zdradzi mnie za pół roku, nie jest fanem futbolu i nie obsika mi deski w toalecie – dokończyła sarkastycznie Anka. – Nie, nie. Fajna jest, nie powiem, ale na razie ja sama nie mam gdzie mieszkać i być może niedługo zacznę pracę. To nie jest dobry moment.

– Co do pracy to się nie wypowiem – Karol właśnie wrócił do domu i zdejmując buty w przedsionku, mimowolnie usłyszał ostatni fragment rozmowy. – Ale zdaje mi się, że chyba mieszkanie już masz. Matka naszej sekretarki z redakcji potrzebuje pilnie wynająć niewielkie mieszkanie w kamienicy.

– Pewnie taka sama ruina jak te, które ostatnio oglądałam.

– Wcale nie. Widziałem zdjęcia i zupełnie po ludzku to wygląda. Skontaktować cię z nią?

– No pewnie! – Anna aż podskoczyła. – A wiesz coś o kosztach? – zapytała niepewnie. Miała odłożone na koncie całkiem spore oszczędności, ale w nieokreślonej sytuacji zawodowej nie chciała za bardzo szastać pieniędzmi. Ostatni egzotyczny wyjazd trochę nadszarpnął jej budżet, a nie wiadomo było, kiedy znowu zacznie zarabiać.

– Tak, mówiła, że podobno w granicach rozsądku, i co ważne, jeszcze nie rozmawiała z żadnym pośrednikiem i nigdzie nie dała ogłoszenia. No i jak?

– Matko, mój ty zbawco! Dawaj namiary!

Poszła spać tak naładowana emocjami, że mogła śmiało zapomnieć o zaśnięciu. Drzemała niespokojnie na przemian z częstszymi niż zwykle wizytami w toalecie. Przeklęty arbuz właśnie dawał o sobie znać. Do Anki dotarło, że zgodnie z angielską nazwą *watermelon* arbuz składa się głównie z wody i konsumpcja większej ilości w porze kolacji nie była zbyt dobrym pomysłem. Zaczynało już świtać, gdy nareszcie przysnęła, ale nie pospała zbyt długo. Obudziło ją coś dziwnego. Coś miękkiego i ciepłego przytuliło się do niej i zaczęło głośno mruczeć. Z rozczuleniem przygarnęła do siebie małe czarne ciałko. Koteczka przeciągle spojrzała jej w oczy, ziewnęła tak, że o mało szczęka nie wyskoczyła jej z zawiasów, i bezpieczna zasnęła jak suseł. Z tą chwilą Anka przepadła z kretesem. Nigdy nie miała w domu żadnego żywego stworzenia, teraz z przyjemnością pogłaskała malucha.

– No, śpij mała. Jak tylko jutro znajdę mieszkanie, zostaniesz ze mną – powiedziała Anka i w trakcie wymyślania imienia dla kotki nareszcie zapadła w mocny sen.

Rozdział 3

Mieszkanie nie było duże, ale w zupełności odpowiadało aktualnym wymaganiom Anki. Garsoniera z niewielką garderobą i sprytnie urządzonym aneksem kuchennym była wszystkim, czego potrzebowała na tym etapie życia. Standard i lokalizacja również ją zadowalały. Mieszkanko było świeżo po remoncie; zamontowano fabrycznie nowe wyposażenie łazienki. Niewielki zadaszony tarasik urzekł Ankę całkowicie. Wcześniej nigdy nie miała balkonu i zawsze o nim marzyła, tymczasem tutaj nie dość, że pod daszkiem spokojnie mieścił się niewielki ogrodowy zestaw mebli, to jeszcze starczyło miejsca na grill i suszarkę do prania. Anka była wniebowzięta i z całych sił starała się nie okazywać ekscytacji. W czasie oględzin wzięła również pod uwagę wymagania kociego lokatora. Jedynym mankamentem nowego lokum była jego cena. Wbrew temu, co przekazał jej Karol, to wcale nie była żadna okazja, ale po krótkim namyśle Anka jednak zdecydowała się podpisać umowę najmu.

Uznała, że mieszkanie nie wymaga żadnych inwestycji, a ona tak czy siak znajdzie przecież jakąś pracę. Poza tym właścicielka właśnie przypomniała sobie o darmowym miejscu parkingowym na podwórku i to już całkowicie przeważyło szalę.

– Raz kozie śmierć, biorę – powiedziała i poprosiła o przesłanie umowy najmu mejlem.

– Kiedy chce się pani wprowadzić?

– A choćby jutro!

W drodze powrotnej wstąpiła do delikatesów i kupiła butelkę dobrego szampana. W restauracji zamówiła również spory zestaw sushi i przy okazji kilka butelek oryginalnego japońskiego piwa. Obładowana jak wielbłąd wpakowała się do domu przyjaciół. Z Karolem minęła się praktycznie w drzwiach.

– Z nieba mi spadłaś! Muszę lecieć! Lucyna ma jakieś planowe zabiegi w gabinecie, młody kaszle, a ja mam w redakcji istne urwanie dupy! Goście, umówieni na wywiad na żywo, właśnie mieli wypadek samochodowy, a zapowiedzi już poszły!

– Nieźle. To chyba duży kłopot. – Anka zupełnie nie orientowała się w tej materii.

– No, a tylko ja mam wywiady kiedyś nagrane z nimi do puszki, tylko nie pamiętam gdzie. Cholera by wzięła.

– Jakiej puszki? – zapytała Anka przytomnie.

– Rany, tak się mówi na nagrany materiał – zniecierpliwił się Karol i wybiegł na podjazd. – Młody już jadł. Nie daj się naciągnąć na kolejny deser! – krzyknął z samochodu i ruszył z piskiem opon. Anka przystanęła w pół kroku i pozbierała myśli. W jej kieszeni rozdzwonił się telefon. Nie miała wolnej ręki, by odebrać połączenie, a zanim ułożyła zakupy na stole w kuchni, melodyjny dzwoneczek już umilkł.

– Ciocia! Chcę kupę! – wrzasnął Franek. Anka już zdążyła się zorientować, że chłopiec lubi się streszczać w tym temacie, i nie było mowy o jakiejkolwiek zwłoce. Natychmiast porwała małego na ręce i zaniosła do toalety. Zdążyła w ostatniej chwili, a jeszcze po drodze prawie potknęła się o kota.

– Uff, co za akcja – mruknęła. Usadziwszy chłopca na sofie, włączyła mu bajkę w telewizji i nareszcie rozpakowała zakupy. Wstawiła wszystko do lodówki i spocona jak pies ruszyła pod prysznic. Zostawiła lekko uchylone drzwi od łazienki, by mieć Franka na oku, ale chwilowo tak się zagapił na film o robotach z kosmosu, że siedział z szeroko otwartą buzią i wyglądał, jakby nie oddychał. W spokoju dokończyła toaletę i głodna jak wilk zaatakowała pierwszy z brzegu jogurt z kawałkami owoców. Łykała tak pospiesznie, że w efekcie nabawiła się kolki. Ukłucie było niespodziewanie silne, aż zgięło ją wpół. Musiała wziąć kilka głębokich oddechów, by ponownie się wyprostować. Powinna zacząć się pakować. Pomimo że część dobytku nadal trzymała w kartonowych pudełkach, przez czas pobytu u Lucyny zdążyła porządnie się zadomowić, a teraz już nie marzyła o niczym innym jak o przeprowadzce do swojego nowego lokum. Nazajutrz miała podpisać umowę i odebrać klucze od mieszkania. Teraz wystarczyło już tylko czekać, aż Frankowi zdejmą gips i będzie mógł wrócić do przedszkola. Anka obiecała Lucynie, że do tego czasu zajmie się małym, tymczasem teraz sama już znosiła przysłowiowe jajo i liczyła dni. Dobrze mieszkało jej się u przyjaciółki, która dała jej dach nad głową, kiedy Anka tego potrzebowała. Teraz jak nigdy dotąd Anka chciała za wszystko się zrewanżować. Korzystając z tego, że małego wciągnęła bajkowa akcja, zakasała rękawy i zabrała się do sprzątania kuchni. Wyszorowała wszystko do połysku akurat na powrót Lucyny.

– Boże, jestem wykończona. Narobiłam się jak wiertło na przodku – jęknęła. – Przerąbany dzień, mówię ci. Psisko nie przeżyło zabiegu i właściciele chcieli mnie zabić, choć sami uparli się, żeby operować staruszka. Szesnaście lat jak na schorowanego psa to niezły wynik, ale serducho mu siadło. Ech, nie lubię takich akcji.

– Sama chciałaś być weterynarzem – uśmiechnęła się Anka pocieszająco.

– Wiem, zawsze kochałam zwierzęta, ale wydawało mi się, że jako weterynarz będę wyłącznie szczepić szczeniaki i obcinać kotom pazurki.

– No tak. Niezły błąd w założeniu. Na co komu weterynarz do zdrowych zwierząt?

– No właśnie, ale nie zrozum mnie źle. Ja chcę im pomagać, jestem niezłym fachowcem i jeszcze lepszym chirurgiem, ale za nic nie umiem się uodpornić na ich cierpienie. No i na właścicieli.

– Ale chyba musisz.

– Owszem, i coraz lepiej mi idzie. Rety, jak jestem głodna.

– Dziś mamy sushi, chcesz? – Anka przyjaciółce pod nos okrągłą tacę.

– O nie, Karol by nam tego nie wy ła się Lucyna. – Musimy na niego bie? – zapytała i odgrzała sobie

Ucieszyła się z dobryc tem posmutniała.

– Szkoda, że się od nas wyprowadzisz. Już się przyzwyczaiłam, że mam ugotowane i że młody jest w dobrych rękach – Lucyna puściła oko do Anki. – I że cię mam.

– Mnie też tu dobrze, ale przecież nie mogę wam siedzieć na głowie nie wiadomo jak długo. Jeśli chcesz stracić przyjaciela, to załóż z nim wspólny biznes albo z nim zamieszkaj. Efekt gwarantowany – roześmiała się Anka. U jej stóp rozległo się przeciągłe miauczenie.

– Cholera, z tego wszystkiego zapomniałam o tym kocie. Jeszcze tego brakowało – powiedziała Lucyna.

– Spokojnie, wezmę ją do siebie.

– Poważnie?! – Lucyna aż podskoczyła z radości.

– Tak, musimy tylko jakoś odizolować ją od Franka, chociaż na razie ona ma go w nosie.

– To jeszcze kilka dni, damy radę. Zorganizuję ci sterylizację, szczepienia i resztę. Ty tylko kup karmę na zapas i wymyśl jakieś imię. Na szczęście mam w bagażniku jakieś darmowe próbki żarcia dla kocich juniorów. Wiesz już może, co z tą twoją robotą?

– Cisza w eterze. Jutro załatwię formalności związane z mieszkaniem i zabieram się do szukania pracy. Już zalogowałam się na kilku portalach, ale jeszcze nie miałam czasu się w tym rozeznać. Od rana na ostro przysiadam fałdów. Przejeść oszczędności to żadna sztuka.

Podczas kolacji urozmaicony zestaw japońskich rzysmaków zrobił furorę. Anka nawet nie przypuszała, że potrafi zjeść aż tyle. Nawet mały Franek się pał, a że niespecjalnie mu smakowało, resztkami stował kotka.

szcze nie słyszałam, żeby kot wcinał sushi, a różne i pacjenci opowiadają o kocich gustach. Niektóre uwielbiają bigos z kiszonej kapusty, inne pomidorówkę lub śliwkowe powidła. O sushi jeszcze nie słyszałam.

– To dajmy jej tak na imię – zaproponował Karol i wzniósł toast butelką japońskiego piwa. – Za Sushi!

– Sushi? – zdziwiła się Anka. Chwilowo nie miała innego pomysłu i po chwili zastanowienia przyklasnęła. – W sumie czemu nie? Sushi, kici, kici! – zawołała, a koteczka popatrzyła na nową panią i najedzona ułożyła się do snu zupełnie nieświadoma, że właśnie nadano jej najbardziej idiotyczne imię pod słońcem.

Lucyna ułożyła Franka do snu i towarzystwo przeniosło się do ogrodu. W doskonałych nastrojach dojedli kolację i na zakończenie wznieśli kieliszkiem szampana toast za nowe imię dla kota. Nazajutrz wszystkich czekał intensywny dzień. Lucyna o dziewiątej miała już być w gabinecie, a Karol umówił się w studiu na nagrania czterech wywiadów z wokalistami. Jako dziennikarz muzyczny sam gustował w pewnych gatunkach i na ulubione tematy mógł gadać w nieskończoność. Teraz jednak pechowo trafili mu się muzycy z innej bajki. I to, jak na złość, tego dnia wszyscy bez wyjątku. Nawet nie chciało mu się odsłuchiwać ich wszystkich nagrań.

– Czy to nie brak profesjonalizmu? – zapytała Lucyna.

– A skądże. Brakiem profesjonalizmu byłby brak przygotowania do wywiadu, a ja już tyle lat w tym siedzę, że nie muszę słuchać zbyt wiele. Wystarczy mi jeden kawałek i wiem, co jest grane. Szczególnie że dwójka z nich to finaliści kolejnego z rzędu talent show i dorobek mają raczej skromny. Dramat. Dyletanci, którym już na wejściu odbiła palma, więc nie wróżę im wielkiej kariery.

41

– Ale ich piosenki to przeboje – wtrąciła Anka.

– No i co z tego? Zwykle na tym zaczynają i kończą. Brak im pokory, a media nie lubią bufonów, którzy przyszli znikąd.

– Dlaczego? Przecież tacy ludzie to woda na wasz młyn. Wy, dziennikarze, musicie ciągle pisać i gadać o czymś nowym, a to świeża krew.

– W sumie masz rację, ale nie w tym rzecz. Jeśli Tina Turner zechce strzelić focha, to każdy jej wybaczy, ale jest na tyle profesjonalistką, że szanuje siebie i innych, i nie odwala takich numerów.

– No tak.

– Tym bardziej więc nikt z żadnej rozgłośni nie będzie się przejmował jakimś nieopierzonym nowicjuszem, któremu po nagraniu jednego hitowego singla wydaje się, że właśnie stał się drugim Michaelem Jacksonem. Wystarczy mi już, że mam szefa kretyna, więcej durniów na antenie nie będę forował. Całe szczęście, że to mój autorski program i mogę robić, co chcę. Wypełniam dobrze swoje obowiązki, ale dla idiotów nie będę się zanadto wysilał.

Sushi chyba wyczuła, z kim należy się integrować, nieoczekiwanie wskoczyła bowiem Ance na kolana i zwinęła się w ciasny kłębuszek. Wzruszona Anka z czułością pogłaskała lśniące futerko. Było już późno i trochę kręciło jej się w głowie. Pożegnała się i delikatnie, by nie obudzić futrzaka, przeniosła go do swojego łóżka. Kotka nawet nie zauważyła, że zmieniła miejsce zalegania. Nie miała też pojęcia, że w niedługim czasie po raz nie wiadomo który zmieni również miejsce zamieszkania.

Anka śniła piękny sen, tak rozkoszny, że ze złością zareagowała na dźwięk, który wyrwał ją ze słodkiego niebytu. Machinalnie trzepnęła ręką na oślep, byle tylko zagłuszyć podłe terkotanie. Zła, że cudowna wizja prysła, miała ochotę cisnąć smartfonem o ścianę, ale że był to w miarę nowy model, powstrzymała się w ostatniej chwili. Wyłączyła sygnał i ponownie zacisnęła oczy z nadzieją, że uda jej się wrócić do głównej roli w przerwanym filmie. Nic z tego. Zdążyła się już wyspać, postanowiła jednak jeszcze poleżeć. Czekał ją aktywny dzień, ale nie musiała się spieszyć. Przytuliła do siebie zaspane kociątko i rzuciła nienawistne spojrzenie w kierunku telefonu, który ponownie się rozdzwonił.

– Słucham! – warknęła niemiło.

– Dzień dobry, dzwonię z OTC International, czy…

– Taak? – Wcześniej odchrząknęła i zniżyła głos, by zatrzeć złe pierwsze wrażenie. – Oczywiście, tak. Nie ma problemu. Jestem do dyspozycji. Tak. Ależ zgodnie z życzeniem pana dyrektora. Tak, tak, jedenasta. Tak, oczywiście, będę punktualnie. Dziękuję – wyrzucała z siebie słowa jak karabin maszynowy, po czym wyskoczyła z łóżka jak oparzona. Umówiła się na spotkanie, a po fakcie dotarło do niej, że przecież do szesnastej miała opiekować się Frankiem. Pobiegła do kuchni.

– Lucyna! Matko! Jesteś!

– Jestem, jestem! Zaraz wychodzę, tylko wciągnę maślankę. Co jest?

– Franek śpi?

– Tak. A co?

– Kurde, o jedenastej mam spotkanie w sprawie pracy, wiesz, w tej dużej firmie. Nie mogę tam pójść z zagipsowanym dzieciakiem.

Lucyna szybko przeanalizowała dostępne opcje, ale nie znalazła rozwiązania.

– Cholera, nie mogę się zerwać przed trzynastą. Nie ma szans.

– A Karol?

– Godzinę temu wyjechał do redakcji. Ma dziś nagrywać te pieprzone wywiady. Szlag! Raczej nie wypada, żebyś dzwoniła do nich z prośbą o przesunięcie spotkania.

– Nawet jakbym chciała, to nic to nie da, bo dyrektor po południu ma samolot i leci gdzieś w delegację. O Boże.

– Nic. Ochłoń. Najwyżej przywieziesz go do mnie do gabinetu. Popatrzy sobie młody na psie flaki, to mu się pieska w domu odechce. I tak przez twojego kota musiałam mu podać zyrtec, więc nie będzie problemu. Coś wymyślimy. Głowa do góry. A jak nie, to w razie czego podrzucisz go z tym gipsem na dwie godziny do przedszkola. W końcu za coś im płacę.

– O, to jest myśl! – Anka w lot podchwyciła pomysł. Sytuacja naprawdę była podbramkowa, a na dokładkę uświadomiła sobie, że nie ma się za bardzo w co ubrać, żeby dostatecznie profesjonalnie zaprezentować się na rozmowach. Większość rzeczy leżała spakowana w nie wiadomo którym pudle, a pożyczenie czegoś od Lucyny nie wchodziło w grę, bo miały zupełnie inne rozmiary. Wybrnęła w ostatniej chwili. Efektowne ciemne szpilki miała pod ręką, gładkie czarne spodnie również. Pozostawał problem góry, ale Anka pamiętała, że Lucyna niedawno kupiła luźną kremową, dość szykowną koszulową tunikę. Wykręciła numer do przyjaciółki i ustaliła, gdzie wisi. Do zestawu wybrała jedną z apaszek z przepastnej szafy i przy okazji pilnując Franka, podczas śniadania zrobiła staranniejszy niż zwykle makijaż. Włosy spięła na czubku głowy w skromny koński ogon i zadowolona z efektu sprawdziła każdy szczegół przed lustrem. Do umówionego spotkania pozostało jej półtorej godziny, ale znając wiecznie zakorkowane krakowskie ulice, musiała przeznaczyć godzinę na dojazd. Całe szczęście miała już zamontowany w samochodzie fotelik dla chłopca i teraz przynajmniej z tym nie musiała się męczyć. Przedszkole mieściło się w budynku położonym kilka przecznic dalej, więc pełna nadziei zaparkowała na podjeździe i przytaszczyła dziecko do szatni. Po drodze spotkała jego wychowawczynię i wtedy czar prysł. Kobieta stanowczo odmówiła przyjęcia dziecka z gipsem.

– Błagam, to tylko dwie, trzy godziny. – W razie potrzeby Anka była skłonna uklęknąć, ale kobieta była nieugięta.

– Absolutnie nie mogę. Co innego, gdyby chłopca odprowadził rodzic. Pani nie jest upoważniona.

– Ale może dyrektor…

– Nie ma dziś pani dyrektor.

– A zastępca?

– Będzie za godzinę.

W myśl zasady, że jak się sypie, to wszystko jednocześnie, właśnie wszystko się posypało. Anna nigdy wcześniej nie miała do czynienia z przedszkolnymi procedurami i nawet przez myśl jej nie przeszło, że może napotkać na taki problem. Teraz, mając świadomość błyskawicznie kurczącego się czasu, z powrotem zapakowała Franka do samochodu i znowu zadzwoniła do Lucyny. Czuła się jak idiotka.

– I co?

– I nic. Pochrzaniło się wszystko. Nie przyjmą go bez rodzica, bo coś tam.

– To dawaj go do mnie.

– Nie ma szans, nie zdążę – jęknęła Anna

– Matko, przepraszam cię… – Lucyna gorączkowo szukała jakiegoś rozwiązania

– Dobra, biorę go ze sobą. Niech się dzieje, co chce.

Anka już kilka razy w życiu uczestniczyła w biegu wydarzeń, który niechybnie zmierzał do niepowodzenia. Mimo tego, że walczyła do ostatniej chwili, opór materii bywał tak upierdliwy w swej przewrotności, że rzucał pod nogi kłody, o jakich nigdy jej się nie śniło. Po prostu jeśli coś miało się nie udać, to się nie udawało, i choćby nie wiem jak mocno walczyła, w najlepszym razie odnosiła pyrrusowe zwycięstwo. Zanosiło się na to i teraz, ale tym razem odpuściła i przestała walczyć. Ze swojej strony uczyniła wszystko, co powinna, a że nie wyszło, to trudno. Niech się dzieje, co chce, pomyślała i ostro ruszyła przed siebie. Połączenie jej determinacji i wysokiej temperatury spowodowało, że wystartowała z piskiem opon godnym mistrza driftu.

– Ale fajnie – ucieszył się Franek. – Mój tata tak nie umie.

– Raczej nie chce – rzuciła przez ramię. I wtajemniczyła małego w sytuację. Jeszcze nie wiedziała, co z nim zrobi na czas spotkania, ale uznała, że pomyśli o tym na miejscu. – Tylko pamiętaj. Masz być grzeczny u tej pani albo pana. Czy mogę na ciebie liczyć?

– A dasz mi telefon?

– A po co? – Anka była skłonna zgodzić się na wszystko, byleby tylko Franek czymś się zajął.

– Do grania.

– Do grania? Lubisz Angry Birds? – nagle doznała olśnienia. – Bingo! Franek! Jesteś największym trzylatkiem wszech czasów! I obiecuję, że jak podrośniesz, to kupię ci tablet, co ty na to?

Dzieciaka aż zatkało z wrażenia. Jeszcze nie wiedział, co to dokładnie jest tablet, ale z opowieści kolegów zrozumiał, że to coś bardzo cennego, da się na tym grać w nieskończoność i wypadałoby to mieć.

Anka, pełna nadziei i korzystając z niewielkiego korka, przeszukała pamięć w telefonie. Po paru minutach rozmowy już wiedziała, że jest uratowana.

– Daj, wezmę go, przecież ten gips swoje waży. – Artur chętnie przejął Franka z rąk znajomej i od razu przeszedł do rzeczy, proponując chłopcu rozgrywki w jakiejś grze. Mieli ścigać się po ostrych zakrętach wyścigowymi samochodami i przy okazji strzelać do bardzo niebezpiecznego wroga. Franka zamurowało z emocji i zachwytu.

– Dzięki, Artur – powiedziała Anka. Na jej twarzy pojawił się wyraz wdzięczności. – Dasz sobie radę?

– Jasne, mam trzech siostrzeńców i niejedno już widziałem. W tym przypadku zadanie jest proste.

– Dlaczego?

– Gips. Jest jak kotwica. Przynajmniej mi dzieciak nie ucieknie i nie odepnie kabli od serwerów. Idź, i połamania nóg, piękna pani. – Na odchodne obrzucił Ankę spojrzeniem pełnym aprobaty i uniósł w górę kciuk. Wyglądała wspaniale. Jej swobodny, acz wyszukany w swej prostocie elegancki strój bardzo przypadł mu do gustu. Pamiętał, że w zwiewnych wakacyjnych strojach również prezentowała się nieźle. Od razu mu się spodobała, ale świadomość, że przyjechała do marokańskiego hotelu lizać rany po nieudanym związku, skutecznie ostudziła jego zapał. O ile w pierwszej chwili chwycił się nadziei, że może dziewczyna będzie chciała zastosować metodę klin klinem, najchętniej z jego udziałem, o tyle jak usłyszał opowieść o pozostawionym przed ołtarzem wiarołomnym narzeczonym, dał sobie spokój. Za bardzo się szanował, by świadomie postawić się w roli zimnego kompresu na świeże stłuczenia. W wieku trzydziestu pięciu lat zdążył już poznać swoje zalety i wady. Nowa znajoma zdecydowanie przypadła mu do gustu, ale nie na tyle, by chciał poświęcić się li tylko w charakterze balsamu na jej rany. Skądinąd wiedział, jak to działa. Przecież nie był głupi. Może nie miał najlepszego zdania na temat własnej prezencji, ale bywało, że czasem podobał się kobietom. Ze względu na siedzący tryb pracy od jakiegoś czasu systematycznie ćwiczył na siłowni pod okiem trenera personalnego. Jego sylwetka z czasem nabrała odpowiednich proporcji. Regularnie dbał o dłonie i o wszystko inne, o co zadbać się dało, i w miarę możliwości starał się odżywiać racjonalnie. Nie grzeszył wzrostem, ale fryzura na jeża i buty na nieco grubszej podeszwie dawały złudzenie, że Artur jest wyższy niż w rzeczywistości. Do niedawna obsesyjnie unikał ludzi wysokich, ale jakiś czas temu odpuścił i przestał się tym przejmować. Jestem, jaki jestem. Tyle w temacie.

Rozdział 4

Intensywny dzień dobiegał końca. Anka była tak zmęczona, że marzyła już tylko, żeby zdjąć z nóg przeklęte czółenka na jedenastocentymetrowych szpilkach i złapać cokolwiek do jedzenia. Zaparkowała samochód na podwórku i posapując, wspięła się na wyfroterowane schody ładnie odremontowanej kamienicy. Mniej więcej na drugim piętrze przypomniała sobie, że zostawiła zakupy w bagażniku, więc nie oglądając się na konwenanse, zdjęła buty i boso zbiegła na dół. W międzyczasie odebrała telefon od matki i zagadana na całego, już z zakupami, stanęła pod drzwiami mieszkania i… zorientowała się, że zapomniała zabrać klucze z samochodu. Ponownie zbiegła na dół. Była bliska płaczu i chyba tylko zaciekawiony wzrok sąsiada z pierwszego piętra powstrzymał ją przed rzuceniem wiązanki przekleństw. Anka wiedziała, że to przynosi ulgę, i nieraz łapała się na chęci pofolgowania sobie, ale nie pozwalało na to wyniesione z domu tak zwane dobre wychowanie. Za to w zaciszu domowym czasem zdarzało jej się rozpuścić język na podobieństwo jarmarcznej przekupki, co zawsze przynosiło ulgę. Tego dnia miała jednak tak dużo wrażeń, że była w stanie znieść dwa razy tyle niż zwykle.

Poprzedzona szaleńczą improwizacją rozmowa kwalifikacyjna zaowocowała w ciągu trzech dni zatrudnieniem na stanowisku przedstawiciela handlowego. Anka była dobrej myśli, ale nie przypuszczała, że wszystko rozegra się aż tak szybko. Miała przeczucie, że z chwilą podpisania dokumentów zaprzedaje duszę diabłu, ale to był dopiero początek. W następnych dniach poczuła się jak pasażer mimo woli, który przez przypadek w biegu załapał się na rozpędzony rollercoaster.

Dobrze, że Arturek uprzedził ją, że najgorszy dzień pracy w tej firmie to dzień zatrudnienia. Badania lekarskie, wizyta u dentysty, karta obiegowa do podbicia we wszystkich możliwych działach, przyspieszone szkolenie BHP i skomplikowana do granic możliwości procedura odbioru służbowego samochodu w dziale transportu osobowego. Dodając do tego fakt, że centrala OTC International mieściła się w Warszawie, pierwszy dzień pracy stanowił nie lada wyzwanie. Anka wstała tego dnia o świcie, by zdążyć na pierwsze jadące do stolicy pendolino. Pół poprzedniego dnia spędziła na wymaganych przez firmę badaniach psychotechnicznych dla kierowców, co też okupiła sporą dawką nerwów. Czekający obok w kolejce mężczyzna porządnie ją wystraszył. Co rusz wycierał spocone dłonie.

– Wie pani, strasznie trudno jest zdać.

– Poważnie? Co pan powie? – Anna przeraziła się nie na żarty.

– Poważnie. Ja podchodzę do testów już szesnasty raz i nie mogę ich zaliczyć.

– To chyba coś jest nie tak? Nie myślał pan o tym?

– Myślałem, ale mam nagraną robotę kierowcy karetki pogotowia i muszę w końcu kiedyś zaliczyć te przeklęte testy.

– O matko... – Anka zawiesiła wypowiedź, bo właśnie wezwano wszystkich na część teoretyczną. Weszła do salki na miękkich nogach, zajęła miejsce i rzuciła okiem na testy. Przypominały testy na inteligencję, a w tym była całkiem niezła. Skończyła przed czasem i jako pierwsza zameldowała się w laboratorium, gdzie odbywała się część praktyczna. Cały czas czekała na to coś, na czym się oblewa, ale się nie doczekała. Przeszła przez wszystkie etapy i otrzymała stosowne zaświadczenie. Właśnie wychodziła z budynku, kiedy dopadł ją mężczyzna z kolejki.

– Zdałem! Zdałem! – cieszył się jak dziecko i niepomiernie się zdziwił na wieść, że Anka zaliczyła wszystko przy pierwszym podejściu. A ta w rozbawieniu uznała, że teraz będzie uciekać gdzie pieprz rośnie przed każdą karetką.

Przy okazji kompletowania podpisów na karcie obiegowej poznała osoby ze wszystkich działów. Miła praktykantka z recepcji jak po sznurku zaprowadziła ją gdzie trzeba i względnie bezproblemowo, przed godziną siedemnastą, Anka uzyskała ostatnią pieczątkę. Wreszcie wsiadła do służbowego forda, ustawiła fotel i lusterka. Sprawdziła wszystkie przyciski i pokrętła. Czekała ją jeszcze powrotna droga do Krakowa, a już teraz czuła się jak przekręcona przez wyżymaczkę. Przed wyjazdem z firmowego parkingu zadzwoniła do Lucyny, żeby się odmeldować. Obok niej, na siedzeniu pasażera, leżał w pudełku nowiutki służbowy smartfon najnowszej generacji. Na razie nie miała ani czasu, ani siły, żeby skopiować kontakty. Westchnęła z przejęciem i ruszyła w stronę domu. Miała przed sobą dobre cztery godziny jazdy, a przecież jeszcze nic tego dnia nie jadła. Wypadałoby zatrzymać się na jakiś sensowny posiłek. Chętnie przenocowałaby gdzieś po drodze, ale w domu czekała na nią mała Sushi. Anka bała się, że zabraknie jej jedzenia albo picia, poza tym sama była zdziwiona, że niespodziewanie zatęskniła za swoją podopieczną. Przed północą, jak nieżywa, wtoczyła się do mieszkania. Żeby zaoszczędzić na czasie, w drodze zjadła jedynie panierowane kawałki kurczaka w jakimś samoobsługowym bistrze. Modne ostatnio nuggetsy w przydrożnym wydaniu przypominały tekturę z dodatkiem kury zmielonej wraz z kurnikiem.

– Ohyda! – wzdrygnęła się Anka, ale była tak głodna, że jakoś zmusiła się do przełknięcia kilku kęsów. Oczywiście, już tradycyjnie, poplamiła spódnicę keczupem i zła jak osa wyrzuciła resztki paskudnego dania do kosza.

Wrzuciła ubranie do umywalki, żeby zaprać czerwoną plamę, i otworzyła lodówkę.

– No tak, biało i pusto – mruknęła i z niechęcią zatrzasnęła drzwiczki. – Cholerny biegun północny.

Przed snem jeszcze nakarmiła kotkę, która na jej widok przeciągnęła się leniwie, jakby wcale nie zauważyła całodziennej nieobecności swojej pani. Anka dokonała pobieżnej toalety i położyła się do łóżka. Zasnęła, zanim jej głowa dotknęła poduszki. Nazajutrz o siódmej rano obudził ją dźwięk budzika. Dopiero po chwili dotarło do niej, że jest sobota i nie musi nigdzie wstawać. Pewnie spałaby dalej, gdyby nie dotkliwe ssanie w żołądku.

Przez ten cały młyn z nową pracą chwilowo nie wiedziała, jak się nazywa, a miała spore zaległości do odrobienia. Powinna w końcu zrobić jakieś porządne zakupy do domu, wreszcie rozpakować swoje rzeczy i dokończyć całą tę prowizorkę związaną z przeprowadzką. Żarty się skończyły. Od poniedziałku szła do pracy, i to nie do jakiejś byle firemki, ale do międzynarodowej korporacji. Była przekonana, że w zamian za godziwe warunki nowy pracodawca wyciśnie ją jak cytrynę. I nie myliła się.

Szczęściem w weekend zdołała uporać się ze wszystkimi zadaniami, z początkiem tygodnia bowiem trafiła w samo centrum huraganu. Przyzwyczajona do nieco innego trybu pracy, pierwszego dnia poczuła się, jakby wylądowała na innej planecie. W poniedziałek punktualnie o czasie zameldowała się w krakowskim oddziale, ale nikt nie zwrócił na nią uwagi.

– Przepraszam, gdzie odbywa się odprawa handlowców?

– To ty jesteś ta nowa? – zapytała stojąca obok kobieta o prawie białych włosach ostrzyżonych na krótko. Jej szykowny kostiumik musiał kosztować małą fortunę.

– Tak. Jestem Anna Jaskółka. Szczerze mówiąc, nie wiem, co dalej.

– Marta Cichoń – przedstawiła się dziewczyna i energicznie uścisnęła dłoń na powitanie. – Chodź ze mną. Mamy mało czasu, a tu nie toleruje się spóźnień. Od razu wymyśl sobie powitalną przemowę, bo bez tego się nie obejdzie. No już! Właź! – Marta nie dała Ance czasu na odpowiedź, tylko delikatnie popchnęła ją w stronę drzwi. Anka nigdy nie odczuwała strachu przed żadnym spotkaniem, ale teraz poczuła się dziwnie. Wraz z ich wejściem w sali konferencyjnej zapanowała cisza jak makiem zasiał. Rozgadane towarzystwo zamilkło w jednej chwili. Poczuła na sobie zaciekawione i wręcz namacalne spojrzenia wlepionych w nią kilku par oczu. Czterech siedzących po przeciwnej stronie mężczyzn bez skrępowania otaksowało ją z góry na dół. Marta była bystra i od razu zorientowała się, w czym rzecz.

– Nimi się nie przejmuj, to etatowi podrywacze. Kochani, to jest Anka. Pracuje z nami od dzisiaj. Na początek przejmiesz teren Adriana – Marta wskazała na łysiejącego blondyna, który na dźwięk swojego imienia zaczerwienił się po same końcówki włosów. – Adrian właśnie awansował i przechodzi do obsługi najważniejszych klientów. Zanim się do nich dorwie, pewnie z chęcią przekaże swój teren nowej koleżance. Prawda, Adrian?

Mężczyzna posłusznie skinął głową, kątem oka wyłowił wiele mówiące uśmieszki swoich kumpli i – o ile to możliwe – zaczerwienił się jeszcze bardziej.

Marta, jak się okazało, szefowa przedstawicieli handlowych zwanych naprzemiennie pechowcami lub repami, była wulkanem energii. Sprawna, świetnie zorganizowana i bardzo rzeczowa. Przejęta Anka chłonęła wszystko jak gąbka, choć nie rozumiała nawet połowy z branżowego nazewnictwa. Chwilami czuła się jak na tureckim kazaniu i skrzętnie notowała, czego nie rozumie. W nadchodzących dniach miała pracować z Adrianem, który finalnie okazał się świetnym fachowcem, a jego znajomość rynku przyprawiała o zawrót głowy. Z większością swoich klientów był po imieniu, miał niezłą renomę i na wieść o jego odejściu niejednej farmaceutce zakręciła się łezka. Do tego jak z karabinu strzelał cenami i cyfrowymi kodami całego dostępnego asortymentu. Anka była pod wrażeniem, a gdy na koniec dnia podyktował jej z pamięci dzienny raport wizyt, sypiąc jak z rękawa kilkunastoma adresami i nazwiskami, nie wytrzymała.

– Jak ty to robisz? Jakim cudem ty to wszystko pamiętasz?

– Normalnie. Za kilka miesięcy też będziesz tak mieć. To przyjdzie samo, ale na początku musisz wszystko notować, bo później zapomnisz.

– Jasne – mruknęła bez przekonania. – A kto to jest rep?

– Pechowiec – Adrian uśmiechnął się świadom, że zapędza koleżankę w kozi róg.

– Nie rozumiem, skąd ta nazwa.

– To proste. PH to skrót od przedstawiciela handlowego, więc wychodzi „pechowiec", to jest to samo co rep, żeby nie łamać sobie co chwila języka na angielskim *sales representative*.

– Aaa – kiwnęła głową ze zrozumieniem, bo wcześniej nijak nie mogła pojąć, co praca ma wspólnego z pechem.

– Mam nadzieję, że już wiesz, kto jest twoim najważniejszym klientem?

– Nie wiem, przecież dopiero zaczynam i jeszcze nie znam wszystkich.

– Jego już znasz. – Adrian tajemniczo ściszył głos. – To twój szef. To jemu codziennie sprzedajesz swoją pracę, postaraj się więc, żeby nic ci nie uciekło. Notuj, notuj i jeszcze raz notuj, a notes musi się stać twoim najlepszym przyjacielem. I najważniejsza rada.

– Jaka?

– Nigdy niczego klientowi nie obiecuj, jeśli nie masz stuprocentowej pewności i pięciu podpisów wszystkich członków zarządu, że możesz mu to dać.

– Matko, a ty masz tę pewność?

– A słyszałaś, żebym komuś coś obiecał?

– Nnno nie. Mówiłeś, że zrobisz, co w twojej mocy.

– No właśnie, a mocy sprawczej nie mam, ale za to mam dobrą pamięć i gruby notes. I jeśli tylko uda mi się spełnić prośbę klienta, ten będzie się czuł tak, jakbym spełnił obietnicę, której nigdy mu nie złożyłem. A jak nie dam rady, to trudno. Nikt nie zarzuci mi nieuczciwości, bo przecież niczego nie obiecałem. Tak to funkcjonuje.

– I to działa? – Anka była pełna uznania. Skończyli kawę i chciała już wstać od stolika, ale Adrian powstrzymał ją gestem dłoni.

– A zauważyłaś może coś szczególnego? Jakaś refleksja z twojej strony?

– Tak. Zauważyłam, że traktujesz każdego klienta w taki sposób, jakby był jedynym klientem na świecie. I oni to lubią – uśmiechnęła się szeroko.

– Widzę, że będą z ciebie ludzie – Adrian przybrał protekcjonalny ton. – Pamiętaj jednak o firmie. To nasza matka i to ona nas karmi, i niech cię ręka boska broni w jakikolwiek sposób naruszyć jej dobre imię. Wszyscy mamy tu misję do wypełnienia i powinniśmy być tego świadomi.

– Dzięki, Adrian – powiedziała posłusznie, ale uznała, że pod koniec kolega zdrowo przesadził. Niewątpliwie był doskonałym fachowcem, ale jego wypowiedzi na wskroś przesiąknięte korporacyjną indoktrynacją na temat misji, firmowej tożsamości i innych bzdur sprawiły, że Anka tylko przez grzeczność kiwała głową. Patrząc na to, z jakim namaszczeniem Adrian gładzi firmowe logo na okolicznościowym wiecznym piórze, nabrała pewności, że kolega przeszedł więcej niż skuteczne pranie mózgu. Całe szczęście jej to nie groziło, a przynajmniej miała taką nadzieję.

Pierwszy miesiąc pracy Anka przeżyła jak w transie. Oprócz koniecznych czynności fizjologicznych i opieki nad Sushi całkowicie dała się pochłonąć obowiązkom zawodowym. W każdej wolnej chwili zakuwała nową terminologię, spisy leków, najnowsze nowelizacje do ustawy *Prawo farmaceutyczne*. Przez pierwsze dni wspólnej pracy Adrian udzielił jej wielu cennych porad, ale przecież nie miał recepty na wszystko. Zupełnie nie odpowiadał jej jego bufoniarski styl firmowego półboga, ale starała się zapamiętać, ile tylko się dało. Mimo wszystko była mu wdzięczna za pomoc i wiedząc, że sam też jest zajęty na swoim nowym stanowisku, starała się jak najmniej go absorbować. W końcu w zespole miała jeszcze cztery koleżanki i trzech kolegów, no i Martę, która jawiła się jej jako szefowa idealna. Dokładnie wiedziała wszystko o wszystkich. Była nieprzeciętnie bystra i uwielbiała swoją pracę. A podwładni uwielbiali ją. Nikomu nie przeszło nawet przez myśl, żeby chcieć ją oszukać albo zafałszować raport. Zasady zostały sformułowane wyraźnie. Albo się szanujemy i stanowimy zgrany zespół, albo robimy dziadostwo, każdy skrobie swoją rzepkę, ale wtedy w razie draki nie ma co liczyć na łaskę szefowej. Wszystkie osoby z zespołu dokładnie wiedziały, czego się od nich wymaga i jakie konsekwencje grożą za niesubordynację. Wszystko było jasne.

Anka rozmasowała ścierpnięty kark. Już drugą godzinę tkwiła przed firmowym laptopem, biedząc się nad miesięcznym sprawozdaniem. Przekonała się już, że terminy raportowania były w firmie największą świętością. Z ulgą wybrała komendę wyślij i odebrała dzwoniący telefon.

– No wreszcie! – w słuchawce rozbrzmiał rozszczebiotany głos Lucyny. – Wessało cię w jakiejś aptece czy co?

– Ledwie żyję, ale o was pamiętam – roześmiała się Anka. Faktycznie, w ostatnich dniach wielokrotnie się zbierała, żeby zadzwonić do Lucyny. Zawsze działo się jednak tyle, że już nawet nie liczyła, ile razy przekładała telefon do niej na następny dzień.

– To może wpadniesz do nas dziś po pracy? Będziemy testować nowy grill, ha!

– No masz! Pewnie, że przyjdę. – Żołądek właśnie podjął za nią decyzję i zaburczał głośno. – Akurat skończyłam tę moją biurokrację, podskoczę jeszcze tylko do firmy rozliczyć zaliczkę i melduję się u was.

Anka z niecierpliwością czekała na pierwszą wypłatę. Patrząc na stroje koleżanek z pracy, miała pełną świadomość, jak dalece odbiega od nich stylem.

Obiecała sobie, że z każdej kolejnej pensji kupi sobie coś ekstra. Oprócz stałej pensji miała jeszcze otrzymywać premię od sprzedaży, ale na to musiała jeszcze poczekać. W pierwszym miesiącu nawet nie zbliżyła się do oczekiwanych wartości, ale usprawiedliwiało ją to, że jest nowa i dopiero się uczy. W kolejnym miesiącu planowała rozwinąć skrzydła. Firma wprowadziła na rynek preparat łagodzący po ukąszeniach komarów, a właśnie rozpoczynał się sezon urlopowy. Zakrojona na szeroką skalę kampania reklamowa samoistnie nakręcała sprzedaż, a przy odpowiedniej zachęcie kierowników aptek Anka w następnym miesiącu powinna załapać się do premiowych widełek. Okres rozbiegowy miała już za sobą i nie mogła się doczekać, kiedy wreszcie samodzielnie ruszy w teren.

Zadowolona wyłączyła laptop i przygotowała teczkę z fakturami do rozliczenia. Korzystając z tego, że obowiązujący w firmie *dress code* dopuszczał w piątki nieformalny strój, włożyła obcisłe białe spodnie i zwiewną koszulę w marynarskim stylu. Stopy wsunęła w wygodne espadryle i zrobiła delikatny makijaż. Zaczesane na gładko i związane w koński ogon włosy doskonale pasowały do całości luźnej stylizacji. Jeszcze zanim dotarła do biura, kupiła w pobliskiej cukierni najlepsze na świecie wuzetki i ostrożnie umieściła je w samochodzie. W obawie, że rozpłyną się w cieple, zaparkowała w cieniu i pobiegła do biura. Z rozmachem otworzyła drzwi. Skąd mogła przypuszczać, że z drugiej strony właśnie ktoś stoi. Tymczasem z całej siły rąbnęła drzwiami wysokiego mężczyznę.

– Matko! – zaskoczony odskoczył i upuścił na podłogę telefon.

– O Boże! Przepraszam pana! – Anka równocześnie z nim schyliła się, by podnieść komórkę. Bardziej usłyszała, niż poczuła, mocne uderzenie w czoło.

– Aaała! – oboje krzyknęli jak na komendę i naraz chwycili się za głowy. Recepcjonistka o mało nie udusiła się ze śmiechu.

– Anno? Czy to ty?

Zamroczony mężczyzna trzymał się za czoło i dopiero po chwili do niej dotarło, że skądś go zna.

– Grzegorz? A co ty tu robisz? – zapytała zdziwiona.

– Pracuję, a ty?

– No, ja też, właśnie przyszłam oddać rachunki i rozliczyć zaliczkę.

– To ty jesteś ta nowa? – zapytał, a ona posłusznie skinęła głową.

– To w takim razie zapraszam do mnie. – Grzegorz wskazał na gabinet. Na ścianie przy drzwiach widniała tabliczka z napisem „Dyrektor finansowy".

No to pięknie, pomyślała Anka i potarła obolałą głowę. Strzelić finansowemu guza na czole, matko, ale dałam czadu, pomyślała i niepewnie przekroczyła próg gabinetu.

– Usiądź. – Grzegorz wskazał jej fotel. – Przyniosę z kuchni trochę lodu na te guzy.

Grzegorz wrócił z dwiema puszkami coca-coli w ręku.

– Nie ma lodu, a to było najzimniejsze. – Wręczył jedną puszkę Ance, drugą sam przytknął sobie do czoła. – Daj mi te faktury. Księgowa już wyszła.

Dzieciak się rozchorował, więc dzisiaj wcześniej puściłem ją do domu. – Grzegorz rzucił okiem na rachunki. W skupieniu pogładził starannie utrzymany kilkudniowy zarost.

– Co tak mało za paliwo?

– Przez większość czasu jeździłam z Adrianem. W tym miesiącu moje auto grzało miejsce na parkingu.

– Moim zdaniem nikt lepszy nie mógł cię wdrażać. Pracuje tu od samego początku, czyli nawet dłużej ode mnie. Jest bardzo oddany firmie. Może nawet za bardzo.

– Zauważyłam – odparła z lekkim przekąsem. – Widzę, że kocha firmę jak matkę.

– Rozumiem, że pracujesz w dziale Marty. To świetna dziewczyna. Przyjaźnimy się. I uprzedzę, zanim dowiesz się od kogoś innego, że była kiedyś moją żoną.

– Była? – Anka zdziwiona uniosła w górę brew.

– No, niestety. Woli dziewczyny, ale proszę, zachowaj to dla siebie.

– Aha. – Ankę na moment zatkało.

– Nie przypuszczałem, że jeszcze kiedyś się spotkamy – zgrabnie zmienił temat i z aprobatą spojrzał na Ankę.

– Zbiegi okoliczności to ostatnio moja specjalność – roześmiała się. – Pracuję tu od miesiąca i aż dziwne, że nie wpadliśmy na siebie wcześniej.

– Byłem na szkoleniu w Stanach. Wróciłem przedwczoraj. I ledwie odespałem różnicę czasu – powiedział i zaraz przeszedł do rzeczy. – A może zjemy razem obiad? Jestem głodny jak wilk.

– Dziękuję, ale może innym razem. Jestem umówiona z przyjaciółmi. Boże! Ciastka! – krzyknęła i odstawiła na stolik ogrzaną puszkę z colą.

– Co?

– Mam w aucie wuzetki, muszę lecieć, zanim całkiem się rozpłyną!

– No to leć. Zjem sam – skrzywił się zabawnie i odprowadził Annę wzrokiem. Złożył podpisy pod formularzem rozliczenia zaliczki i zadzwonił do Marty. Był niezmiernie ciekaw jej opinii na temat nowej pracownicy.

Rozdział 5

Anka wróciła do samochodu dosłownie w ostatniej chwili. Cień się przesunął i słońce dotarło już w okolice bagażnika. Od domu Lucyny dzielił ją dobry kwadrans jazdy, a w piątkowe popołudnie należało dorzucić drugie tyle. Przełożyła ciastka na podłogę po stronie pasażera i nastawiła nadmuch klimatyzacji na pełny zakres. Już była spóźniona, ale Lucyna okazała wyrozumiałość.

– Niemożliwe. Ty spóźniona? – zdziwiła się szczerze, przyjaciółka bowiem od zawsze słynęła z punktualności.

– Ech, jak ci opowiem, to nie uwierzysz. – Spocona wachlowała się połami rozpiętej koszuli. W gronie swoich przyjaciół czuła się pewnie i tylko czekała, kiedy wreszcie usiądzie po turecku na wiklinowej ogrodowej sofie.

– Jak kicia?

– Rośnie. Ale czy to normalne, żeby koty oglądały filmy na YouTubie?

– Czy ja wiem? Niedawno słyszałam, że istnieją farmy, gdzie krowom na pastwisku przygrywa kwartet smyczkowy, a w stajniach z głośników leci *Jezioro łabędzie*, więc wszystko jest możliwe. A jakie ona te filmy ogląda?

– Kompilacje o śmiesznych kotach. Za pierwszym razem zaglądała za monitor i sprawdzała, czy są tam jakieś koty. A teraz, jak tylko jestem w domu, to punktualnie o dziewiętnastej układa mi się na klawiaturze i czeka na seans.

– Nieźle – roześmiała się Lucyna. – Chodź, poznasz Rafała.

– Jakiego znowu Rafała? – zapytała rozczarowana, że zamiast luźnej posiadówki trzeba będzie trzymać fason.

– Zaraz zobaczysz. – Lucyna puściła oko i konspiracyjnie ściszyła głos. – To nasz nowy sąsiad, kolega Karola z podstawówki. Dopiero co się wprowadził. Wczoraj przyszedł się przywitać i pożyczyć kosiarkę, bo jego się zepsuła. Od słowa do słowa i okazało się, że się znają, więc go zaprosiłam.

– No tak. Idealny moment na sąsiedzką integrację. – Anka odsunęła firankę i zerknęła w stronę altanki. Karol wraz z nowym sąsiadem bezskutecznie próbowali rozpalić węgiel na grillu.

– Co pijesz?

– A co masz?

– To, co lubisz – Lucyna puściła oko i sięgnęła do lodówki po rynkową nowość. Piwo o smaku limonki stało się ostatnio prawdziwym hitem wśród znajomych. Anka z sykiem otworzyła butelkę i z lubością upiła lodowaty łyk.

– I co? Niezły, nie?

– Masz na myśli ten napitek? – Anka udała, że nie zrozumiała pytania.

– Nie, kurna, sąsiada!

– A daj spokój! Jakiś taki zniewieściały metrogoguś, a ty mi mówisz, że niezły? Chyba oślepłaś od nadmiaru pracy.

– Jest miły – Lucyna broniła się ze śmiechem. – Masz, weź to! – wręczyła Ance miskę z sałatą.

– Tylko mnie nie swataj. Błagam. Chwilowo nie mogę patrzeć na facetów. Nie zapominaj, że dwa miesiące temu szykowałam się do ołtarza.

– Przecież wiem – odparła posłusznie Lucyna zła, że przyjaciółka przejrzała ją w lot, a ona miała przecież jak najlepsze chęci. Z radością obserwowała, jak Anka z dnia na dzień dochodzi do siebie po wcześniejszych niemiłych przeżyciach. W tej sytuacji nowa praca okazała się wybawieniem. Anka była ostatnio tak zajęta, że po prostu brakowało jej czasu na rozmyślania i analizowanie swojego życia uczuciowego. Oczywiście zdrada jeszcze bolała, ale Łukasz zdecydowanie zszedł na bardzo daleki plan. Annę zaprzątały teraz plany sprzedaży i poznawanie klientów, a nie grzebanie w przeszłości. Znamienne było również i to, że od tamtej pory Łukasz nawet nie spróbował w jakikolwiek sposób się z nią porozumieć. Ani słowa skruchy. Ani słowa wyjaśnienia. Nawet głupiego „przepraszam cię". Anką szarpały uczucia ambiwalentne. Z jednej strony bardzo chciała w jakiś sposób zapomnieć i dowartościować się, ale do tego najlepiej nadawał się kolejny mężczyzna. Z drugiej strony jednak uznała, że to nie w jej stylu. Nie mieściło jej się w głowie, jak mogłaby kogoś skrzywdzić tylko dlatego, że ktoś inny skrzywdził ją. Nie, to byłoby zbyt niskie i podłe, a do tego uznała, że spokojnie może obejść się bez mężczyzny. Teraz doszły jej nowe obowiązki, przeprowadzka, szalone tempo pracy i kot na dokładkę. Grafik dzienny miała ciasno zapełniony i w ostatnich tygodniach już zdążyła do tego przywyknąć. Sięgając pamięcią wstecz, aż wzdrygała się na wspomnienie smętnej atmosfery w agencji ubezpieczeń i równie smętnej ówczesnej egzystencji. Teraz wreszcie poczuła, że żyje pełnią życia. Pracowała między ludźmi, codziennie nawiązywała nowe znajomości i codziennie uczyła się czegoś nowego. Notowała wszystko i gdyby nie cenne rady nawiedzonego Adriana, już po tygodniu zginęłaby marnie.

– No, chodźże już. – Lucyna lekko pchnęła Ankę w stronę wyjścia.

– Idę, czas się przywitać. – Anka starannie zapięła koszulową bluzkę i przywitała się z Rafałem. Nie uszło jej uwagi, że bezczelnie obciął ją wzrokiem od stóp do głów. Na ten widok Karol odwrócił się, by ukryć śmiech. Wreszcie udało mu się rozpalić wilgotny węgiel. Teraz trzeba było już tylko poczekać, aż zapłonie na tyle, by móc coś na nim upiec. Rozmowa jakoś się nie kleiła. Anka od pierwszego wejrzenia zapałała antypatią do Rafała, a ten, nie zdając sobie z tego sprawy, tokował jak głuszec na godach. Chełpił się perfekcyjną znajomością trzech języków obcych i właśnie uczył się kolejnego. W sumie to nie było za bardzo się czym chwalić, mając bowiem za ojca rodowitego Włocha, za matkę Rosjankę z Nowosybirska i ucząc się angielskiego w polskiej szkole, umiejętności językowe nabył bez większego wysiłku. Ostatnio otworzył przewód doktorski i został lektorem angielskiego na Uniwersytecie Jagiellońskim. Ze swoją wymuskaną prezencją szybko stał się obiektem westchnień większości studentek i szybko popadł w stan samouwielbienia.

– Kurczę, Lucyna, co to za koleś? – Anka zapytała przy okazji zmywania naczyń po pierwszym daniu.

– No, sąsiad.

– W życiu nie widziałam takiego bałwana. A gdzie młody?

– U babci. A z tym Rafałem muszę jakoś żyć po sąsiedzku, więc może dasz mu szansę. Może nie traktuj go tak z buta?

– Skoro ci na tym zależy. Nie ma sprawy. – Anka podejrzliwie spojrzała z ukosa.

– Jakoś specjalnie to mi nie zależy, ale skoro jest gościem, to wypada jakoś to przeżyć. Wytrzymasz? – roześmiała się Lucyna.

– Dla ciebie wszystko. Wytrzymam i nawet będę miła – obiecała Anka i za kilka minut prowadziła już z sąsiadem ożywioną konwersację. Po bliższych oględzinach uznała, że gdyby tak nieco zmierzwić idealnie ułożone czarne włosy i zamiast obcisłych rurek i kusego podkoszulka ubrać faceta w normalne dżinsy i koszulę, zacząłby wyglądać całkiem po ludzku. Męski metroseksualny styl zdecydowanie nie był w jej guście.

– Zazdroszczę ci znajomości tylu języków. Zawsze zazdrościłam dzieciom dyplomatów.

– Nie wiem, czy jest czego – westchnął. – Moi kuzyni mają na ten temat inne zdanie. Co rusz nowy kraj, nowi koledzy, nowa szkoła. To nie jest takie proste.

– No, ale te języki obce. Nawet nie chcę pamiętać, ile musiałam zakuwać, żeby teraz dać sobie radę z angielskim.

– Języki obce to jedno, a poczucie braku stabilizacji to drugie. Nie każdy się rodzi mentalnym Cyganem.

– Nie każdy? Myślę, że mało kto tak ma. A i tak najważniejszy jest kontakt z językiem.

– Otóż to.

– Od niedawna pracuję w przedstawicielstwie amerykańskiej firmy i cała wewnętrzna korespondencja leci po angielsku. Nieźle musiałam się napocić przez pierwsze dni, żeby od nowa to wszystko załapać.

Lucyna przez cały czas bacznie obserwowała Rafała. Gapił się na Ankę jak sroka w kość. Wraz z postępującym spożyciem piwa coraz bardziej mu się podobała. Jej początkowa rezerwa ulotniła się bezpowrotnie i wreszcie zaczęła traktować go normalnie. Nigdy nie miała żadnych oporów przed zawieraniem nowych znajomości, ale też zawsze zachowywała czujność. Lucynie bardzo zależało, żeby jej znajomi się dogadali. W końcu towarzystwo mogło stać się „do pary".

Pod koniec biesiady Rafał odprowadził Ankę do taksówki. Gdy tylko bezpiecznie umieścili jej samochód na podjeździe pod domem Lucyny i Karola, Rafał natychmiast zaoferował się, że następnego dnia odstawi go pod dom Anny. Rozweseleni gospodarze wymienili między sobą porozumiewawcze spojrzenia.

– No, nieźle się zapowiada – zakpił pod nosem Karol, lekko już wstawiony.

– Daj spokój – ofuknęła go żona. – Przecież wiesz, przez co Anka przeszła ostatnio.

– Co wcale nie oznacza, że przez to zgłupiała, ogłuchła i oślepła. – Karol czule przygarnął Lucynę.

– To fajnie, że się polubili, bo na początku porządnie iskrzyło i tylko czekałem na wybuch.

– Ja też. Ale teraz tylko patrzeć, jak Rafał zacznie jej dawać korki z angielskiego. – Lucyna roześmiała się na cały głos i zebrała ze stołu brudne naczynia.

– Zostaw to.

– Nie ma mowy. Przecież wiesz, że nie zasnę, jeśli nie posprzątam. Komary tak tną, że pewnie w nocy lunie jak z cebra. Wiesz, jaki tu zrobi się pieprznik?

– No wiem. Daj, pomogę ci.

Nazajutrz Anka obudziła się z chrypką. Na próbę powiedziała sobie do lustra bezgłośne „cześć skarbie" i wpadła w panikę. Nic ją nie bolało, a nie mogła wydusić z siebie ani słowa. W pierwszym odruchu chciała zadzwonić do swojego nadwornego medyka, czyli do Lucyny, ale uznała, że zwierzęta raczej nie miewają chrypki, i dała sobie spokój. Poza tym jak miała rozmawiać przez telefon, kiedy odebrało jej głos. Było sobotnie przedpołudnie, więc istniała pewna szansa na poprawę do poniedziałku. W ruch poszła wyszukiwarka internetowa i wypróbowane domowe sposoby – tymianek, podbiał, szałwia, mleko. Niestety w domu miała tylko to ostatnie. Zaczęła od ciepłego mleka z miodem. Przy każdym łyku trzęsła się z obrzydzenia. Nagle rozległo się pukanie do drzwi. Podskoczyła jak oparzona. To Rafał przyprowadził jej samochód, a ona nawet nie zdążyła się uczesać.

– Chwila! – odkrzyknęła bezgłośnie, po czym westchnęła z rezygnacją i otworzyła drzwi. Rafał chyba też nie miał tego ranka za wiele czasu dla siebie, bo gdzieś zniknął jego wymuskany wizerunek.

– Pewnie za dużo wczoraj gadałaś – stwierdził. O dziwo sam zaczął szeptać.

– Wątpię, ostatnio w robocie gadam na okrągło, więc to nie to.

Stanęło na tym, że Rafał poszedł do apteki i kupił, co trzeba. Reklamowany ostatnio nowy środek na chrypkę prawie od razu przyniósł efekt. Anka zaczęła skrzeczeć.

– Dzięki, zbawco. Mogę mówić, chyba nawet i po angielsku – roześmiała się.

– Służę – uśmiechnął się.

– Nie ma potrzeby, dziękuję. W naszej firmie cała korespondencja odbywa się po angielsku, więc musiałam szybko odkurzyć to, czego kiedyś się nauczyłam. Do tego uczę się branżowego słownictwa. Wiesz, każda firma ma swój gryps.

– To normalne.

– Za dwa miesiące, jak zakończę okres próbny i przyjmą mnie na stałe, pojadę do Nowego Jorku na dwutygodniowe szkolenie i muszę coś z tego rozumieć. Później jest egzamin.

– Brzmi poważnie. Jakbyś czegoś jednak potrzebowała, dzwoń śmiało. Może będę mógł pomóc.

Po wyjściu Rafała Anka zabrała się do sprzątania. W końcu zrobiła sobie późne śniadanie i wreszcie zasiadła do komputera. Nadchodzący tydzień zapowiadał się pracowity, a ona planowała się wykazać. Wolała przygotować się zawczasu. System ładował się wyjątkowo powoli, a programy otwierały w tempie zmęczonego ślimaka. Z trudem udało jej się wykonać zaplanowaną pracę.

– Ratuj! – Jak burza wpadła w poniedziałek do Artura i położyła mu laptop przed nosem.

– Co się stało?

– Strasznie zamula. Wyczyściłam ciastka i historię. Brak poprawy.

– A montowałaś nowe programy?

– Tak. Jakiś taki do oglądania filmów, ale niczego innego nie klikałam – zapewniła gorliwie, ale Artur już jej nie słuchał. Przeglądając zawartość jej laptopa, właśnie przeniósł się w inny wymiar. Jego oczy nagle roziskrzyły się tak, jakby ktoś podłączył go do prądu. Anka jeszcze nigdy nie widziała, żeby ktoś wykonywał swoje zajęcie z taką pasją. Chciała coś powiedzieć, ale zrezygnowała i zaczarowana patrzyła, jak jego palce z prędkością światła biegają po klawiaturze. Przebierał nimi tak szybko, że aż zacierał się obraz. Na monitorze pojawiły się rzeczy, z których tylko informatyk mógł coś wywnioskować. Dla niej była to totalna czarna magia.

– Rany Julek! – patrzyła na Artura jak na kosmitę.

– Tylko błagam, nie zrób mi bałaganu – jęknęła.

– Że co? – ocknął się Artur.

– Nie zrozum mnie źle, ale zawsze jak informatyk mi się dobiera do komputera, to później przez tydzień nie mogę się połapać, co i jak.

– Spokojnie. Jam informatyk z ludzką twarzą. – Roześmiał się. – Gotowe. Wyłączyłaś blokady i naszło się śmieci, ale posprzątałem. Zamontowałem ci programik do pomocy zdalnej, więc teraz wystarczy, że do mnie zadzwonisz, podasz hasło dostępu i naprawię ci komputer na odległość.

– Jakim cudem?

– A takim – uśmiechnął się z politowaniem i nagle zaczął się poruszać po komputerze stojącym na drugim końcu biura. Anka wytrzeszczyła oczy ze zdumienia.

– Czarodziej – wyszeptała w zachwycie.

– Każdy z nas czaruje w jakiejś materii, a ja mam wiele talentów – powiedział bardziej do siebie i uścisnął jej dłoń na pożegnanie. Już miał ją wypuścić, ale w ostatniej chwili zmienił zdanie. Uniósł rękę Anki do ust i pocałował jej wnętrze. Wyrwała się zaskoczona i w obronnym geście schowała rękę za plecami.

– Dziękuję za pomoc.

– Do usług. – Artur znacząco spojrzał jej w oczy. Anna uśmiechnęła się nerwowo i ostatkiem woli powstrzymała się, żeby nie wybiec z biura. Odetchnęła dopiero w windzie. Całe przedpołudnie przesiedziała na odprawie u Marty, ale niewiele z tego zapamiętała. Zachowanie Artura całkowicie wytrąciło ją z równowagi. Traktowała go jak dobrego kolegę, a on właśnie pozwolił sobie na wymowny gest. A może przesadzała? Przecież znała Artura i jego skłonność do żartów. Wcześniej nigdy nie czynił wobec niej żadnych awansów, więc pewnie tym razem również żartował. Bardzo go lubiła i zależało jej na normalnej znajomości. Takiej bez damsko-męskich podtekstów, a tu chyba coś się wkradło między nich. Pod koniec dnia pracy była pewna, że za dużo sobie wyobraża, i postanowiła jeszcze raz odwiedzić Artura pod byle jakim pretekstem, ale już wyszedł z pracy.

Sama też chciała już wyjść, ale gdy przechodziła obok pokoju szefowej, Marta poprosiła ją do siebie. W gabinecie siedziała Milena, koleżanka z tego samego działu. Anka nie przepadała za nią, ale na niwie zawodowej od czasu do czasu musiały współpracować. Sądząc po ich minach, spotkanie nie wróżyło niczego dobrego. Milena rozsiadła się na kanapie i efektownie skrzyżowała niesłychanie długie nogi. Na jej twarzy błąkał się uśmieszek satysfakcji.

– Siadaj! – powiedziała Marta. – O co chodzi z tą apteką Mniszek? Właśnie dzwonił do mnie rozwścieczony klient, że nikt go nie odwiedza. Nie cierpię takich interwencji.

– Nie mam pojęcia. To klient Mileny – Anka odpowiedziała zgodnie z prawdą.

– Nieprawda! – obruszyła się tamta. – Umówiłyśmy się, że ty go przejmiesz, bo niedaleko masz dwie inne apteki. Ja mam do niego nie po drodze.

– Nie po drodze? Dwie ulice dalej to jest nie po drodze? – zdziwiła się Anka.

– Tak czy siak, umówiłyśmy się – upierała się Milena. – Jesteś tu nowa i jeszcze dobrze nie znasz wszystkich.

– Pierwsze słyszę o przejmowaniu. Wszyscy wiedzą, że to upierdliwy klient i chcesz się go pozbyć. – Anka pracowała w firmie dużo krócej niż koleżanka, ale wieść o Antonim Mnichu dotarła nawet i do niej.

– A co to jest? – Marta podała Ance spis klientów podpisany przez nią samą. Wcześniej Anka musiała coś przeoczyć, bo przecież na końcu listy jak byk widniał ten przeklęty Mniszek.

– To jakieś nieporozumienie. Przepraszam – skruszona spuściła głowę.

– To pierwsze ostrzeżenie – powiedziała Marta. – Nie zapominaj, że jesteś na okresie próbnym. Jeszcze dwie takie wpadki i możesz zapomnieć o zatrudnieniu na stałe.

Anka obiecała poprawę i jak niepyszna wyszła na korytarz. Tak bardzo się starała o dobrą opinię Marty, a teraz miała wrażenie, że wszystko poszło na marne. Choć była święcie przekonana, że ten klient nie należał do niej, po powrocie do domu sprawdziła w systemie wykaz klientów. Bez dwóch zdań apteka Mniszek należała do niej i teraz trzeba było jakoś udobruchać jej właściciela. Tylko jak, skoro zasłynął na rynku jako wyjątkowy burak i cham? Oprócz tej przeklętej apteki miał jeszcze sieć kilkunastu supermarketów, a opowieści o sterczących w kolejce do niego przedstawicielach różnych firm owiane były legendą. Podobnie jak scysje mające miejsce w czasie rozmów. Niestety Antoni Mnich był na rynku zbyt dużym graczem, by pokazać mu, gdzie raki zimują.

Długo nie mogła zasnąć i do północy obmyślała możliwe scenariusze. Zrezygnowana postanowiła reagować spontanicznie. Będzie, co ma być, a później niech się dzieje co chce. Rano włożyła elegancki kostium, zrobiła staranny makijaż i spięła włosy w szykowny kok. Pełna obaw zaparkowała przed niewielkim biurowcem należącym do owianego złą sławą klienta. Wzięła kilka głębokich oddechów i weszła do windy. W poczekalni, przed gabinetem Antoniego Mnicha było aż czarno od ludzi. Wszędzie panowała cisza i wyraźnie dało się wyczuć nerwową atmosferę. Co odważniejsi przyciszonym głosem prowadzili rozmowy telefoniczne, inni grali na telefonach. Wszystkie miejsca były zajęte, więc przystanęła obok drzwi gabinetu prezesa i równie zaniepokojona co pozostali, uważnie rozejrzała się wokół.

Młody chłopak w garniturze nerwowo obgryzał długopis, a siedzącej obok przedstawicielce tak trzęsły się ręce, że nie mogła wybrać numeru na telefonie. Sądząc po logo na notesie, reprezentowała znane zakłady mięsne. Nerwowa atmosfera udzieliła się również i Ance. Wytarła w chusteczkę spocone dłonie. Kolejka petentów była długa, ale nawet odczekanie swojego czasu nie gwarantowało przyjęcia przez szefa. W normalnym układzie za zaopatrzenie apteki odpowiadałby kierownik, ale Antoni Mnich nie ufał personelowi i wszystkie zamówienia akceptował sam.

Będzie dobrze, jak wyjdę stąd przed obiadem, pomyślała.

Naraz drzwi od gabinetu rozwarły się z hukiem, a na korytarz wybiegła zapłakana blondyneczka. W ślad za nią wyleciał notes i długopis. Towarzystwo w poczekalni zamarło. Zwalisty mężczyzna miał prawie dwa metry wzrostu i przywodził raczej na myśl zbira z ciemnego zaułka, a nie bogatego biznesmena. Pierwsze, co się rzucało w oczy, to wielkie brzuszysko i zapasiona, nalana twarz. Wyglądał, jakby pożerał niemowlęta na śniadanie.

– Jazda mi stąd! Głupia cipa! – wrzasnął za rozszlochaną dziewczyną.

– Jezu! – pisnęła cicho przedstawicielka od wędlin i niczym wystraszona sowa wtuliła głowę w ramiona.

– Spokojnie. To tylko klient. Przecież nas nie zje. Chyba – szepnęła do niej Anka, choć sama struchlała ze strachu.

– Ty! Ciebie jeszcze nie znam! – ryknął grubas. – Ty z kokiem! No ile mam czekać, aż królewna ruszy dupę, co?! – Wyraźnie wskazywał na Ankę. Zaskoczona, pewnym krokiem wkroczyła do jaskini lwa. Przykleiła do twarzy uśmiech numer dwa i kryjąc obrzydzenie, wyciągnęła rękę na powitanie. Oddała zdecydowany uścisk dłoni i przedstawiła się. Mimo strachu patrzyła prosto w świńskie oczka Antoniego Mnicha. Cudem wytrzymała jego świdrujący wzrok.

– Aaa, czyli kolejna durna dziunia. Jakieś ciekawe propozycje, bo na nieciekawe szkoda mi czasu – powiedział tonem rozkapryszonego bachora.

– Proszę. To moja oferta. Tak samo ciekawa dla wszystkich. Nie podlega negocjacjom i jeśli panu prezesowi nie pasuje, to proszę sobie poszukać innego dostawcy – wystrzeliła jednym tchem.

– Jestem klientem sieciowym, skarbie – rzucił protekcjonalnym tonem.

– Nie dla mnie. Aptekę ma pan jedną i z punktu widzenia mojej firmy jest pan zwykłym detalistą.

Podeszła do biurka i położyła przed prezesem zadrukowaną kartkę z niektórymi pozycjami wyszczególnionymi na czerwono. Wiedziała, że dane liczbowe zaprezentowane w formie fabularnej są dla większości ludzi nie do przyjęcia. Sama również zaliczała się do tej grupy, więc zwykle robiła tabelki. Tu dane były sto razy bardziej czytelne i od razu można było je łatwo przeanalizować.

Grubas nawet nie spojrzał na wydruk, tylko ostentacyjnie mierzył ją wzrokiem. Anna, nie czekając na zaproszenie, usiadła na fotelu. Specjalnie na tę okazję przywdziała wykończone koronką samonośne pończochy. Założyła nogę na nogę. Niewielki fragment koronki wysunął się spod spódnicy. W końcu to tylko facet, pomyślała i zerknęła na swoje dokumenty, gotowa do rozmowy. Już dawno tak się nie bała. Teraz już wiedziała, skąd te krążące wśród handlowców legendy.

– Niezłe nogi – burknął niemiło Mnich.

– Niezły gabinet – pokiwała głową z uznaniem. Kątem oka dostrzegła ekspres do kawy. Wstała, bez słowa wzięła z tacy dwie filiżanki i nacisnęła na ekspresie odpowiedni przycisk. – Dla mnie espresso, a co dla pana?

Grubego zatkało. Anka sama nie wiedziała, co ją podkusiło z tą kawą, ale ta bezczelna zagrywka najwyraźniej spodobała się Mnichowi.

– Też espresso. Może przejdziemy do rzeczy. Noo – cmoknął zadowolony i zaparafował ofertę. – Wreszcie tabelka. Biorę wszystko, co na czerwono, bo jeszcze się nie urodził taki, co chciałby mnie nabić w butelkę. Zamówienie standardowe. A ten idiota z apteki niech powie, co im tam trzeba.

– Dziękuję za spotkanie. – Anka wstała i przygładziła spódnicę. – Miło było poznać pana prezesa – wykrztusiła.

– No, dobra, dobra – machnął ręką, jakby odganiał muchę. – A następnym razem niech nie czeka, tylko od razu do mnie wchodzi. Szkoda tam czekać i marnować czas wśród tej zgrai cymbałów. Banda baranów i głupich krów.

Rozdział 6

Anka była tak oszołomiona, że zanim ruszyła spod biurowca, dobrą chwilę odsiedziała w samochodzie. Nie mogła uwierzyć, że zdobyła zamówienie i jakimś dziwnym zrządzeniem losu obłaskawiła potwora. Tydzień później opowiadała o tym Arturowi. On też nie mógł dać wiary. Anka odetchnęła z ulgą, bo kolega przestał się do niej zalecać. Bardzo nie chciała, żeby ich świetne relacje wykroczyły poza sprawy koleżeńskie i służbowe. Była mu wdzięczna za pomoc w znalezieniu pracy i bardzo lubiła jego towarzystwo. Teraz, siedząc w restauracyjnym ogródku, miło spędzali czas w ramach jego przerwy na lunch. Przedstawiciele handlowi mieli bowiem nielimitowany czas pracy. Ważne było wykonanie planu tygodniowego i dobra sprzedaż, a gdy spełniali te warunki, nikt w firmie nie interesował się szpiegowaniem repów i sprawdzaniem, czy przypadkiem się nie lenią. Anka zdążyła już trochę okrzepnąć i coraz lepiej radziła sobie z organizacją dnia. Pewna doza improwizacji i niepewności, będąca nieodłączną cechą tego typu pracy, wcale jej nie przerażała. Wręcz przeciwnie. Doskonale się z tym czuła i codziennie wychodziła z domu z poczuciem, że idzie na spotkanie nowej przygody.

– Ale jak ty to zrobiłaś? Przecież o tym gościu krążą niesłychane opowieści.

– Nie mam pojęcia. Po prostu zablefowałam i pokazałam, że się go nie boję, a przynajmniej tak mi się wydaje. Zaskoczyłam go i tyle.

– No i właśnie zastosowałaś najskuteczniejszą socjotechnikę na świecie. Widzę, że nie próżnowałaś na szkoleniu. – Artur pokiwał głową z uznaniem.

– Jaką socjotechnikę? Ja jeszcze nie byłam na żadnym szkoleniu – Anna zdziwiła się szczerze.

– To proste. Na wejściu wytrąciłaś mu z ręki broń, a on miał tylko jedną. Twój strach i krążące wokół niego mity. Właśnie dlatego udało ci się osiągnąć cel.

– Możliwe, że coś w tym jest.

– Jeśli działałaś intuicyjnie, to oznacza tylko jedno, że masz talent do pracy z ludźmi i świetnie sobie radzisz. Zastanawia mnie tylko jedno.

– Co takiego?

– Jakim cudem wcześniej przeoczyłaś takie indywiduum na swoim terenie? Przecież chyba każdy widzi, że jesteś obowiązkowa i skrupulatna, jak więc mogłaś go pominąć?

– Naprawdę nie wiem. Czytałam wykaz klientów ze sto razy.

– A Adrian? Też nic ci o nim nie mówił?

– Mówił. Trudno o nim nie wspomnieć, ale to był klient Mileny. Głowy sobie obciąć nie dam, ale jestem pewna, że wcześniej nie miałam go w wykazie.

– Pokaż mi.

– Nie mam. Ma go Marta. Jak tylko przyszłam, przejęłam teren, podpisałam się pod tym wykazem. Korzystałam tylko z systemu w intranecie, ale w systemie apteka Mniszek też figuruje pod moim nazwiskiem.

– Kiedy się pod tym podpisałaś?

– W pierwszym dniu pracy. Ponad półtora miesiąca temu. A czemu pytasz?

– A tak sobie – odparł wymijająco i zamówił dla nich kawę. – Dziękuję, że się ze mną spotkałaś. Przepraszam cię za tamto. Noo, wiesz.

– Wiem. Nic się nie stało – uśmiechnęła się zadowolona, że nie było to nic poważnego z jego strony. Za nic nie chciała stracić przyjaciela. – Muszę lecieć, bo robota się sama nie zrobi.

Na pożegnanie cmoknęła Arturka w policzek i pobiegła na parking. Od kilku dni upał panował okropny, dlatego rano wystartowała możliwie najwcześniej. Większość zadań na ten dzień już wykonała i czekało ją już tylko kilka wizyt w Skawinie. Z przyjemnością przemierzyła kawałek drogi autostradą. Wyłączyła klimatyzację i otworzyła wszystkie okna w samochodzie. Przez chwilę poczuła się jak na wakacjach w ciepłym kraju. Zadowolona z dnia podjechała jeszcze do sklepu zoologicznego po obrożę i identyfikator dla kota i zrobiwszy zakupy w pobliskim sklepiku, od razu po przyjściu do domu zamarynowała w przyprawach mięso na obiad. Ostatnio bardzo polubiła steki z rostbefu lub antrykotu. Nie przepadała za mięsem i generalnie mogła obejść się bez niego, zwłaszcza że gotowanie dla siebie samej zupełnie jej nie kręciło. Przygotowanie steku wymagało jednak jedynie paru minut. Od dawna miała w planie zgubić kilka kilogramów, ale żadne polecane diety nie przyniosły oczekiwanego efektu. Niedawno wpadł jej w ręce jadłospis diety kopenhaskiej i w końcu postanowiła wstępnie przetestować dozwolone menu. W sumie lubiła wszystko, co było na liście, za to nieco problematyczne było przestrzeganie godzin posiłków, niemniej w nadchodzących dniach chciała spróbować. Jeśli wytrzyma na diecie jeden tydzień, w drugim już pójdzie łatwiej, bo jadłospis się powtarza. Anna fachowo zabrała się do sprawy, bo pomimo że dieta była prosta, przy jej trybie pracy wymagała pewnych przygotowań. O ile poranna kawa z cukrem nie nastręczała trudności organizacyjnych, o tyle spożycie w samo południe dwóch jajek i pomidora wraz ze szklanką szpinaku już tak. Od Lucyny Anka pożyczyła torbę lodówkę i chłodzące wkłady. Przechowany w ten sposób szpinak z dnia poprzedniego dawał się zjeść. Pomidor i jajka na twardo również. Zwykły wołowy stek ze skropioną paroma kroplami cytryny sałatą można było dostać w każdej restauracji. Z rybą z grilla również nie było problemu.

Anka, w końcu pełna nadziei, że niechciane kilogramy wreszcie wyparują do atmosfery, wyznaczyła sobie punkt startowy, czyli datę zero, i zaplanowała, że zacznie od rana. Nigdy za bardzo nie lubiła śniadań i zwykle poranny posiłek stawał jej w gardle. Teraz zamieniła w kawie mleko na cukier i z obrzydzeniem wypiła słodki płyn. Nastawiła w telefonie brzęczyk na dwunastą, porę obiadu. Spakowała swoje wiktuały do bagażnika i ruszyła do pracy. W sześciu aptekach zebrała całkiem sporo zamówień, a w trzech z nich, tłumacząc się dietą, z niechęcią odmówiła tradycyjnej już kawusi. Natomiast w pozostałych powitano ją z wielkim zdziwieniem. Ku jej zaskoczeniu wszyscy, niezależnie od siebie, zgodnie twierdzili, że w siedzibie OTC International zostali poinformowani o urlopie Anki i nie spodziewali się jej wcześniej niż za dwa tygodnie. Przez to kilku klientów złożyło już zamówienia u konkurencji, bo akurat napatoczył się ich akwizytor. Anka zdenerwowała się nie na żarty. Niedługo kończyła drugi miesiąc pracy i zależało jej na zamówieniach. Chciała się wykazać i dostać premię, bo była dla niej cenna każda złotówka, a tu taki niefart. Z ciekawości zadzwoniła do biura obsługi klienta, podała się za pierwszą z brzegu i otrzymała informację o swoim urlopie.

– Marta! Mam problem.

– Co się stało? – Marta westchnęła, bo nie znosiła samego słowa problem i dałaby wiele, byleby tylko nikt nie zawracał jej głowy bzdetami.

– Dział handlowy w Warszawie informuje moich klientów, że jestem na dwutygodniowym urlopie.

– Jakim cudem? – zdziwiła się Marta. – Na okresie próbnym nie masz urlopu.

– No właśnie. I to nie jest pomyłka, bo osobiście sprawdziłam.

– Coś takiego!

– Moi klienci zamawiają przez to u konkurencji.

– Dobra, nic się nie martw, zaraz się tym zajmę – uspokoiła ją szefowa. – Wiesz, doszły mnie słuchy, że zdobyłaś spore zamówienie od Mnicha. Brawo, brawo.

– To prawda, czasem cuda się zdarzają – powiedziała dumna z pochwały i aż pokraśniała z zadowolenia.

Zakończyła połączenie z szefową i wskoczyła za kierownicę. Zamieniła szpilki na wygodne balerinki i włączyła płytę z kursem biznesowego angielskiego. Liczyła na to, że jednak zostanie przyjęta na stałe, a wtedy niebawem wyląduje na amerykańskim szkoleniu i będzie musiała wszystko rozumieć i jeszcze zdać podobno arcytrudny egzamin. Już od miesiąca gorliwie zakuwała angielskie słówka z zakresu anatomii. Kilka razy telefonicznie konsultowała się z Rafałem. Zawsze z chęcią jej pomagał i zawsze wracał do tematu kolejnego spotkania. Wbrew niezbyt korzystnemu pierwszemu wrażeniu zaczynała coraz bardziej go lubić. Rafał okazał się dobrze wychowanym, inteligentnym mężczyzną, z którym można było pogadać na każdy temat. Interesował się wszystkim, co ciekawe, i w niewielu kwestiach nie miał wyrobionej opinii.

– A po co ty się właściwie odchudzasz? – zdziwił się, widząc, że Anka, tłumacząc się dietą, zawraca kelnerowi głowę daniem spoza jadłospisu.

– A po co ty chodzisz do fryzjera, co? – odgryzła się machinalnie.

– Żeby dobrze wyglądać.

– A po co chcesz dobrze wyglądać?

– Żeby dobrze się z tym czuć – odparł zapędzony w kozi róg.

– No widzisz. Ja obecnie czuję się nieźle, ale chciałabym czuć się lepiej, w szczególności lżej o jakieś pięć kilo. No, może siedem – dodała i z apetytem zaatakowała dwudziestodekagramowy stek z antrykotu.

– Aż tyle?

– No – mruknęła, żując kolejny kęs. – W sumie potrzebuję tylko pięć, ale przydałby się zapas na wypadek, jakbym znowu miała przytyć. Schudnę siedem, przytyję dwa i będzie w sumie pięć. Rozumiesz?

– Nie – Rafał przyznał szczerze. Sam zaliczał się do grona tych szczupłych szczęśliwców, którzy mogli bezkarnie wcinać, ile dusza zapragnie. – Jakbym chciał schudnąć pięć, tobym schudł pięć.

– A nie słyszałeś o efekcie jo-jo?

– Słyszałem, ale to nic innego jak brak konsekwencji.

– E tam.

– A niby co? Chudniesz, nagradzasz się, grzeszysz i znowu tyjesz. Tylko że twój skołowany dietą organizm właśnie zdążył już się wycwanić i zaczyna magazynować, co się da. Cała filozofia tego jo-jo.

W jego rozumowaniu było dużo logiki i Ance nie pozostało nic innego jak się z tym zgodzić. Nawet nie zauważyła, kiedy niepostrzeżenie przeszli na angielski. Z zadowoleniem stwierdziła, że idzie jej coraz lepiej i chwilami zaczyna już myśleć po angielsku. To ostatnie cieszyło ją najbardziej, zwykle bowiem, zanim coś powiedziała, wcześniej w głowie tłumaczyła sobie każde zdanie. Tych kilka spotkań z Rafałem wiele jej dało. Teraz chciała jakoś się zrewanżować, a ponieważ nie chciał nawet słyszeć o pieniądzach, zaprosiła go na obiad. W ostatnich dniach trochę nadgoniła zaplanowaną sprzedaż i podsumowując wolumen zamówień, z zadowoleniem stwierdziła, że ma szansę wykonać plan. Wakacje w pełni, a Polskę szczęśliwie opanowała prawdziwa plaga komarów i meszek. Poszczególne gminy starały się z nią walczyć specjalnymi owadobójczymi opryskami, ale i tak preparaty przeciw świądowi po ukąszeniach sprzedawały się jak świeże bułeczki.

– No, no. Nieźle sobie radzisz – Marta pochwaliła Ankę na kolejnej odprawie. – Jesteś tu nowa, a jak tak dalej pójdzie, w tym miesiącu masz szansę wygenerować najwyższe obroty w całym zespole. Robisz dużo więcej wizyt niż pozostali.

– Dziękuję – Anka skromnie spuściła głowę, ale nie uszło jej uwagi, że reszta zespołu popatrzyła na nią bykiem.

– Tak trzymaj, a ja będę ściskać kciuki za ciebie – powiedziała Marta i przeszła do kolejnego punktu programu.

Po zakończonej naradzie Anka jak na skrzydłach wybiegła z sali konferencyjnej.

– Zaczekaj! – usłyszała za plecami głos Beaty.

Na korytarzu stała czwórka jej kolegów i koleżanek z zespołu.

– Tak? – zapytała pewna, że chcą jej pogratulować albo powiedzieć coś miłego. Była w błędzie.

– Posłuchaj no, pieprzona prymusko! – odezwała się Milena. – Jesteś tu nowa, więc może jeszcze nie wiesz pewnych rzeczy.

– Taak? – zapytała Anka przeciągle.

– Od zawsze wiadomo, że nie da się dziennie zrobić więcej niż dziesięć wizyt.

– Bzdura, przecież spokojnie da się zrobić kilkanaście, a jak dobrze zaplanujesz trasę, to nawet i dwadzieścia. W czym problem?

– W twoich zamówieniach. Przyjmij dobrą radę od bardziej doświadczonych i wyluzuj. W tym miesiącu zrobisz plan na dwieście procent, zapełnisz apteki towarem, a w przyszłym będzie dupa blada, bo nic ci nie zamówią.

– Rozumiem – odparła zaskoczona, choć wcale nie rozumiała, co w tym złego. – Dziś sprzedam, jutro nie i co z tego?

– A to z tego, że przy wyskokach takich gorliwych nowicjuszek cała reszta wypada w złym świetle. Dobrze ci radzę, odpuść, bo inaczej może być źle. – Głos Mileny zabrzmiał złowrogo, a Beata tylko pokiwała głową z politowaniem.

– Dobrze – odparła potulnie i spokojnym krokiem wyszła na klatkę schodową. Cała reszta wybierała się po pracy na piwo. Jej nie zaproszono. Starała się zachować spokój, ale kiedy tylko wyszła z budynku, natychmiast przyspieszyła kroku. Wsiadła do samochodu i dopiero tam wypuściła z siebie fontannę łez. Nawet nie zdawała sobie sprawy, że była aż tak zdenerwowana.

– Matko święta, co ci się stało? – z boku rozbrzmiał znajomy głos. Anna zaklęła w duchu i byle jak otarła łzy. Nie chciała, żeby Grzegorz widział ją w takim stanie.

– Nie, nic – powiedziała zduszonym głosem, ale on nie dał się zbyć.

– Mogę? – zapytał i nie czekając na pozwolenie, wpakował się obok Anny na siedzenie pasażera. – Mów!

– Nie, to nic. Sprawa osobista. – Pociągnęła nosem i pogmerała w schowku. Jak na złość zapomniała kupić chusteczki.

– Tere-fere. Akurat ci wierzę. Właśnie skończyliście odprawę, wszyscy oprócz ciebie poszli na drinka, a ty siedzisz sama i płaczesz.

– Nie twój interes – burknęła, mając w nosie, że obok niej siedzi dyrektor.

– Mój. Słyszałem, co ci powiedzieli.

Anka westchnęła ciężko i odchyliła klapkę przeciwsłoneczną, by sprawdzić w lusterku stan makijażu. Patrząc na czarne placki pod oczami, doceniła wodoodporną wersję tuszu i postanowiła w najbliższym czasie zaopatrzyć się w taką.

– No to wszystko już wiesz. Cały zespół mnie nienawidzi, bo jestem tu nowa i się staram. A przecież jak nie będę się starać, Marta nie przedłuży mi umowy, a ja potrzebuję tej pracy.

– To oczywiste. Zaraz wszystko ci wytłumaczę. – Grzegorz w naturalnym geście wziął Ankę za rękę.

– Że co? Że mam nie wykonywać planu, bo im się nie chce? Ja potrzebuję kasy, chcę dobrze pracować i zarabiać. Może reszta kicha na pieniądze, ja nie. Nie wiem, dlaczego oni mnie nie lubią – Ance załamał się głos, z oczu znów popłynęły łzy.

– Bo jesteś za dobra i widzą w tobie konkurencję, a to równa się dla nich zagrożenie. Wszyscy znają się od lat i trochę wody upłynie, zanim zaczną uważać cię za swojego. Może pójdziemy gdzieś na drinka, co? – zaproponował nagle Grzegorz. – Bez sensu siedzieć w aucie w taki upał. Jeszcze nas ktoś zobaczy i zaczną się plotki.

– O nie! Żadnych plotek! – ożywiła się Anka, uruchomiła silnik i wyjechała z parkingu. – A co z twoim autem?

– Nic. Przecież stamtąd nie ucieknie.

Anka zaparkowała niedaleko przytulnej knajpki z ogródkiem. Już sama nazwa Domowy Kociołek nasuwała przyjemne skojarzenia, a jak się okazało, wystrój całkowicie pasował do tego wyobrażenia. Przytulna drewniana chata urządzona była z dużą konsekwencją i dbałością o wystrój. Nawet zewnętrzny ogródek pasował do całości z tymi wszystkimi drewnianymi meblami, wszędobylskimi pelargoniami i obrusami w kratkę.

– Zjemy coś? – zapytał Grzegorz. Usiadł obok Anki i sięgnął po kartę dań.

– Jakąś sałatkę poproszę.

– I piwo?

– Może być piwo – przystała na propozycję. Znajdowali się niedaleko jej mieszkania, więc śmiało mogła zostawić samochód pod restauracją i wrócić do domu piechotą, acz ze zdziwieniem zareagowała na zatopiony na dnie kufla kieliszek z czymś czerwonym.

– Co to jest?

– Piwo z bombą, proszę pani – wyjaśnił kelner.

– Jezus Maria! Czyli rozerwie mnie od środka? – zażartowała i ostrożnie upiła nieco gęstej białej piany.
– Co tam jest?

– Spokojnie, to tylko wiśniówka – roześmiał się Grzegorz i złożył zamówienie.

– Przecież jak ja to wypiję, to umrę – westchnęła Anka, ale po chwili namysłu pociągnęła z kufla dwa duże łyki. – A co mi tam. Nikt mnie nie lubi, wszystko, co robię, jest nie tak jak trzeba. *Carpe diem*, prawda? – puściła oko do Grześka. Starała się, jak mogła, ale i tak w kącikach jej oczu od czasu do czasu pojawiała się łza.

– Ja cię lubię – powiedział Grzegorz i pocałował ją w rękę.

Anka nigdy nie zaliczała się do tych płaczliwych, a jeśli płakała, to z bezsilności lub złości, ale i tak nie zdarzało się to często.

– Wiesz, nie rozumiem ich. Zamiast pomóc nowemu, to go gnoją na każdym kroku. Pracuję tak samo jak reszta, i co?

– No i właśnie na tym polega różnica. – Grzegorz delikatnie pogładził ją po ręce. – Tak zwykle w życiu bywa, że wół szybko zapomina czasy, jak sam był cielęciem. Ty też zapomnisz.

– Co zapomnę?

– To, co jest teraz. – Grzegorz spojrzał jej głęboko w oczy i delikatnie pocałował zaskoczoną Ankę.

– Nic z tego nie rozumiem.

– To proste. Jesteś tu nowa, ale kiedyś i ty zaczniesz, jak reszta, sprzedawać przez telefon. Zaczniesz załatwiać prywatne sprawy służbowym autem i pilnować liczby wizyt, żeby nie było ich za dużo.

– Nie wiem.

– Ale ja wiem. Teraz masz dwa telefony. Prywatny i służbowy.

– No mam.

– Ty jedyna. Nawet ja mam jeden. Służbowy. Samochód też mam jeden. Też służbowy.

– No, ja mam dwa i właśnie się zastanawiam, co z tym fantem począć.

– To oczywiste. Jeśli firma zatrudni cię na stałe, natychmiast sprzedasz swój samochód i wszystko obskoczysz służbowym. Nawet wakacyjny wyjazd.

– Jasne – przyznała. Choć jeszcze nie wiedziała, jak to zrobić.

Anka zaczynała coraz lepiej chwytać firmowe realia i doskonale pamiętała przysłowie o wchodzeniu między wrony. Ten dzień i spotkanie wiele ją nauczyły.

– Wiesz, jak to jest. – Grzegorz po skończonym posiłku dokończył swoje piwo i zamówił kolejne. Anka zaprotestowała stanowczo, choć połączenie piwa z wiśniówką bardzo przypadło jej do gustu. Dała się namówić i na drugą kolejkę wybrała zwykłe jasne pełne.

– Wiem. To klasyczna sytuacja, w której wszyscy rozumieją, że istnieją rzeczy, których po prostu nie da się zrobić, a tu nagle przychodzi ktoś, kto o tym nie wie i najzwyczajniej w świecie robi to, co wszyscy uważają za niewykonalne. Klasyka gatunku. – Anka roześmiała się perliście.

– Widzę, że szybko się uczysz.

– Jeśli wszyscy wiedzą, że nie da się machnąć w jeden dzień więcej niż dziesięć wartościowych wizyt, to tak rzeczywiście jest, a ja tylko się wygłupiłam i wyszłam na nadgorliwą.

– No właśnie – uśmiechnął się Grzegorz.

– No dobra, ale co z planem i premią? Nie stać mnie na tę zakichaną firmową ideologię.

– Moja miła. Wszystko polega na filozofii małej łyżeczki. W jednym mają rację. Jeśli dziś zapchasz sobie rynek towarem, nie sprzedasz niczego jutro. Jeśli dziś pokażesz zarządowi, że da się sprzedać dwa razy tyle, ile chciał, w następnym roku zwiększy ci plany sprzedażowe i premii nie zobaczysz na oczy. Jeśli w tym roku skasujesz za dużą premię, możesz być pewna, że na przyszły rok firma zmieni widełki i nic nie dostaniesz. Tak to działa.

– O matko – sapnęła.

– Do tego dorzuć ludzi z zespołu, którzy przez twoją nadgorliwość wychodzą na leniwych nierobów, i mamy pełny obraz sytuacji – podsumował Grzegorz i z apetytem zaatakował owocową galaretkę z bitą śmietaną. Anka nie miała już ochoty na jedzenie. Właściwie to trochę szumiało jej w głowie i nie miała siły już na nic. Chciała tylko odpocząć.

Rozdział 7

R any, ale wysoko mieszkasz – wysapał Grzegorz na trzecim piętrze starej kamienicy.

– Przecież ci mówiłam, że wystarczy, jak mnie odprowadzisz pod bramę. A tak muszę poczęstować cię kawą lub drinkiem – roześmiała się Anka. Sama już przywykła do codziennej wędrówki po schodach.

Grzegorz nie odezwał się, tylko posłusznie kontynuował wspinaczkę.

– Jesteśmy na miejscu. Kawy? – spytała i nalała wody do czajnika, a jej gość uważnie rozejrzał się po mieszkaniu.

– Może być kawa – mruknął jej do ucha. Nawet nie zauważyła, kiedy stanął za plecami. Teraz znalazł się jeszcze bliżej i od tyłu objął ją w pasie. Wtulił twarz w załamanie między jej ramieniem i szyją. – Matko, jak mi tu dobrze.

Anka zadrżała. Sama nie wiedziała, czy to z podniecenia, czy ze zwykłego strachu, ale to, co właśnie czuła, wcale nie było nieprzyjemne i chyba nie powinna się bać. To znaczy zważywszy na swoje niedawne przeżycia, chyba jednak powinna zacząć obawiać się najgorszego. Po pierwsze, jeszcze nie całkiem ochłonęła po Łukaszu, po drugie, chyba nie była gotowa na nic nowego, a po trzecie, Grzegorz pracował z nią w jednej firmie, a firmowe romanse zwykle źle się kończyły. Przynajmniej tak jej podpowiadał rozsądek, tylko że ten rozsądek jakoś nie miał siły przebicia w konfrontacji z czułymi pieszczotami Grzegorza. Anka nawet nie zdawała sobie ostatnio sprawy, jak bardzo brakowało jej mężczyzny. I nawet nie chodziło o seks, a o zwykłą czułość, bliskość i troskę. Takie zwykłe ludzkie zainteresowanie, oparcie i świadomość, że można polegać na kimś, kto w razie kłopotu posłuży silnym ramieniem.

Grzegorz wyjął jej z ręki czajnik i obrócił ją twarzą do siebie. Bez słowa dotknął ustami jej ust. Odpowiedziała na pocałunek i z westchnieniem objęła go za szyję. Już dawno nie było jej tak dobrze. Z lubością przytuliła twarz do jego piersi.

– Grześ?

– Co?

– Nie róbmy głupot. Proszę.

– A dlaczego nie?

– Może lepiej nie.

– Podaj mi choć jeden argument.

– Jest ich dziesięć i wcale – Anka już wiedziała, co się stanie.

– Podaj jeden – zażądał Grzegorz.

– Nie umiem – otwarcie spojrzała mu w oczy. Już dawno nie widziała spojrzenia tak gorącego i tak pełnego pożądania, że pod tym spojrzeniem aż uginały się nogi. Tak jak jej teraz. Do ostatniej chwili usiłowała walczyć i przywołać do porządku zdrowy rozsądek, ale z chwilą gdy dłonie Grzegorza dotknęły wnętrza jej ud, Anka przepadła z kretesem. Zalała ją fala czegoś tak rozkosznego i miłego, czego nigdy wcześniej nie czuła w takim natężeniu. Jeśli to miała być ta opisywana w romansach prawdziwa namiętność, oznaczało to, że nigdy wcześniej jej nie doświadczyła. Chciała czuć go blisko siebie, najbliżej, jak tylko się da. Zdecydowanym ruchem wyszarpnęła mu koszulę ze spodni i wsunęła pod nią ręce. Pod palcami poczuła gąszcz miękkich włosków. Z przyjemnością wsunęła w nie smukłe palce. Grzegorz westchnął i ze sprawnością magika uporał się z garderobą Anki. Nawet nie zauważyła, kiedy kilkoma ruchami wyłuskał ją z ubrań. Jego dłonie były wszędzie. Zanim uznała, że właśnie całkowicie postradała zmysły, miała wrażenie, jakby dotykało ją jednocześnie kilkanaście rąk. Jej ciałem całkowicie zawładnął jeden zmysł. Dotyk. Teraz czuła, i tylko czuła. Każde dotknięcie, muśnięcie, wtargnięcie i pchnięcie. Na chwilę przeniosła się w inny wymiar i musiało minąć trochę czasu, żeby znów do niej dotarło, gdzie i z kim się znajduje.

– Witaj na ziemi – wyszeptał jej do ucha Grzegorz. Odgarnął jej z czoła spocone kosmyki i ułożył się na boku, by lepiej widzieć jej twarz.

– Spokojnie, daj mi chwilę. Dopiero co wylądowałam.

– Ja też. – Jeszcze ciaśniej objął ją ramionami i przygarnął do siebie. – Chcę z tobą być, bez względu na misję firmy i te inne pierdoły. Jak będzie trzeba, zwolnię się z pacy.

– Nie gadaj głupot! – Anka w geście upomnienia lekko uszczypnęła go w sutek.

– Jezus Maria! – wrzasnął Grzegorz i wyskoczył z łóżka jak oparzony. – Matko! Nie wiedziałem, że masz kota!

– Spokojnie, to tylko Sushi. Nie zrobi ci krzywdy.

– Właśnie widzę! Prawie przyprawiła mnie o zawał i prawie odgryzła mi piętę! – Grzegorz wrócił do łóżka i profilaktycznie schował stopy pod kołdrę. – Kurde, ale się wystraszyłem!

Sushi w ostatnim czasie podrosła i odkrywszy smak spacerów po gzymsie starej kamienicy, niezmiennie przyprawiała Ankę o palpitację serca. Anka była pewna, że Sushi kiedyś spadnie, tymczasem kicia świetnie dawała sobie radę na dachu i w ramach podziękowania za adopcję i gościnę co rusz znosiła do mieszkania jakąś zdobycz. Anka już widziała na wpół żywe gołębie, jaskółki bez głowy, wróble bez ogonów i w połowie oskubane z piór młode sroki, i szczerze mówiąc, miała już dość. Żeby zapobiec zbędnym spacerom łownej koteczki, starała się wypuszczać ją jak najrzadziej.

– To nie jest metoda. I tak da nogę. Jak nie oknem, to drzwiami – stwierdziła Lucyna.

– To co ja mam zrobić? Może wezmę jej jakiegoś towarzysza?

– No pewnie, że możesz. Jeden czy dwa to niewielka różnica. Trochę więcej żarcia i tyle.

– Pomyślę.

– To pomyśl. Nie ma cię w domu całymi dniami, to i Sushi się nudzi.

– Na razie muszę jakoś ogarnąć cały ten zawodowy bajzel. Już ledwie zipię. I te upały, a ta mi znosi na obiad ptaszki bez głowy.

Lucyna uśmiała się do łez. Kot kotem na wieki wieków amen, więc przyjaciółki zgodnie uznały, że może wypadałoby wypróbować obrożę z dzwoneczkiem.

– Okej. Zobaczymy, kto pierwszy dostanie kociokwiku z tym dzwonkiem. Ja czy kot.

Sushi przez kilka dni dzwoniła jak prawdziwy podhalański baran na redyku i przez pewien czas zaprzestała przynoszenia do domu zamordowanego ptactwa. W ostatnim czasie jedynie dwa razy przyniosła nieżywą nornicę i tylko jej tajemnicą pozostało, jakim cudem upolowała nornicę na dachu.

Teraz Sushi skorzystała z okazji i upolowała piętę Grzegorza.

– Hm, chyba właśnie zgubiła obrożę z dzwonkiem. Musisz wzmóc czujność. – Anna też nakryła się kołdrą i mocno przytuliła się do jego ramienia.

– Chyba będę musiał. – Grzesiek cmoknął ją w czubek głowy. – Bo zamierzam częściej tu bywać. Ale na co kotu dzwonek?

– Ech, nawet nie pytaj.

Anka wstała i posłała sobie szeroki uśmiech do lustra w łazience. Patrzyła na nią zadowolona, usatysfakcjonowana kobieta o zmierzwionych włosach. Co z tego, że w głowie naraz pojawiło się milion wątpliwości? Przecież to, co właśnie zrobiła, było kompletnie nie w jej stylu. Nawet dobrze nie znała Grzegorza, bo nie licząc pierwszego spotkania, kiedy zaczepił ją w kawiarni, i drugiego, kiedy wzajemnie nabili sobie guzy, jedynie kilka razy widziała go w biurze. Ale tylko przelotnie. A dzisiejsze spotkanie i zaproszenie na obiad skończyło się w łóżku.

– Matko święta, co ja najlepszego narobiłam? – powiedziała do siebie i przerażona znowu spojrzała w lustro, ale ponownie napotkała w nim rozczochrane włosy i roziskrzone spojrzenie. Grzegorz od początku jej się podobał. Był sympatyczny, inteligentny i zdecydowanie w jej typie, ale to jeszcze nie powód, żeby pójść z nim do łóżka przy pierwszej nadarzającej się okazji. Anka otrzepała się z myśli niczym mokry pies. Wzięła prysznic i starannie wytarła ciało ręcznikiem. Na całej powierzchni skóry czuła wspomnienie jego dotyku. Niby jak miała zapomnieć, skoro jej ciało chciało jeszcze, a Grzegorz nadal leżał w jej łóżku.

Weszła do pokoju. Właśnie bawił się z kotem, ale na jej widok poderwał się na równe nogi.

– Co tak długo? – zapytał i natychmiast ją objął.

– Brałam prysznic. Nie jesteś głodny? – zapytała pomiędzy pocałunkami.

– Mmm, jestem bardzo głodny. Tak głodny, że mógłbym cię zjeść.

– A może jednak wolisz pizzę? – przekomarzała się Anka. – Ma mniej kości do obgryzania.

– Lubię pizzę, zwłaszcza tak elegancko podaną – powiedział przyciszonym głosem i rozsunął jej ręcznik. Frotowa materia bezszelestnie spłynęła na podłogę. Znów był gotów. Teraz to ona wzięła sprawy we własne ręce i dopiero gdy zaczął prawie błagać, pozwoliła mu na przejęcie inicjatywy. Grzegorz był skrupulatnym i niezmordowanym kochankiem. Anna momentami miała świadomość utraty zmysłów, by w przerwach znów ocknąć się w nowej rzeczywistości. Kochać się z kimś jeden raz to jeszcze pół biedy, bo zawsze można taki epizod umieścić w katalogu jednorazowych błędów czy wybryków, ale właśnie skończyli kochać się po raz kolejny, i to już nie był przypadek.

– Nie uważasz, że narozrabialiśmy? – zapytała godzinę później znad pudła z wielką pizzą.

– A niby dlaczego? Jesteśmy dorośli i oboje tego chcieliśmy.

– Fakt.

– Do tego oboje jesteśmy wolni.

Anka nie odpowiedziała i zamyśliła się na moment.

– Jesteśmy?

– Tak. Nie mam nikogo, ale...

– Jakie znowu „ale"?

– Ale praca.

– A pieprzyć pracę! – parsknął nonszalancko. – Jak nie ta, to inna. Ty jesteś ważniejsza.

– Mówisz poważnie?

– A myślisz, że dlaczego zaczepiłem cię praktycznie na ulicy? Przecież normalni ludzie zwykle nie robią takich rzeczy. Ja też nie. Ale wtedy nie mogłem od ciebie oderwać oczu. Po prostu mnie zaczarowałaś. Dlatego podszedłem.

– Aha – uśmiechnęła się skromnie.

– I wybacz, że gadam takie romantyczne bzdety, ale to wszystko prawda. – Grzegorz się roześmiał. – Czy dasz mi szansę pokazać się z jak najlepszej strony?

– A mam inne wyjście? – uśmiechnęła się szeroko.

– Wiesz, nie chciałbym poprzestać na dzisiejszym dniu. – Puścił perskie oko do Anny i zaatakował ostatni trójkąt wielkiej pizzy.

– Dobrze – powiedziała po chwili namysłu. – Ale na moich warunkach.

– A zatem zamieniam się w słuch.

Grzegorz wyszedł z jej mieszkania krótko przed północą. Jako że od chwili spożycia piwa z wiśniówkową bombą minęło już kilka godzin, zdecydował się wrócić taksówką po zaparkowane pod firmą auto. Nie chciał kusić losu i prowokować ewentualnych plotek. A firma była ich prawdziwą wylęgarnią. Nieraz wystarczyło rzucić małą ploteczkę lub zostawić pewne fakty w sferze niedomówień, a potrafiła z tego urosnąć afera tak gigantyczna, że gdyby nie ludzki dystans i czasem spotykany zdrowy rozsądek, nieraz mogłaby rozsadzić od wewnątrz niejeden związek czy organizację. Mało kto miał w sobie tyle odwagi co Grzegorz i Marta, którzy wspólnie zdecydowali, że stawią czoło narastającej fali plotek na ich temat. Atmosfera wokół nich zaczęła gęstnieć na tyle, że nie dało się normalnie pracować. Wtedy przy okazji pewnej konferencji Grzegorz oficjalnie zabrał głos i oznajmił, że rozwodzą się z Martą. Doskonale pamiętał zdziwione miny całej rzeszy pracowników i cud, który wtedy nastąpił. Gadki i spekulacje na temat rozpadu ich małżeństwa ustały w jednej chwili. Jak ręką odjął. Po wyjaśnieniu temat nagle przestał być interesujący, no bo skoro wszystko stało się jasne, to o czym tu mówić? W przypadku Grzegorza Anna postanowiła postawić sprawę jasno. Jej zażyłość z dyrektorem finansowym miała pozostać tajemnicą. Na chwilę obecną jej status zawodowy był niepewny, trafiła na zawziętą rywalizację w zespole i jako nowa właśnie zaliczała falę na podobieństwo wojska lub zakładu karnego.

– Mowy nie ma. Sama nie wiem, co o tym myśleć, i musisz dać mi czas. Może i jesteś zaprawiony w bojach bardziej ode mnie, ale ja mam na ten temat inne zdanie.

Grzegorz zgodził się niechętnie, choć tłumaczenie, że do kompletu kilku już przypiętych łatek może zostać dopięta kolejna, niewiele do niego przemawiało. Niestety łatka kochanki dyrektora nie interesowała Anki zupełnie.

Tego wieczoru niechętnie opuścił jej mieszkanie. Na zewnątrz wreszcie zrobiło się trochę chłodniej i można było znowu oddychać pełną piersią. Nie znosił upałów i miejskiej betonowej spiekoty, więc teraz z przyjemnością poddawał się chłodnemu, nocnemu powiewowi. Chciał spokojnie poukładać myśli, więc porzucił pomysł z taksówką i zdecydował się na spacer. Dystans dzielący go od biura był stosunkowo długi jak na nocną przechadzkę, ale uznał, że przynajmniej jego część pokona piechotą, a jak się zmęczy, to wezwie taksówkę i tyle. Idąc, cały czas miał przed sobą twarz Anki, jej rozpalające spojrzenie i słodki przewrotny uśmieszek. Zamyślony, w ogóle nie zauważył mijających go psiarzy na wieczornym spacerze tudzież podchmielonych bywalców krakowskich pubów. Tego dnia odbywały się jakieś piłkarskie rozgrywki, tak więc grupki przyozdobione w biało--czerwone cylindry i szaliki co rusz swoim rykiem przerywały nocną ciszę. Ich niestety nie dało się nie zauważyć. Nie wiedząc kiedy, dotarł na miejsce. Zdziwiony przystanął przy swoim samochodzie i spojrzał na zegarek. Szedł prawie godzinę, a miał wrażenie, że to tylko kwadrans. Jeszcze raz zaczerpnął w płuca chłodnego powietrza i wsiadł do auta. W mieście było pusto, więc po kilku minutach zaparkował pod domem. Nowoczesna szeregówka była jego oczkiem w głowie.

Wcześniej wraz z Magdą mieszkali w ładnym apartamencie w Nowej Hucie. Jego żona, osoba urodzona i wychowana w mieście, nawet nie chciała słyszeć o pieleniu grządek i koszeniu trawnika, tymczasem Grzegorz marzył o kawałku swojego gruntu. Już wcześniej, w tajemnicy przed żoną, zainwestował roczną premię w działkę budowlaną, a gdy pojawił się deweloper z propozycją odkupu, Grzegorz nie zastanawiał się ani chwili. Po zaakceptowaniu projektu oddał cały teren w zamian za usytuowany na nim dom. Dokładnie taki, jaki chciał. Po rozwodzie zostawił Marcie mieszkanie, a sam, dla zabicia czasu, musiał znaleźć sobie jakąś pasję i nowa inwestycja spadła mu wtedy jak z nieba. O ile rozwód przełknął w miarę bezboleśnie, o tyle fakt, że żona porzuciła go dla innej kobiety, wstrząsnął nim bardziej, niż gdyby był to inny mężczyzna. Przy tej drugiej opcji porzucony małżonek przynajmniej mógłby się nad sobą pożalać, że wygryzł go lepszy. A tak? Niby jak miał rywalizować o względy żony z jakąś kobietą? Tymczasem niczego mu nie brakowało. Choć jego świętej pamięci babcia zawsze powtarzała, że aby uznać mężczyznę za przystojnego, musi być jedynie trochę ładniejszy od diabła, Grzegorz miał na temat swojego wyglądu stosunkowo wyważoną opinię. Wcale nie tak dawno stanął przed lustrem i zrobił sobie generalny przegląd. Wzrost w okolicy metra osiemdziesięciu plasował go w grupie tych wyższych, a i sylwetkę – jak na swoje trzydzieści dwa lata – miał całkiem niezłą. Cotygodniowe rozgrywki w squasha nie pozwoliły mu przytyć i znakomicie wpływały na zagrożoną przez siedzącą pracę kondycję. A od kiedy dorzucił do miesięcznego grafiku obowiązkowe strzyżenie i manicure, uznał, że jak na normalnego faceta to w zupełności wystarczy. W efekcie Grzegorz był zadowolony ze swojej prezencji i doszedł do wniosku, że zrobił wszystko co konieczne. Miał także całkiem niezły gust w sprawie ubioru i okazjonalnie kupował sobie coś nowego. Modny kształt kołnierzyka przy koszuli tudzież najnowsza w danym sezonie szerokość krawata nie spędzały mu snu z powiek. Jedyne, na czym nigdy nie oszczędzał, to buty. Te musiały być najlepszej jakości. Od dziecka uwielbiał zapach sklepu obuwniczego. Mógł godzinami przesiadywać w nim i wdychać to niezapomniane połączenie woni skóry, butaprenu i tego czegoś, co wraz z nastaniem masowego importu z Chin minęło bezpowrotnie.

Grzesiek na dobre buty potrafił wydać więcej niż na garnitur i zawsze cieszył się nimi jak dziecko. Nieraz za młodu, gdy miał zły humor, siadał po turecku przed szafką i z namaszczeniem pastował buty wszystkich domowników. W jego wykonaniu wyglądało to jak rytuał. Czyszczenie, pastowanie, glansowanie, polerowanie i ten błysk na samym końcu, gdy odstawiał zadbaną parę na półkę.

Teraz miał w szafce już tylko własne, ale i tak nadal uwielbiał przeistaczać się w pucybuta, zwłaszcza że wbrew obiegowej opinii, że przeciętny facet ma jedynie trzy pary butów, on miał ich na stanie kilkadziesiąt.

Anka po wyjściu Grzegorza jak nieżywa klapnęła na fotel z Ikei. Ostatnio wszystko wokół niej działo się zbyt szybko. Zbyt szybko i zbyt wiele. Pomijając już sprawy osobiste, które siłą rzeczy zeszły na dalszy plan, kwestie zawodowe nabrały kosmicznego tempa. Ktoś, kto całe swoje doświadczenie nabył, siedząc za biurkiem, nigdy nie zrozumie, na czym polega praca w terenie. Wieczne napięcie, niepewność, na jaki humor klienta się trafi, presja czasu i planu sprzedaży. Do tego humory szefa i zespół zawistników, zazdrosnych nie wiadomo o co. Jeśli do kompletu dorzucić przemierzane codziennie i bez względu na aurę taksówkarskie przebiegi za kierownicą, praca wcale nie była łatwa i wbrew pozorom wcale nie polegała tylko na wożeniu się w służbowej furze i gadaniu przez służbową komórkę. To ciężki kawałek chleba i nawet sama Anka niedawno przyznała, że wcześniej nie miała pojęcia, w co się pakuje. Jedynie sporadyczne w ostatnim czasie spotkania z przyjaciółką wnosiły w jej życie trochę oddechu i normalności.

– Nie masz pojęcia, co to za zwariowana robota – przy okazji pożaliła się Lucynie. – Ci klienci mnie psychicznie wykończą.

– Mam pojęcie. Nie zapominaj, że ja też mam klientów i mało który jest normalny – odparła Lucyna. – Zbadać ci nerki? – zaproponowała nagle Lucyna. Ostatnio wzięła w leasing aparat do badań USG i teraz korzystała z każdej okazji, by kogokolwiek nim zbadać. – No dobra, kładź się i pokaż mi się – zarządziła i nie czekając na zgodę, ułożyła zaskoczoną przyjaciółkę na stole, na którym zwykle operowała swoich czworonożnych pacjentów, i zabrała się do badania. Anka zacisnęła zęby.

– Nie masz przypadkiem piasku w nerkach?

– Miewam, ale dużo piję. A co?

– A nic, właśnie widzę niewielkie złogi. Popij jakiejś wody na nerki i może piwa?

– Dam radę. Skończyłaś już? – Anka z przyjemnością wytarła się z przezroczystej maziowatej galaretki. – Że też nikt nie wymyślił czegoś, żeby nie trzeba było człowieka mazać tym obrzydliwym paskudztwem.

– Wymyślił. Rezonans, ale to dużo kosztuje.

– A w temacie mazania, co to było za mazidło, które ostatnio dałaś mi do ciała? – Anka po drodze kupiła sobie świeżą bagietkę i teraz oderwała apetycznie chrupiącą piętkę.

– A co? Jakie wrażenia po tej próbce? – zapytała Lucyna z tajemniczym uśmieszkiem.

– A nic. Jest świetna – przyznała Anka zgodnie z prawdą. – Skóra po tym jak satyna. Gdzie to kupiłaś?

– W hurtowni. W przyszłym tygodniu przyjedzie do mnie akwizytor, to zamówię. Ale ostrzegam lojalnie, najmniejsze opakowanie ma pół litra pojemności.

– A największe?

– A nie pamiętam dokładnie, ile to ma, ale niedawno widziałam ten balsam w wiaderku. – Lucyna zmarszczyła brwi i wysiliła mózgownicę. – Od dawna nie zajmuję się krowami, ale zakładam, że...

– Że, kurde, co?! Jakimi krowami? – Anka prawie udławiła się bagietką.

– Nie wiesz, co to krowy? Przecież one też mają swoje potrzeby pielęgnacyjne. Te ich biedne, wiecznie miętoszone cycki też przecież wymagają odpowiedniej pielęgnacji. Zupełnie jak u każdej karmiącej matki, ale...

– Ty chyba żartujesz! – Anka zrobiła oczy jak spodki.

– Nie – ucięła krótko Lucyna. – To preparat do smarowania krowich wymion, a że ma naturalny kontakt z żywnością, ma bardzo prosty skład, więc nie uczula i działa jak trzeba.

– O matko.

– Och przestań – żachnęła się Lucyna. – Sama używam tego, od kiedy urodził się Franek, a ty nie wydziwiaj. Nie zaczniesz od tego muczeć i rogi też ci nie urosną – powiedziała i poniewczasie ugryzła się w język. – Ups! Przepraszam – zreflektowała się Lucyna. – Nie chciałam tak głupio palnąć.

– No co ty. Przestań. Przecież ja wiem, że dobrze mi życzysz.

Rozdział 8

Tego ranka Anna podziękowała Bogu, że nie musi jechać do biura. Po minionym wieczorze obudziła się z czymś na podobieństwo moralnego kaca. Przez skórę czuła, że przesadziła i zbyt szybko poszła na całość. Nie miała pojęcia, co w nią wstąpiło. Zawsze była ostrożna i dokładnie badała grunt, a tutaj opętało ją jakieś pierwotne szaleństwo. Było do niej zupełnie niepodobne, żeby oddać się mężczyźnie po pierwszej randce. Ba! Mało tego, przecież ich wcześniejsze spotkanie to nie była nawet randka! Mogła nadal się okłamywać, że to wszystko przez piwo, ale piwo nie było tu niczemu winne, bo Anka wcale się nie upiła. To, co się stało, było wyłącznie dziełem jakiegoś obłędu, którego padła ofiarą. Ona, ta wyważona, skromna i do granic rozsądna dziewczyna, która przez całe swoje życie dmuchała na zimne. A tu taki numer. Pełny spontan i zarazem głupstwo stulecia. Nie dość, że prawie wcale nie znała Grześka, to dorzuciwszy do tego wszystkiego ich służbowe powiązania, korelacje panujące w firmie oraz grząski grunt firmowych rozgrywek, na chwilę obecną sytuacja nieco przerosła Ankę. Musiała ochłonąć i na spokojnie wszystko poukładać sobie w głowie. Zamyślona pogubiła drogę do pierwszego klienta. Zanim się zorientowała, że jedzie w przeciwnym kierunku, ujechała już spory kawał drogi i zafundowała sobie pół godziny sterczenia w korku w drodze powrotnej. Zła jak osa w końcu dotarła na miejsce przeznaczenia, a tam nie miała gdzie zaparkować. Na dodatek cofający pod kompleksem handlowym dostawczak właśnie przytarł jej błotnik. W ostatniej chwili nacisnęła na klakson, ale było już za późno. Na przednim błotniku pyszniła się głęboka rysa.

– Ślepy jesteś człowieku?! – zdenerwowała się nie na żarty.

– O matko, przepraszam, ale tak się pani ustawiła.

– Co?! Ja się ustawiłam?! Oczu nie masz człowieku?!

– Miałem panią w martwym polu, a tym wcale nie tak łatwo się cofa. – Spocony mężczyzna wskazał na swój pojazd, jakby to miało wszystko tłumaczyć.

– To tym bardziej, jak się cofa takim pudłem, trzeba sprawdzić dwa razy!

– Stało się. To piszemy ten zakichany protokół czy nadal będziemy się kłócić?

– Dobra, piszmy już. Spieszę się do pracy – mruknęła świadoma czekającego ją tłumaczenia się kierownikowi z działu transportu. Ów znienawidzony przez wszystkich człowiek robił, co mógł, by wykazać się możliwie jak największą upierdliwością. Traktował wszystkie samochody z floty jak swoje własne dzieci, a że był przy tym wyjątkowo złośliwy i wredny, każda nawet najmniejsza stłuczka urastała do rangi kasacji auta. Anka schowała protokół i w końcu zaparkowała samochód na wolnym miejscu.

– Dzień dobry – przywitała się i choć wcale nie było jej wesoło, na widok młodej farmaceutki przywdziała na twarz wyćwiczony służbowy uśmiech.

– Oj, nie wiem, czy taki dobry, pani Aniu – wyraz twarzy kobiety wcale nie zdradzał radości.

– Coś się stało? – zaniepokoiła się Anka.

– Szefowa jest wściekła na panią za to ostatnie zamówienie.

– Na mnie? – Anka zdziwiła się niezmiernie, wiedziała bowiem, że zamówienie wyszło w terminie.

– Tak.

– Ale o co chodzi?

– Proszę iść do biura – kobieta wskazała drzwi na zaplecze. Właśnie wszedł klient i musiała go obsłużyć.

Z nerwów żołądek podjechał Annie do gardła.

– O, to pani. Niech pani siada i czekam na sensowne wyjaśnienie. – Siwa kobieta w białym kitlu z wyhaftowanym na kieszonce logo środka na przeczyszczenie nie zamierzała nawet się przywitać.

– Chętnie, ale nie rozumiem, w czym rzecz.

– Żartujesz sobie, kotku?

– Pani wybaczy. Nie wiem.

– No, moja droga, o ceny mi chodzi.

– A co z nimi nie tak?

– A to, że ostatnio dała mi pani listę z cenami kilkanaście procent wyższymi, niż widnieją w oficjalnym wykazie na stronie internetowej waszej firmy!

– Niemożliwe! – Ankę na moment zatchnęło. – To jakieś nieporozumienie.

– Taa. Proszę bardzo. – Kierowniczka podała Ance dobrze jej znany wydruk. Wszystko się zgadzało. Powielone na kserokopiarce tabelki z aktualnymi cenami Anna dostała na ostatniej odprawie i od kilku dni na ich podstawie zbierała zamówienia ze swoich aptek. Jej twarz rzeczywiście musiała wyrażać bezbrzeżne zdziwienie, kierowniczka bowiem obróciła monitor komputera w jej stronę. Na ekranie widniały zupełnie inne ceny.

– Jezus Maria! – Anka pobladła. Nerwowo spoglądała to na monitor, to na kartkę. Teraz naprawdę przeraziła się nie na żarty. Miała świadomość, że rozbieżności są duże, a przecież już od kilku dni pracowała, bazując na wyższych cenach. – Nie rozumiem tego. Muszę to wyjaśnić w firmie.

– A zatem wyjaśnij, złociutka, bo takich numerów to ja sobie już na przyszłość nie życzę. – Kobieta złowrogo łypnęła znad okularów do czytania.

Anka cudem wybrnęła z sytuacji. Zawsze woziła w bagażniku trochę firmowych gadżetów i właśnie teraz tak modne ostatnio crocsy uratowały jej życie. Obietnica dodatkowego rabatu tudzież wyrównanie różnicy w cenach nie leżały w jej gestii, ale widząc, z jakim zadowoleniem kierowniczka zarcagowała na prezent w postaci dziurkowanych chodaków, Anna dodatkowo zobowiązała się dostarczyć w najbliższym czasie białe kitle dla całego personelu apteki. Nie wiedziała tylko, skąd je wytrzaśnie, podobnie jak nie wiedziała, co powinna począć z całą tą sytuacją. Istniało duże prawdopodobieństwo, że pozostali klienci, którzy zatowarowali się w ostatnich dniach, również się zorientują, że podała im złe ceny i że zapłacili za dużo.

– Matko, co ja mam, do cholery, zrobić? – powiedziała na głos i w złości uderzyła pięścią w kierownicę. Niechcący nacisnęła klakson, a przechodzący obok mężczyzna podskoczył ze strachu jak oparzony. Anka wybuchnęła niekontrolowanym śmiechem. Mężczyzna krzyczał, a ona zwijała się w paroksyzmach śmiechu, co jeszcze bardziej tamtego denerwowało. Wyrzucił z siebie bogatą wiązankę mało parlamentarnych określeń, ale na atak śmiechu nie ma mocnych. Anka zawyła jeszcze głośniej, spod powiek pociekły jej łzy, a przepona doznała skurczu.

– Głupia baba! – Wkurzony przechodzień machnął ręką i poszedł w swoją stronę, ale musiała minąć jeszcze chwila, zanim Anka uspokoiła się na dobre.

– Boże – wysapała po chwili. – Nie mogę, mój biedny brzuch.

Nie pamiętała, kiedy ostatnio tak się śmiała, a dzisiejszy poranek wcale tego nie zwiastował. Odkąd ruszyła spod domu, spotykały ją same porażki, a teraz na dokładkę czekał ją telefon do biura. W pierwszej kolejności musiała zgłosić uszkodzenie samochodu i pomimo że nastąpiło ono z cudzej winy, była pewna, że będzie musiała wysłuchać przydługiej reprymendy w temacie dbałości o firmowe środki trwałe jak o swoje własne. O telefonie do Marty na razie nie chciała nawet myśleć. Po pierwsze, nie wiedziała, jakim cudem pracowała na nieaktualnym cenniku. Na ostatniej odprawie każdy przedstawiciel z ich zespołu dostał teczkę z cenami i każdy z nich pokwitował jej odbiór. Po drugie, nie miała pojęcia, jakim cudem dział handlowy przepuścił jej zamówienia. Anka wcale nie czuła się winna, ale na tyle dobrze zdążyła już poznać swoją szefową, by wiedzieć, że ta nie lubi komplikacji z udziałem handlowców. Co z tego, że Anna nie była niczemu winna, skoro to ona właśnie miała dostarczyć szefowej kłopotów. Marta wyznawała zasadę mordowania posłańców przynoszących złe wieści, więc Anka postanowiła w spokoju pozbierać myśli. Zaparkowała w cieniu na najbliższej stacji benzynowej, zamówiła podwójną kawę w papierowym kubku i zaczęła sprawdzać notes.

W jej kieszeni właśnie rozdzwonił się telefon. To był kolejny klient, który również połapał się w cenowych rozbieżnościach. Całe szczęście jeszcze niczego nie zamówił i Ance dość łatwo udało się go udobruchać. Przewertowała gruby notes i policzyła liczbę potencjalnych zamówień. Dzięki Bogu nie było ich wiele. U kolejnego klienta poprosiła o możliwość skorzystania z drukarki i wydrukowała sobie kilka egzemplarzy obowiązującego cennika. Kierownik apteki patrzył na nią krzywo, ale jak się dowiedział, że w związku z tym będzie miał taniej, zgodził się od razu.

Do południa Anka ochłonęła na tyle, że mogła już śmiało zatelefonować do działu realizacji zamówień i ustalić, który z jej klientów zdążył już zrealizować zamówienie według złego cennika. Szczęście jej sprzyjało, takich klientów było bowiem zaledwie dziesięciu. Nabrała nadziei, że może nie wszyscy się połapią, a tych, którzy jeszcze nie zdążyli zamówić, postanowiła uprzedzić telefonicznie o zaistniałej pomyłce.

W porze obiadu czuła się jak wół po zaoraniu hektara pod owies. Cudem boskim udało jej się zminimalizować straty i choć początkowo ich rozmiar wskazywał na kataklizm, aktualnie właśnie skurczył się do wielkości lokalnego karambolu. Anka spięła się w sobie i w końcu zadzwoniła do firmy. Szefa od floty samochodowej nie zastała, więc zgłosiła szkodę u jego zastępcy. W drugiej kolejności wystukała połączenie z Martą.

– Marta, zaszła jakaś pomyłka. Na odprawie dostaliśmy nieaktualne cenniki. U mnie na szczęście nie ma wielkiej katastrofy, ale nie wiem, jak u pozostałych.

– Niemożliwe. Sama je dla was drukowałam. Przed naszym spotkaniem dałam dziewczynom do skserowania. Nie ma mowy o pomyłce.

– To ja już nic z tego nie rozumiem. Przecież osobiście pokwitowałam ich odbiór. – Anka za nic nie mogła pojąć, co jest grane, ale Marta szła w zaparte. Kurczę, pomyślała Anka, a może ja cały czas pracowałam na starych? Nie mogła tego wykluczyć. Nadal była nowa, rynek nadal zaskakiwał ją kilka razy dziennie i nie dałaby głowy, że się nie pomyliła.

– Ech, co za życie – szepnęła i wykończona zajechała pod firmę. Krakowski kierownik techniczny współpracujący z firmowym działem transportu musiał sporządzić raport ze stłuczki i w tym celu potrzebował pstryknąć kilka zdjęć do dokumentacji.

– Masz papiery?

– Mam. Proszę bardzo. – Wręczyła mu oświadczenie sprawcy.

– A protokół z policji gdzie?

– Z jakiej policji?

– Jak to, nie wezwaliście policji? Przecież bez tego nie wypłacą nam odszkodowania.

– Ale dlaczego? Nie było ofiar w ludziach. Oba samochody mogły dalej jechać, nic się nikomu nie stało, facet przyznał się do winy i podpisał oświadczenie.

– A niby skąd ubezpieczyciel ma wiedzieć, że sprawca nie był na przykład pijany? Kolizja spowodowana pod wpływem alkoholu wyłącza odpowiedzialność towarzystwa ubezpieczeniowego z tytułu odpowiedzialności cywilnej. Sprawca powinien dmuchnąć w alkomat i zapłacić mandat za spowodowanie zagrożenia w ruchu lądowym – wyrecytował kierownik i dumnie wysunął brodę do przodu.

– Wiem, jeszcze nie tak dawno sama sprzedawałam ubezpieczenia komunikacyjne, ale to moja pierwsza w życiu stłuczka. – Anka pokornie zwiesiła głowę. – Przepraszam, powinnam była pomyśleć, ale tak się zdenerwowałam, że...

– Niedawno zmieniły się przepisy – przerwał jej techniczny. – Módlmy się, żeby nie trafić na gorliwego gryzipiórka i żeby centrala nie zmyła nam głów. Inaczej kicha z tą policją.

– Ja pierniczę, co za dzień. – Mając gdzieś konwenanse, Anka oparła łokcie na stole i podparła brodę na dłoniach. Zrzuciła buty i skrzyżowała nogi po turecku. Lucyna właśnie wysłuchała pełnej relacji i co rusz kręciła głową z niedowierzaniem.

– Kurde, a ja myślałam, że to u mnie jest partyzantka.

– Bo pewnie jest, ale inna. Co nie zmienia faktu, że ostatnio czuję się jak saper na polu minowym. Gdzie się nie obejrzę, to jakieś gówno. Tyle się dzieje, że normalnie nie wyrabiam na zakrętach i z rozrzewnieniem wspominam wypisywanie polis.

– Nie no, nie chrzań! – Lucyna roześmiała się na głos. – Uwierzę we wszystko, tylko nie w to, że podobało ci się w tamtej trupiarni.

– No tak, trupiarni. Dobrze powiedziane. Tutaj za to czuję się jak żywy towar, codziennie sprzedawany komuś innemu. – Anka westchnęła i ku uciesze Franka głośno siorbnęła coli. – Normalnie gonię w piętkę. Robię, co mogę, staję na uszach, a i tak w kółko coś jest nie tak.

– Może za bardzo się starasz?

– Przecież muszę. Jestem nowa i jeszcze minie trochę czasu, zanim mnie zatrudnią na stałe, jeśli w ogóle to zrobią. Jeszcze ze dwie kolejne wpadki, kilka telefonów od niezadowolonych klientów i będzie po mnie – powiedziała Anka smutno. Bardzo chciała zwierzyć się Lucynie ze sprawy z Grzegorzem, ale jakoś nie miała siły. Miniony dzień kompletnie wypompował ją z całej energii. Teraz mogła już tylko użalać się nad sobą.

– A czy ty jesteś pewna, że ktoś ci w tych twoich kłopotach przypadkiem nie pomaga?

– Niby jak?

– No popatrz tylko. Informacje o urlopie, którego nie ma, nieaktualny cennik, nieścisłości z podziałem terenu. Trochę tego dużo jak na tak krótki czas.

– Myślisz, że ktoś kopie pode mną dołki? – zdziwiła się Anka.

– Nie można tego wykluczyć. Sama mówiłaś, że ta cała Milena cię nie lubi. Może to ona?

– Wątpię. Od tej draki z Mnichem dała mi spokój. Tamto było zwykłym nieporozumieniem. Poza tym te wszystkie dane pochodzą z systemu, a nie tak łatwo się tam dostać, żeby to zmienić, więc ewentualna złośliwość Mileny raczej nie wchodzi w rachubę.

– To dlaczego tak cię tępią?

– Nie wiem – powiedziała cicho Anka. – Zawsze mi się wydawało, że w takich zespołach, gdzie nikt dla nikogo nie stanowi konkurencji, ludzie trzymają się razem. Ale widocznie byłam w błędzie albo tamci są ze sobą tak bardzo zżyci, że prędko między nich się nie wkręcę.

– Nawet jeśli pracują razem od wielu lat, nie powinni trzymać nowego poza nawiasem. A przynajmniej nie tak długo. Rozumiem. Pierwszy tydzień, dwa, ale przecież minęła już masa czasu.

– No widzisz. Taka firma i takie klimaty. Wiesz, czasem ci zazdroszczę.

– Niby czego? – zdziwiła się Lucyna.

– Normalnej rodziny, stabilizacji i tego, że wiesz, co będzie jutro.

– No właśnie nie wiem – odparła Lucyna z przekąsem i nalała sobie kieliszek wina. – Chcesz?

– Nie, dzięki. Prowadzę, a jutro rano znów zasuwam w teren odkręcać cały ten syf z cenami. Kuźwa, człowiek podpisuje, parafuje, a i tak może przez przypadek zaparafować jakieś jedno wielkie G.

– No tak to bywa. Chcesz dobrze, a wychodzi jak zwykle. Porażka. – Lucyna z westchnieniem klapnęła przy stole. Przez długą chwilę dumała, jak ubrać w słowa to, co miała do powiedzenia. Anka dopiero teraz zauważyła, że coś jest nie tak.

– Co jest?

– Karol wczoraj wyprowadził się z domu.

– Co?! – Do Anki jeszcze nie dotarł sens słów Lucyny.

– Karol się wyprowadził. Spakował manatki i wyprowadził się do swojej nowej lubej.

– Jezu, to ja ci truję o jakichś głupich cennikach, a ty, o Jezu! Moja ty biedna.

– Bez przesady. Poradzę sobie, choć nie ukrywam, że nie jest mi lekko. Bo nie jest, ale odkąd się wyniósł, trochę mi ulżyło.

– Tak po prostu się spakował i wyszedł?

– Nie, to ja spakowałam mu manatki i wystawiłam torby przed drzwi. Już od jakiegoś czasu coś mi nie grało. Nigdy wcześniej nie krył się z rozmowami telefonicznymi i zawsze normalnie przy mnie gadał, a ubiegłej jesieni nagle zaczął wychodzić z telefonem do ogrodu i gadał jak najęty.

– Zimą też? – zdziwiła się Anka.

– Tak. Też. Chwilami myślałam, że mu tyłek odmarznie, a on gadał. No i wygadał. Raz przypadkiem odebrałam jego telefon i dziewczę się rozłączyło. Odpisałam numer i sprawdziłam, kto zacz.

– Kto?

– Ta lafirynda z redakcji. Znaczy sekretareczka, pinda jedna.

– Matko, ale numer. Kurczę, wierzyć mi się nie chce. Zawsze miałam was za idealną parę i właśnie nadzieja na taki związek jak wasz trzymała mnie przy życiu, gdy zdradził mnie Łukasz.

– No widzisz. Czasem pozory mylą.

– Nie mogę uwierzyć, że mi nie powiedziałaś. Przestałaś mi ufać?

– Anka, nie zrozum mnie źle. Ufam ci, zawsze ci ufałam, ale tutaj uznałam, że decyzję muszę podjąć

116

samodzielnie. Nie chciałam z nikim analizować i rozbierać całej sytuacji na czynniki pierwsze. Nie chciałam, by ktokolwiek zaciemnił mi obraz i mi współczuł. Nawet nie wiesz, ile razy miałam już wybrany na komórce twój numer.

– Moja kochana. – Anka przytuliła przyjaciółkę.

– Do tego doszła jeszcze ta twoja zwariowana robota. Byłaś nią tak pochłonięta, że nie chciałam zawracać ci głowy.

– Nawet nie wiesz, jak dobrze cię rozumiem – Anka westchnęła ze współczuciem. – Chociaż mnie zdradzano przed ślubem, a nie po, ale to musi boleć tak samo.

– No i jeszcze Franek, i te wspólnie spędzone lata… – Lucynie załamał się głos i rozpłakała się jak dziecko.

– Boże, co za cholerny dupek. – Anna mocniej przytuliła płaczącą przyjaciółkę. – Normalnie jak go dorwę, to zabiję gołymi rękami.

Anka wiedziała, że Lucyna powinna się porządnie wypłakać. To zawsze pomagało. Może niekoniecznie na wygląd następnego dnia, ale takie katharsis stanowiło punkt zwrotny w procesie dochodzenia do siebie. U Lucyny to wszystko było jeszcze zbyt świeże, a mając małe dziecko, nie mogła tak po prostu wstać, odejść w swoją stronę i o wszystkim zapomnieć. Terapia, którą całkiem niedawno zafundowała sobie Anka, w tym wypadku kompletnie nie wchodziła w rachubę. Lucyna była osobą odpowiedzialną, a miała o kogo i o co się troszczyć. Nikomu nie było łatwo odwinąć się na pięcie i nie oglądać za siebie, a już tym bardziej ona miała utrudnione zadanie.

– Wiem, że rozumiesz, jak to jest.

– Nie byłam z nikim w związku przez dziesięć lat, tak jak wy, ale przypuszczam, że uczucie zdrady każdego boli tak samo i staż nie ma tu wielkiego znaczenia. Ale mam dla ciebie coś na pocieszenie. To mija, wierz mi.

– Poważnie? – chlipnęła Lucyna znad kolejnego kieliszka.

– Popatrz na mnie. Czy ja wyglądam na cierpiącą? Nie tak dawno to mnie zawalił się świat i byłam pewna, że to koniec, totalna kaplica.

– Nie uwierzę, że zapomniałaś.

– Nie, nie zapomniałam, bo czegoś takiego całkiem zapomnieć się nie da, ale przestało boleć. – Na potwierdzenie swoich słów chciała opowiedzieć przyjaciółce o Grzegorzu, ale w ostatnim momencie ugryzła się w język. Nie ma chyba na tym świecie większej perfidii, niż w takiej chwili opowiedzieć przyjaciółce o rodzącym się romansie. Gdyby nie to, że cały miniony dzień przyniósł Annie same kłopoty, pewnie z ekscytacji unosiłaby się nad ziemią, a tak z nosem na kwintę przyjechała się wyżalić, w efekcie sama stając się powiernikiem cierpiącej przyjaciółki. Lucyna tego popołudnia nie wylewała za kołnierz. Przy czwartym kieliszku tak się rozochociła, że przyniosła z piwnicy kolejne dwie butelki wina.

– Nie trzeba wykąpać młodego? – Anka czujnie zapuściła macierzyńską sondę, licząc, że może Lucyna oprzytomnieje i zajmie się dzieckiem. Niestety nic z tego.

– A po co, przecież przez jeden dzień bez mycia się nie zaśmierdzi. – Lucyna wzruszyła ramionami i nalała sobie kolejną porcję.

– O rany, głodna jestem. A może pójdziemy do tej chińskiej knajpki obok? – Anka próbowała ratować sytuację. Lucyna już dobrą chwilę temu przestała być trzeźwa, a sytuacja rozwijała się w zdecydowanie nieodpowiednim kierunku.

– Nie chce mi się jeść – czknęła. – Zamów sobie coś.

– Nie lubię żarcia na wynos. Jadąc zza rogu, wcześniej objadą pół miasta, przywiozą zimne i czeka się godzinami. Chcę iść. Chodźmy. Wieprzowina po seczuańsku nie ma sobie równych – Anka blefowała po całości.

– No dobra – wstawiona Lucyna nareszcie się zgodziła i zaczęła ubierać dziecko. Po kwadransie wyszły z domu. Anka profilaktycznie wzięła Lucynę pod rękę z jednej strony. Z drugiej mocno chwyciła małą łapkę Franka. Z ostatniej bytności zapamiętała, że Chińczyk nie serwuje alkoholu, więc istniała szansa, że w tym czasie przyjaciółka trochę otrzeźwieje. Już sam ciepły posiłek powinien jej pomóc.

W tej sytuacji problemy i rozterki Anki siłą rzeczy zeszły na dalszy plan. Nie miała teraz głowy, by analizować swoje nowe relacje z Grzegorzem. Na tle tego, co aktualnie działo się pod jej nosem, jej własne problemy były fraszką.

– Chodź, staraj się trzymać pion i nie rób widowiska – karcącym tonem napomniała Lucynę. – Zaraz będziemy na miejscu. A jak coś narozrabiasz, to jeszcze nam dobrzy ludzie zafundują kuratora albo inszą instytucję od pijanych matek.

– No co ty!

– Mówię poważnie, trzymaj pion i głupio nie gadaj. Najlepiej wcale się nie odzywaj.

– Rozkaz!

Rozdział 9

W restauracji było pełno ludzi, a stojąca na zewnątrz kolejka oczekujących nie zwiastowała szybkiego posiłku. Anna z wdzięcznością wzniosła oczy ku niebu. Każda minuta zwłoki, przy stanie Lucyny, była zbawienna.

– Cześć. Chodźcie do środka, mam wolny stolik. – Rafał wyrósł przed nimi jak spod ziemi.

– Nie, dzięki – zawahała się Anka, ale Lucyna już ruszyła do środka i nie pozostało im nic innego jak podążyć w ślad za nią. Przy zielonej herbacie, którą zamówili, kiedy kelner przyniósł im karty, Lucyna nieco oprzytomniała.

– Jak twój kot? – zagaił rozmowę Rafał. – Nadal chodzi z dzwonkiem?

– A dzięki, Sushi dzwoni jak trzeba, ale wczoraj przyniosła mi młodego wróbelka w prezencie. Pewnie jakiś głuchy.

– Nieżywy? – zainteresował się Rafał i rzucił Lucynie ukradkowe spojrzenie. W salce było gorąco, więc podwinął rękawy od koszuli.

– Żywy, stargała mu dupsko, wyrwała kilka piór z tyłka, ale wyżył. Usiadł sobie przed drzwiami, poćwierkał, popatrzył na mnie i wyraźnie czekał, aż mu otworzę. W życiu nie widziałam takiego kumatego wróbla. Mówię serio.

– Prosie bardzio, ciego państwo siobie ziycić? – rozległo się przy stoliku. Zagadani zapomnieli, po co przyszli, i teraz wszyscy nerwowo wertowali menu.

– Dwie sałatki z owoców morza po chińsku i dwa razy mieszanka kiełków – Anka złożyła zamówienie za nie obie, i tak bowiem zawsze jadały to samo, więc nie było sensu czekać, aż Lucyna się zdecyduje. Skośnooki młodzieniec zapisał coś w notatniku i z wyczekiwaniem spojrzał na Rafała. Ten chwilę przyglądał się karcie.

– Kurciak słotko-kwaśny – powiedział wesoło skośnooki.

– Nie, nie, dla mnie wołowina z warzywami – sprostował Rafał.

– Kurciak słotko-kwaśny. – Tym razem młodzieniec pokazał palcem na Rafała, a ten stracił cierpliwość.

– Wołowina z warzywami, bez ryżu! – powiedział z naciskiem i niewiele dzieliło go od wybuchu.

– Ale ja tu roziumieć, tylko tu citać – młodzieniec wskazał na rękę gościa. – Twój tatuaś to kurciak.

Towarzystwo dopiero po chwili załapało, o co chodzi kelnerowi. Cały czas wskazywał na tatuaż. Na prawym przedramieniu Rafała widniał skomplikowany chiński znak.

– Nie, nie. To znak siły smoka – wyjaśnił z dumą Rafał.

– Ale ja tu widzieć kurciaka – uparł się Chińczyk i odszedł obrażony.

– A o co chodzi? – Lucyna właśnie wróciła z Frankiem z toalety. Zdążyła już odzyskać względną jasność umysłu i wreszcie wykazała zainteresowanie otaczającym ją światem.

– Przed chwilą kelner odczytał znak tatuażu Rafała, Rafał zasugerował mu analfabetyzm, a tamten właśnie strzelił focha. Mam tylko nadzieję, że teraz kucharz nie napluje nam do jedzenia. – Anka z trudem tłumiła rozbawienie. Konsternacja ich towarzysza była aż nadto widoczna. Z uwagą wpatrywał się w swój ulubiony chiński tatuaż, tak jakby chciał z niego wyczytać, co w istocie oznacza. Do tej pory był przekonany, że nosi na ciele symbol siły smoka, tymczasem przez lata obnosił się z chińskim jadłospisem na ręce.

– Nie da się tego jakoś przerobić? – zapytała całkiem przytomnie Lucyna.

– A na co? Cholera jasna! Na wołowinę pięciu smaków? – zirytował się Rafał.

Anka nie dała rady ukryć rozbawienia i pod pretekstem pilnego telefonu wyszła na zewnątrz. Grzegorz dzwonił do niej już wcześniej, ale nie miała możliwości, żeby zamienić z nim choćby zdanie. Ciekawa była, jak ją powita, jakich słów użyje, jak zabrzmi jego głos i czy zechce się spotkać z nią jeszcze raz. Czuła, że to nie będzie jednorazowa przygoda, ale wiedziała, że wszystko poszło nie tak. Wszystko za szybko. Grzegorz bardzo jej się podobał, pociągał ją, a i seks z nim był więcej niż niezły, ale Anka czuła, że czegoś brak. Przechodząc od razu do rzeczy, ominęli coś bardzo ważnego, kilka cudownych etapów związanych z poznawaniem się lepiej, uwodzeniem, wzajemnym czarowaniem. Przeskoczyli kilka stopni, które najmilej się wspomina. Wcale nie zaznała czasu, w którym wykluwają się motyle i kiedy z zapartym tchem czeka się na to, co będzie dalej.

– Już się bałem, że do mnie nie zadzwonisz – w słuchawce odezwał się Grzegorz. Ance na sam dźwięk jego głosu zrobiło się ciepło, a na twarz wypłynął rozmarzony uśmiech.

– Przepraszam, urwanie głowy.

– Tęskniłem cały dzień, a ty?

– Szczerze mówiąc, nie miałam nawet czasu zatęsknić, ale za to teraz nadrabiam zaległości – poweselała.

– Czy chcesz, żebym przyjechał dziś do ciebie?

– Ej, to nie fair! – skarciła go pobłażliwie. – Przecież umówiliśmy się!

– A czy ja obiecałem, że dotrzymam słowa? – Grzegorz roześmiał się szczerze. – Dobra, dobra. Chciałem, żebyś wiedziała, że myślę o tobie i aktualizacja środków trwałych kompletnie nie wzbudziła dziś we mnie ani odrobiny gospodarskiej troski. Leży odłogiem i czeka, aż się zlituję.

– Wariat! Tylko pamiętaj, nikomu ani mru-mru.

– Pamiętam, pamiętam, a może chociaż kolacja? – Grzegorz przymilał się, jak umiał.

– Chętnie, ale kiedy indziej.

– Aleś twarda – westchnął teatralnie.

– Nie jestem twarda. Moja najlepsza przyjaciółka ma dziś emocjonalną awarię, właśnie łapie klasycznego doła i raczej wątpię, by jutro wstała bez kaca.

– No to na bogato. Pilnuj jej.

– No raczej. Ma małe dziecko, więc muszę mieć pewność, że wszystko gra. Możliwe, że dziś u niej przenocuję. Trudno, najwyżej jutro zacznę pracę trochę później.

Wyjście do restauracji było świetnym pomysłem. Lucynę nieco odpuścił stan alkoholowego upojenia, ale nadal nie było z nią dobrze. Anka po cichu wtajemniczyła Rafała i kazała mu mieć całe towarzystwo na oku.

– Pojadę tylko do domu po jakieś ciuchy i wracam.

– Nie musisz – powiedziała już całkiem przytomnie Lucyna.

– Jesteś pewna? A Franek?

– Już mi lepiej, więc nic się nie stanie. No co? Nie patrz tak na mnie! – zdenerwowała się Lucyna. – Jestem przede wszystkim matką i nie narażę młodego na moje pijackie wyskoki.

– W porządku – Anka wycofała się zaskoczona atakiem. – Chciałam tylko powiedzieć, że jakby coś, to dzwoń.

– Może nie będzie trzeba – wtrącił się Rafał. Przez całą drogę niósł na rękach zmęczonego Franka i teraz z ulgą postawił dziecko na ziemi. – Jestem na miejscu i całą dzisiejszą noc planuję pracować, więc w razie draki jestem do dyspozycji.

– O, dobry pomysł – ucieszyła się Lucyna i w kuchni od razu łapczywie przyssała się do butelki wody mineralnej. – Matko, zaczyna chwytać mnie kac.

– Nawet mi tu nie myśl o klinie. Zaraz zrobię ci kawy. Wykąpię młodego i zostawię cię pod opieką tego przystojniaka zza płotu. Franek do łazienki! Marsz!

– Anka wzięła sprawy w swoje ręce i porozstawiała wszystkich po kątach.

– Czy ktoś ci kiedyś już mówił, że masz zdolności przywódcze? – zapytał Rafał.

– Że ja niby mam? A w życiu! Ja po prostu nie lubię, jak się towarzystwo nie potrafi zorganizować i tyle.

– No właśnie. – Rafał puścił jej oko. – Będę u siebie i będę czujny. Zauważę, czy ktoś w nocy zapala światło. W razie czego podejdę i sprawdzę, czy wszystko gra.

– Dzięki, Rafał. Jesteś wielki. Nie spodziewam się głupot po Lucynie, choć w takiej chwili nigdy nic nie wiadomo. Biedna dziewczyna. I kto by pomyślał, że to właśnie Karol.

– Ja znam go od lat, ale nigdy jakoś specjalnie nie lubiłem. A teraz to już tym bardziej. Zostawić taką fajną babkę dla jakiejś pustogłowej gówniary to trzeba być nie lada idiotą.

– Wielki gwiazdor się znalazł z podrzędnej rozgłośni, to mu i palma odbiła. Cóż, całe szczęście nie on jeden na świecie – podsumowała Anka i poszła wykąpać dziecko.

Po powrocie do domu nie miała już nawet siły zjeść. Tylko żałosne miauczenie Sushi i wrodzone poczucie obowiązku sprawiły, że zwierzak nie pozostał głodny do rana.

– A idź sobie coś złap do żarcia – mruknęła. – No dobra, dobra, mała, chodźmy już spać – powiedziała bardziej do siebie niż do kota i przytuliwszy miękkie ciepłe ciałko, usnęła jak nieżywa.

Budzik jak zwykle zadzwonił w nieodpowiednim momencie. Anka właśnie śniła coś miłego, kiedy odezwał się ten przeklęty brzęczyk. Od kilku dni miała zamiar go zmienić na jakiś mniej piekielny, ale nadal niezbyt pewnie poruszała się po menu służbowego iPhone'a. Wypadałoby w końcu usiąść na chwilę z instrukcją i na spokojnie przeczytać przynajmniej o podstawowych funkcjach, ale wokół tyle się działo, że codziennie ten piekielny dźwięk budzika schodził na dalszy plan. Na oślep namacała telefon. Nastała upragniona cisza. Anka zacisnęła powieki i spróbowała z powrotem wbić się w przerwany sen, ale nic z tego. Miła rzeczywistość rozwiała się niczym mgiełka i trzeba było po prostu wstać do pracy. Zła, zwlokła się z łóżka i stanęła przed szafą. Zwykle ubrania na następny dzień szykowała sobie wieczorem, ale wczoraj nie miała już siły. Teraz nieprzytomnym wzrokiem wpatrywała się w zawartość szafy i nie mogła się zdecydować. Ostatnio jej garderoba wzbogaciła się o parę sztuk. Szczególnie upodobała sobie piaskowe spodnium i brązowy kostiumik z lamówkami w kolorze starego złota. Do pełni szczęścia brakowało jej jeszcze kilku spódnic i żakietów, ale przecież nie wszystko od razu. Teraz z zapartym tchem czekała, aż skończy się trzymiesięczny okres próbny. Wraz z nim nastąpić miał awans z rangi młodszego przedstawiciela na stanowisko przedstawiciela do spraw detalu, no i upragniona podwyżka. Perspektywa podpisania umowy o pracę na czas nieokreślony również była dla niej sporą zachętą, ale wiedziała, że w firmie często przedłużano okres próbny na kolejne miesiące. Starała się, jak mogła, ale nie zawsze z dobrym skutkiem i mogło być naprawdę różnie. Anka pocieszała się, że Marta przez cały ten czas nie zgłaszała jakichś większych zastrzeżeń do jej pracy. Gorzej z zespołem, ale to była już zupełnie inna kwestia. W tym środowisku integracja przebiegała wyjątkowo opornie. Grupa była zżyta, a gorliwość Anki i sukces z Mnichem wcale jej nie pomogły. Wręcz przeciwnie. Zamiast pogratulować udanej pacyfikacji nieprzyjemnego klienta wszyscy poza szefową zareagowali jak zgraja zazdrośników. Jedynie Milena wycedziła przez zęby, że gratuluje i że niepotrzebnie Anka się go bała.

Dziś znowu przypadał termin wizyty i zebrania zamówienia do apteki Mniszek, więc Anka zdecydowała się na spodnium. Nie była pewna, na ile zawdzięczała swój sukces samonośnym pończochom, a na ile cudownemu zbiegowi okoliczności, teraz postanowiła się więc przekonać. W centrali firmy Antoniego Mnicha tradycyjnie kłębił się podenerwowany tłumek. Już na schodach Anna minęła się z roztrzęsioną kobietą w średnim wieku. Z logo na jej teczce wywnioskowała, że to handlowa reprezentantka znanego wytwórcy paluszków i krakersów. Anna zaczerpnęła powietrza i zgodnie z wcześniejszą sugestią prezesa, pewnym krokiem podeszła do drzwi gabinetu i zastukała energicznie.

Boże, żeby ten cham tylko mnie pamiętał, pomyślała.

– Czcgo?! – rozległo się zza drzwi.

– Dzień dobry, ostatnio kazał pan wchodzić, to wchodzę.

– Aaa! Taa – Antoni Mnich w pierwszej chwili nie zaskoczył.

– OTC International.

– Jasne, maści od hemoroidów, sekundę! – Prezes zaskoczył i po odprawieniu wystraszonego interesanta zaprosił Ankę do środka.

– No dobra, kotku, mamy biznes do zrobienia.

– Zamieniam się w słuch.

– Właśnie otwieram hurtownię farmaceutyczną i do tego sieć kilkunastu nowych aptek. Ruszamy za miesiąc – powiedział napuszony i znacząco zerknął w stronę ekspresu. – Jak chce kawy, to niech sobie zrobi.

– Niezłą ma pan pamięć – powiedziała i mimo że nie miała ochoty, zrobiła sobie espresso. – Niezłe ziarna – pochwaliła, choć kawa o dziwnym smaku prawie wykręciła jej twarz.

– Ha! Kolumbijska odmiana dla twardzieli – grubas wyraźnie się ucieszył. – Nie jakieś tam łagodne gówno dla miękkich dupków. Lubię rzeczy z charakterem. I co tam mamy w zamówieniu?

Znów szczęśliwy zbieg okoliczności pomógł Ance. Dopiła kawę, przy okazji uważając, by się nie skrzywić. W życiu nie piła czegoś tak paskudnego.

– A zatem do rzeczy – powiedziała. – Gratuluję panu nowej struktury. Przekażę wszystko koledze, który zajmuje się klientami sieciowymi. Ma na imię Adrian i teraz to on będzie pilnował pańskich zamówień.

– A pani? Ja nie chcę żadnego Adriana. Takich Adrianów to ja mam tutaj na pęczki i nie będę pracował z jakimś kolejnym wymuskanym palantem!

– Miło mi bardzo, panie prezesie, ale ja jestem jedynie handlowcem i mamy w firmie wyraźne procedury.

– Ale ja mam w dupie wasze procedury! Z nikim innym nie będę współpracował. Da mi tu zaraz numer do szefa, to mu powiem, co myślę.

– Proszę bardzo. Marta Cichoń. Uprzedzę ją o pańskim telefonie.

– A po co?

Mnich od razu chwycił za telefon i zadzwonił do Marty. W krótkich słowach poinformował ją o swoich oczekiwaniach co do współpracy i zadowolony zakończył połączenie.

– No, załatwione. I niech mi tu nie mówi o żadnych Adrianach i procedurach. Procedury to u mnie ustalam ja!

W pierwszej chwili Anna była bliska śmiechu i z trudem się opanowała, ale po chwili namysłu wpadła w panikę.

Boże, za jakie grzechy? Teraz na dokładkę jeszcze i Adrian mnie znienawidzi, pomyślała i z ciężkim westchnieniem ruszyła z parkingu. Wcześniej próbowała połączyć się z Lucyną, ale ta była poza zasięgiem. Zadzwoniła do Rafała, ale on również nie odbierał. Była w pobliżu, więc po drodze zajechała pod ich domy. Zadzwoniła do furtki Lucyny, ale nikt nie otwierał, co było o tyle dziwne, że samochód stał na podjeździe, a przyjaciółka nigdzie nie ruszała się bez auta. Anka zaniepokoiła się nie na żarty i z pewnymi oporami nacisnęła dzwonek domofonu przy furtce Rafała. Tutaj również odpowiedziała jej cisza, za to w jej torebce rozdzwonił się telefon. Rafał.

– Przepraszam, nie mogę otworzyć, bo właśnie się obudziłem.

– Och, to ja przepraszam.

– Nie szkodzi. Wiem, że normalni ludzie nie śpią o piętnastej, ale całą noc tłumaczyłem potwornie nudną publikację o pieskach stepowych i zasnąłem dopiero rano, kiedy odwiozłem Lucynę do pracy.

– A co się stało? – przestraszyła się Anna.

– Nic, bała się o swoje promile – roześmiał się.
– No i młody strasznie chciał przejechać się merce-
desem.

– Dobra, dzięki za wszystko. Pojedziesz po nich
czy ja mam to zrobić?

– Spokojnie, kobieto. Pojadę. Matko, ty jesteś jak
kwoka. – Rafał roześmiał się głośno.

– No jestem. – Nie mogła nie przyznać mu racji.

W całym tym młynie zapomniała zrobić zakupy,
na szczęście Grzegorzowi udało się ją wyciągnąć na
późny obiad. Miała to być ich pierwsza prawdziwa
randka. Zareagowała rozbawieniem na widok wielkiego bukietu róż. Posłała ironiczną uwagę na temat
romantyzmu i pozwoliła się obłaskawiać na wszelkie możliwe sposoby. Karty dań nawet nie tknęła, całkowicie zdała się na towarzysza. Tak samo w sprawie napojów. Kelner bez proszenia przyniósł wazon
na kwiaty i zaserwował gościom malutkie koreczki
od szefa kuchni na zaostrzenie apetytu. Oliwki, ostre
papryczki i kapary wycisnęły Ance łzy z oczu, ale za
to wypili podwójną porcję soku i poprosili o jeszcze.

– Jezus! – wychrypiał Grzesiek. – Chyba o to im
chodziło. Przecież to pali jak udrażniacz do rur!

– Trudno, sam chciałeś.

– Jak ja bym miał wszystko, czego chcę – tu zerknął znacząco – toby nas tutaj nie było.

– Ej, pamiętaj! Przecież umówiliśmy się, że zaczniemy jak ludzie. Ma być grzecznie i po kolei – napomniała ze śmiechem.

– Wiem, wiem, a właściwie to chyba mam dla ciebie dobre wieści.

– Cóż takiego?

– Przypadkiem widziałem dziś w kadrach twoją nową umowę o pracę. Chyba niebawem ci ją wręczą.

– Poważnie? – Anka o mało nie padła z wrażenia.

– To pewne?

– No jasne, przecież chyba nie wątpisz w to, że mam dobry wzrok i potrafię czytać.

– Nie.

– No i że mam jeszcze inne talenty. – Grzegorz nachylił się nad stolikiem i czule pocałował Annę. Wspomnienia niedawnej nocy natychmiast stanęły jej przed oczami.

Było jej tak dobrze, że miała wrażenie, że się rozpłynie. Towarzystwo Grzegorza i jego nieustająca atencja dodawały skrzydeł. Dobre wiadomości dotyczące spraw zawodowych były już tylko jak wisienka na torcie.

Jestem w niebie, pomyślała i zerknęła w dół. Grzesiek, całując ją, chyba zamoczył krawat w pomidorówce, bo teraz końcówka ubrudzonej zupą materii upaprała mu całą koszulę i spodnie. Zanim zwróciła mu uwagę, parsknęła histerycznym śmiechem.

– Ach – w końcu zorientował się, w czym rzecz, i sam zaczął się śmiać. Ile się dało, wytarł papierową serwetką.

– Chyba szlag trafił krawat.

– Cóż, prawdziwe romansowanie wymaga poświęceń.

Rozdział 10

Musimy się spotkać. Jakoś, gdzieś, i to szybko! – Arturek sprawiał wrażenie maksymalnie zdenerwowanego.

– Pali się czy co? – zapytała Anna zaspanym głosem. Była dziewiąta rano, sobota i nie miała ochoty na przyjmowanie gości, nawet tak życzliwych i sympatycznych jak Arturek.

– Chyba chcesz to wiedzieć. Inaczej bym nie dzwonił.

– No dobra, przyjedź do mnie, skoro to takie ważne – zgodziła się niechętnie, bo miała inne plany. Od tygodnia nie robiła zakupów. Lodówka świeciła pustkami, żarcie dla kota skończyło się dzień wcześniej i musiała w końcu kupić proszek do prania, bo sterta brudnych rzeczy już przestała mieścić się w łazience.

– Wejdź! – odkrzyknęła z łazienki na dźwięk dzwonka u drzwi.

– Cześć! – krzyknął Artur. Ubrany w białą koszulkę polo i jasne dżinsy prezentował się zupełnie nieźle.

– Już wychodzę! Zrób sobie kawę!

Anka szybko związała włosy w byle jaki węzeł i włożyła lnianą tunikę w maki. Przywitała się z kolegą i zdjęła z palnika gwiżdżący czajnik.

– O choroba, kawa wyszła. Może być herbata?

Dziś w jadłospisie na rano miała zieloną herbatę, więc rozejrzała się po szafkach.

– Może. Jak musi. Ale do rzeczy. Ja chyba odkryłem, kto ci robi koło pióra – powiedział Arturek.

– Co ty powiesz? To te historie to nie przypadek?

– Nie. Wczoraj przyplątał się nam jakiś wirus i czyściłem wszystko do późna. Przypadkowo wlazłem na to.

– Tu podał Ance złożoną na cztery kartkę. Zawierała wszystkie ostatnie aktualizacje w systemie.

– Co to jest? – zapytała. – To znaczy ja wiem, co to jest, ale co z tego wynika?

– To wydruk z archiwum wprowadzanych zmian. Dotyczy systemu, z którego korzysta cały dział handlowy. Zarządzanie firmą odbywa się na zintegrowanym pakiecie informatycznym, pozwalającym na osobne zarządzanie poszczególnymi działami. Tu znajdują się wszystkie dane. Każda wasza wizyta, każda wydana złotówka i każdy zatankowany litr paliwa, który każdy z was wlewa do baku.

– Rozumiem. Ale jaki to ma związek ze mną?

– A taki, że aktualizacja list klientów miała miejsce dwa dni przed tym, kiedy wyszła ta cała afera z Mnichem.

– Matko! Jesteś pewien?

– Tak. Nie mogę wykluczyć, że to przypadek, ale właśnie wtedy ci go dopisano. Czy to nie wydaje ci się dziwne?

– Milena?

– Nie ma takiej możliwości. Wszystkie zmiany zatwierdzają administratorzy z mojego działu. Każdy z nich musi się podpisać. No wiesz, taka elektroniczna parafka, a tutaj jest pusto. No i nie sądzę, żeby za tym stała Milena. To byłoby zbyt oczywiste, a ona jest na to za mądra.

– No dobrze, ale nic tu się nie zgadza. Przecież Marta pokazała mi listę moich klientów, którą podpisałam w pierwszym dniu pracy, i Mnich już tam był. Więc to ja musiałam coś przeoczyć.

– Nie bądź naiwna. – Arturek pokiwał głową rad, że wreszcie znów może się wykazać. – Nie słyszałaś nigdy o kolorowym ksero? Ktoś po prostu dodrukował jedną rubrykę, wkleił na dokumencie, skopiował razem z twoim podpisem i tyle w temacie.

– Nie wierzę – Anka zupełnie zapomniała o tym, że miała zrobić herbatę.

– Na jakim miejscu w tabeli widniał ten Mnich? – zapytał Arturek pewien odpowiedzi.

– Na ostatnim.

– No to jesteśmy w domu. Naprawdę ktoś musi bardzo cię nie lubić. A takie rzeczy to i dziecko potrafi.

– Nie mam pojęcia… Może to Beata? Nie wiem. Naprawdę nie wiem.

– To jeszcze nie wszystko. W ślad za tym zacząłem grzebać dalej. Pozostaje jeszcze sprawa twojego urlopu, którego nie miałaś. Tu też przy wprowadzeniu danych nie ma parafki nikogo z działu IT.

– Ale jaja! – Ankę opuściła cała energia. Bezwładnie opadła na krzesło. – A kto wprowadza takie dane w przypadku urlopu?

– Ktokolwiek z działu kadr. My tylko zatwierdzamy aktualizacje. Sama widzisz, że wszystko ma jakieś racjonalne wytłumaczenie. Oczywiście zawsze ktoś mógł się pomylić, ale jak na tak dobrych fachowców pracujących w OTC International tych pomyłek jest nieco za dużo.

– W takim razie zły cennik już wcale nie powinien mnie dziwić. Wystarczyło, że ktokolwiek podłożył mi nieaktualne wydruki, przecież to tylko zwykłe kartki. – Zrezygnowana spuściła głowę i całym ciężarem oparła łokcie na kuchennym stole. – Dziękuję ci za informacje. Dobrze wiedzieć, że gdzieś jest kret, ale po tym, co mi powiedziałeś, chyba straciłam już ochotę na dalszą pracę w tej firmie.

– O czym ty mówisz? Nie wygłupiaj się.

– To proste. Ktoś chce mnie załatwić, tylko nie wiem, z jakiego powodu. Prawie cały zespół mnie nie akceptuje, mają pretensje, że chcę się wykazać. Nie wiem, czy mam ochotę dalej pracować w takiej atmosferze, i fakt, że za kilka dni zostanę przyjęta na stałe, wcale mnie nie cieszy.

– To już wiesz, że cię przyjmą? Super! A skąd to wiesz? – Artur aż podskoczył.

– Nieważne. To nieoficjalna informacja, więc zachowaj ją dla siebie. Na razie muszę to wszystko przemyśleć. Odrobina dystansu nie zaszkodzi. Za dużo tego dobrego. Nie będę już dłużej udowadniać, że nie jestem wielbłądem. Już mi się nie chce.

Po wyjściu Arturka uszła z niej cała energia. Czuła się jak przekłuty balonik. Teraz żarty się skończyły. Miała wroga. Nie umiała wprawdzie znaleźć powodu, dla którego ten ktoś aż tak bardzo jej nie cierpiał. Nie znosiła sytuacji, w których nie wiedziała, na czym stoi. Z wrogiem należałoby walczyć albo przynajmniej skonfrontować stanowiska. Cały kłopot w tym, że nie wiedziała, gdzie go szukać. Jeśli odrzucić z kręgu podejrzanych Arturka, Grzegorza i Martę, grono potencjalnych nieprzyjaciół nadal pozostawało dość liczne. Dział IT chyba raczej nie wchodził w rachubę, podobnie dział finansów, ponieważ nawet nie znała stamtąd nikogo, a ten ktoś musiał czuć do niej wielką niechęć. Dziwne było to wszystko, bo Anka zwykle była osobą lubianą i dobrze odnajdywała się w kontaktach międzyludzkich, tymczasem tutaj od początku coś nie grało. Koleżanki z jej zespołu trzymały z Mileną, ale nawet i ona ostatnio starała się być miła. Koledzy natomiast byli tak pochłonięci wypełnianiem korporacyjnej misji, że z trudem dostrzegali otaczającą ich rzeczywistość. Adrian awansował i osobiście wdrażał ją do pracy, więc i jego potencjalne zaangażowanie z dużym prawdopodobieństwem mogła wykluczyć.

– Nie mam pojęcia, jaki jest powód – stwierdziła później w rozmowie z Grzegorzem. Właśnie zaprosił ją do siebie. Bardzo chciał pokazać jej swój dom. Finalnie planował namówić Ankę, by z nim zamieszkała, ale na razie nie chciał naciskać.

– Pomyślmy. Jeśli wykluczyć zwykłą antypatię, ktoś z jakiegoś powodu zadał sobie sporo trudu.

– O ile to wszystko nie jest dziełem przypadku, a Artur tylko szuka dziury w całym i doszukuje się spisku tam, gdzie go nie ma.

– Zakładając jednak, że tak nie jest, motywem może być tylko rywalizacja.

– Ale o co? – zdziwiła się.

– O wszystko. – Grzegorz zatrzymał samochód i wplótł palce w jej włosy. Nachylił się i pocałował ją. – O inteligencję. O wdzięk. O urodę – wymruczał między pocałunkami. – O nogi. – Władczym gestem dotknął jej uda. Anka westchnęła z zachwytem. Grzegorz jęknął, gdy rączka hamulca ręcznego wbiła mu się w pośladek. Anka odsunęła się niechętnie.

– Trzeba być nie lada idiotą, żeby męczyć się w samochodzie, stojąc pod własnym domem – roześmiał się nerwowo. – Chodźmy! Bo jeszcze nas aresztują za nieobyczajne zachowanie.

Trzymając się za ręce i chichocząc jak dzieci, pokonali drogę do drzwi i wpadli do przedpokoju. Anka poczuła, że zaraz straci głowę z pożądania. Wcześniejszy pomysł na powściągliwość i schłodzenie tak gorących relacji teraz wydał jej się czymś najgłupszym na świecie. Grzegorz ją fascynował i ostatnio na stałe zagościł w jej myślach. Chciała, by ją dotykał, chciała być blisko niego. Na długo.

– Proponuję rozpocząć zwiedzanie od sypialni – powiedział i nie czekając na odpowiedź, porwał ją na ręce.

Kwadrans później delikatnie pocałował ją w ucho.

– Wybacz. Wstrzemięźliwość nie jest ostatnio moją mocną stroną.

– Bo to był najgłupszy mój pomysł. – Przeciągnęła się leniwie i przylgnęła całym ciałem do Grzegorza. Mocno przygarnął ją do siebie i pocałował w czubek nosa.

– Wiesz, nie rozumiem tych firmowych bzdur w temacie związków. Przecież nie robimy nikomu nic złego. Jesteśmy dwójką ludzi bez zobowiązań. Ba, nawet nie ma między nami żadnych bezpośrednich służbowych zależności.

– Nie, nie, to nie do końca tak. W końcu pracowaliśmy wspólnie razem z Martą przez kilka lat. Nikt nas nie zwolnił, ale nie do końca wszystko szło gładko. Teoretycznie firma nie może wtrącać się w prywatne sprawy pracowników, ale jednak to robi. W przypadku kiedy chodzi o związek szefa z podwładnym, zawsze jedno z nich dostaje propozycję nie do odrzucenia. Firma uważa taki związek za wysoce nieetyczny i trzeba wybierać.

– No bo to jest trochę nieetyczne. Całe szczęście między nami nie ma bezpośredniej zależności służbowej, a chyba nikt ci nie zarzuci, że akceptujesz mi lewe faktury z zaliczki – roześmiała się Anka.

– Oj, nie doceniasz ludzi. Nie doceniasz. Jeśli idzie o pieniądze, niektórzy bywają tak kreatywni, że są w stanie wymyślić spiskową teorię dziejów, tak więc lepiej nie afiszujmy się z tym. Tak będzie bezpieczniej dla ciebie.

– Mmm, w porządku – mruknęła i uśmiechnęła się słodko. – A co powiesz na zwiedzanie łazienki?

– A chętnie. – Grzegorz wyskoczył z łóżka w ślad za nią. – Chyba muszę ci pokazać, gdzie jest prysznic.

Chwilę trwało, zanim Grzegorzowi udało się w końcu pokazać Ance cały dom. Dwukondygnacyjny budynek bardzo przypadł jej do gustu. Szczególnie spodobał jej się spory taras ulokowany na dachu garażu. Rozpościerał się z niego widok na starannie utrzymany park. Po drugiej stronie znajdował się ogrodzony, niewielki ogródek. Anka dokładnie obejrzała każdy kąt domu. Niektóre pomieszczenia stały puste. Grzegorz nie miał czasu ani pomysłu na ich zagospodarowanie, a ona oczami wyobraźni już widziała siebie wieszającą obrazy na ścianach. W myślach wybierała meble i rozstawiała po pokojach doniczkowe kwiaty. Czuła, że to dobry dom i chciałaby kiedyś w nim zamieszkać, ale ta decyzja musiała jeszcze poczekać. Nie była pewna swoich uczuć. Oczywiście pragnęła Grzegorza najbardziej na świecie. W jego towarzystwie uśmiech nie schodził jej z twarzy. Przy nim czuła się adorowana i rozpieszczana do granic. Był cudownym kochankiem, a na widok jego spojrzenia i sposobu, w jaki na nią patrzył, robiło jej się ciepło na duszy. Gdy nie widziała go zbyt długo, zaczynała tęsknić. Ale czy to już była miłość, czy tylko kontrolowane zauroczenie? Rany zadane przez Łukasza już całkiem przestały boleć, ale blizny jeszcze pozostały. Bała się znowu zaufać komuś bezgranicznie, bała się zakochać bez pamięci. Coś w głowie podszeptywało jej, by pozwoliła życiu po prostu biec swoim torem – żeby jednak otworzyła tę metalową klatkę na oścież i wypuściła z niej uczucia na wolność, żeby znów swobodnie odetchnęła pełną piersią i znów unosiła się nad ziemią. Jeszcze nie zapomniała, jak to jest być zakochanym. Teraz chciała pogadać o tym z kimś zaufanym, ale właśnie zdała sobie sprawę, że nie ma nikogo takiego. Żaden ze znanych jej mężczyzn nie nadawał się na powiernika, a Lucyna właśnie lizała rany po odejściu Karola i czego jak czego, ale relacji z walki o własne szczęście Anka chciała jej na razie zaoszczędzić. Zdecydowała, że nic nie powie. Przyjaciółka już jednak zdążyła odrobinę się otrząsnąć z przygnębienia i zaczęła zauważać, co się dzieje z Anką.

– Ciekawa jestem, jak długo jeszcze będziesz ściemniać – zapytała Lucyna bez wstępów.

– Ale w jakim temacie? – zaskoczona Anka zareagowała zgoła idiotycznie.

– To mam rozumieć, że ściemniasz w wielu sprawach? Ty, weź no nie udawaj głupiej, tylko mów, bo widzę, że aż cię skręca. To jakiś facet, prawda? Pewnie zabujany w tobie na amen, a ty jak zwykle masz obiekcje, czy powinnaś, czy jesteś gotowa i inne tego typu brednie.

– Lucyna…

– Przepraszam, że wchodzę ci w słowo, ale powiedz mi tylko, w której kwestii się mylę.

– W żadnej, może z wyjątkiem tego zabujania na amen, acz widzę, że ostro go wzięło.

– I co?

– I nic. Klasyczny biurowy romans, doprawiony nutką firmowej intrygi.

– Żonaty?

– Nie, skądże. W takie układy nie wchodzę. To były mąż mojej szefowej. Dyrektor finansowy.

– Fiu, fiu! Całkiem nieźle. Zamieniam się w słuch.

– Na serio chcesz tego słuchać? Teraz, gdy ty i Karol…

– A myślisz, że ja przez to oślepłam i przestałam zauważać szczęśliwych ludzi? Nic z tego. Oczywiście, teraz wszystko mnie boli. Ciało mnie boli, dusza mnie boli i wszystko mnie, kurwa mać, boli, ale kiedyś przestanie, a szansa na własne szczęście utrzymuje mnie na powierzchni.

– Ty jesteś niemożliwa – Anka roześmiała się i przytuliła Lucynę.

– Kto nie ryzykuje, ten nie wygrywa najwyższych stawek. Obstawianie tylko na czarne albo czerwone jest dobre dla miernot.

– Jesteś strasznie dzielna.

– A co? Nie mam tak dobrze jak ty. Mam dziecko, rozkręconą działalność, dom, którym muszę się podzielić, i sprawę rozwodową, przez którą muszę przebrnąć z podniesioną głową.

– Ale zdrada boli tak samo niezależnie od stażu.

– No pewnie, ale ja tutaj nie o bólu, tylko o życiu, więc gadaj. Obiecuję, że nie będę ci zazdrościć. Mamy cały wieczór, młody u babci, nie muszę gotować, więc pókim taka dobra, to dawaj ten stek z Biedronki, to ci go machnę raz-dwa na patelni. Ile schudłaś?

– Nie wiem, bo nie mam wagi, ale wyraźnie czuję się lżejsza, a spódnicę w rozmiarze czterdzieści mogę sobie śmiało okręcić wokół pasa.

– No to pięknie – Lucyna przy swojej kosmicznej przemianie materii nie wiedziała, co to dieta. – No i kwitniesz, moja droga. A może w któryś weekend przyprowadzisz do mnie swojego dyrektora? – Lucyna wcale nie wyglądała na załamaną, ale Anka wiedziała, że to tylko pozory. Przyjaciółka doskonale potrafiła się maskować i trzeba było uderzenia z naprawdę ogromnego kalibru, żeby ją pokonać i sprowadzić do parteru. Zresztą sama nieraz powtarzała, że kobieta to takie cholerne stworzenie, które zawsze się podniesie, choćby nawet upadek był z bardzo wysoka.

– Co cię nie zabije, to cię wzmocni, a jak widać obie mamy się dobrze, więc na przyszłość trzeba przywdziać twardszy pancerz i tyle.

– No i właśnie z tym pancerzem mam problem. Chyba włożyłam zbyt twardy.

– Właśnie widzę – odrzekła Lucyna z przekąsem.

– Że co? Że nie latam i nie ćwierkam jak wróbel, który wygrał na loterii?! – oburzyła się Anka.

– Nikt nie obiecywał, że to będzie proste. Wiesz, czasem trzeba kilka razy skorzystać z przymierzalni, żeby dobrać odpowiedni dla siebie model. Ja nie mogę sobie pozwolić na roztkliwianie się. Mam sporo na głowie, mnóstwo osób na mnie liczy. Nie obraź się, ale gdybym, podobnie jak ty, miała tylko kochanka, etat i kota na stanie, tobym fruwała ze szczęścia.

– Obrazić się? Na ciebie? Żartujesz sobie chyba. – Anka uśmiechnęła się rada, że przyjaciółka odzyskała dawną swadę. – Poza tym wymyśliłam niespodziankę.

– Jezu, jaką?

– Wybierzemy się na weekend do spa. Wiesz, odnowa biologiczna, trochę ruchu i coś dla urody. – Anna doskonale wiedziała, jak ważne dla kobiety po przejściach jest czasem się dowartościować. A jak świat światem jeszcze nikt nie wymyślił nic lepszego niż zabiegi pielęgnacyjne i zmiana otoczenia. Lucyna aż podskoczyła z radości.

– Kiedy? – jak zwykle ceniła konkrety.

– Może jak się wyklaruje moja sytuacja w pracy? Bo jeśli mnie przyjmą na stałe, a przyjmą, to natychmiast lecę do Stanów na międzynarodowe pranie mózgu i egzamin z cholernej anatomii, choć nie wiem, na co mi ta anatomia do grzybicy i nadmiernej potliwości. Przez trzy tygodnie narobię sobie zaległości w terenie, więc musimy się streścić. Jutro mam podpisać nową umowę, więc jak tylko dowiem się szczegółów, to zaklepię nam termin. Pasuje?

– Jasne. Czemu nie. Nigdy nie byłam w takim miejscu i całe życie zastanawiam się, co ludzie w tym widzą. Ledwie starcza mi cierpliwości, żeby raz na jakiś czas wysiedzieć pół godziny u fryzjera, a ty proponujesz mi cały weekend – Lucyna mruknęła sceptycznie.

– Ja też nie wiem, ale coś musi w tym być. A skoro takie miejsca mnożą się jak grzyby po deszczu, to oznacza, że klientów nie brakuje.

– Ale ty wiesz, że ja nie zniosę żadnego miziania, klepania i obkładania kamieniami? Jak będą mnie chcieli masować, to zamorduję masażystkę.

– Wiem, dlatego wyszperałam miejsce, gdzie będzie nieco inaczej.

– Czyli?

– Na razie nic ci nie powiem.

– Małpa – skwitowała Lucyna i sprawnie przerzuciła mięso na patelni. – Hm, ładnie pachnie.

– Dlatego tak lubię tę dietę. – Ance na widok kawałka soczystego rostbefu ślinka napłynęła do ust.

– Ja bym nie przesadzała. Dobrze wyglądasz, a w razie jakiejś biedy to wiesz, grubszy schudnie, a chudy zdechnie.

– A przewidujesz w najbliższym czasie jakiś kataklizm?

– Nie, ale pamiętam jeszcze co nieco z psychologii ze studiów.

– Masz na myśli wczasy fitness dla owiec czy coś innego?

– Nie, to nie to. Bo wiesz, jak człowiek cały czas ze sobą walczy, to tak jakby cały czas prowadził wojnę z samym sobą.

– Masz rację – Anka po raz kolejny uznała, że ma bardzo mądrą koleżankę. – Ale ja ze sobą już nie wojuję. Już nie oszukuję się, że jestem na diecie, na której nie jestem. Teraz zacisnęłam zęby, mam efekty i to mnie motywuje. Taki weekend w spa również i mnie się przyda.

Anka nie musiała wtajemniczać Lucyny w szczegóły zarządzania podległym jej terenem. Na czas dłuższej nieobecności przedstawiciela wyznaczano praktykanta do opieki nad jego klientami, więc nie spodziewała się zaległości. Obawiała się tylko jednego, że w tym czasie umrze z tęsknoty za Grzegorzem, bo z tego, co już zdążyła się dowiedzieć, dzienny grafik na amerykańskich szkoleniach zawsze był dopięty do granic. Rozmowy telefoniczne z przyczyn oczywistych były mocno ograniczone, więc do kontaktu pozostawał jedynie internetowy czat. Jeśli rzecz jasna w jakiś sposób udało się zgrać różnicę czasu.

Od chwili, w której Artur sprzedał jej swoje sensacyjne odkrycia, Ankę opuścił dotychczasowy entuzjazm. W pierwszym odczuciu „odeszły jej wody" i uznała, że wszystko ma już w nosie. Nagle przestała widzieć sens swoich starań, a wielkie zaangażowanie uznała za zbytnią gorliwość. Nawet przeszło jej przez myśl, by zrezygnować z pracy, ale uznała, że byłoby to głupotą. Jej życiorys zawodowy nie był zbyt bogaty, a epizod z rynkiem farmaceutyków, krótszy niż pół roku, nawet nie nadawał się do zamieszczenia w rubryce o zatrudnieniu. Do kompletu dochodził jeszcze jeden aspekt tej całej historii. Otóż Anka była zbyt ambitna, by poddać się i przed końcem wojny ustąpić pola wrogowi. O ile w pierwszym impulsie chciała odpuścić, teraz, gdy okrzepła, uznała, że prędzej sama polegnie, a przedwczesnej satysfakcji nikomu nie da i tyle.

Rozdział 11

W raz z zatrudnieniem na stałe Anna jakby przeniosła się w inny wymiar. O ile do tej pory firma wymagała od niej wiele, o tyle teraz miała wrażenie, że wyciskają z niej ostatnie soki. OTC International nie miało w zwyczaju inwestować w pracowników zatrudnionych na okres próbny. Co innego dotyczyło osób przyjętych na stałe. Po kilku dniach Anka poczuła się, jakby ktoś wrzucił ją do zderzacza hadronów i włączył napęd na maksimum. Z dnia na dzień otrzymała podwyżkę, atrakcyjne dodatki socjalne, a samochód służbowy wymieniono na nowszy model volkswagena passata. Szkolenie goniło szkolenie, więc wyjazd z przyjaciółką na babski weekend chwilowo wylądował w sferze marzeń. Zanim Anka poleciała do Nowego Jorku, na miejscu przeszła jeszcze trzy handlowe i menedżerskie szkolenia, gdzie grono specjalistów wszelakich dogłębnie przeanalizowało jej profil psychologiczny, emocjonalny i zawodowy.

– Boże, czego oni ode mnie chcą? – żaliła się Lucynie. – Nie mam czasu, żeby podrapać się w tyłek, schudłam już ze trzy kilo i nie wiem, na jakim świecie żyję.

– Znowu ta sama śpiewka? Chciałaś, to masz. Tak to już jest z tymi, którzy są za dobrzy – zadrwiła Lucyna.

– Ale ja nie jestem za dobra.

– A to ciekawe. Wiesz może, ilu konkurentów odstawiłaś w czasie rekrutacji?

– Wiem, szesnastu.

– No, to masz odpowiedź. Jak znam życie, za chwilę woda sodowa ci strzeli do głowy i zapomnisz o bożym świecie.

– Rozumiem, że bardzo chcesz mnie zdenerwować. Przy najbliższej okazji spuszczę cię ze schodów – odgryzła się ze śmiechem Anka.

– Głupiaś? W dzisiejszych czasach nie spuszcza się nikogo ze schodów, tylko usuwa z grona znajomych na Facebooku.

– Wariatka! – powiedziała Anka. Dobry humor Lucyny cieszył ją niezmiernie. Termin rozprawy rozwodowej zbliżał się wielkimi krokami, a ona już nie mogła się doczekać. Jakimś cudem udało jej się porozumieć z Karolem w sprawie podziału majątku. Gorzej wyglądała sprawa opieki nad Frankiem, w ostatnich dniach wyszło bowiem na jaw, że nowa narzeczona Karola właśnie spodziewa się dziecka. Lucyna postanowiła nie naciskać. Franek był jeszcze mały i na razie stosunkowo łatwo można było oszczędzić mu uczestnictwa w sprawach dorosłych. Po rozwodzie przyjdzie pora na ustalenie wszystkiego od nowa. Lucyna była dobrej myśli i w temacie kontaktów z dzieckiem pozostawiła Karolowi wolną rękę. Z własnej woli zadeklarował, że nie będzie rościł pretensji do ich wspólnego domu, a tuż po tym, gdy Lucyna zagroziła mu rozwodem z orzekaniem o jego bezspornej winie, gdzie w razie jej wygranej zostałby z niczym, darował sobie nawet kwestię samochodu Lucyny. Na otarcie łez Karol zażyczył sobie działkę budowlaną na przedmieściach, ale już prawie była żona szybko wyprowadziła go z błędu. Działka miała stanowić zabezpieczenie przyszłości Franka, więc nawet i tutaj nie mógł liczyć na jej łaskę. Jeśli chciał, mógł sobie zatrzymać letniskowy domek w Beskidzie Żywieckim. Lucyna nigdy nie lubiła tam jeździć, a że był to ich wspólny spadek po babci Karola, z chęcią odpuściła tę nieruchomość na korzyść męża. Do tego zabierał swój samochód, profesjonalny, wart małą fortunę sprzęt grający, ich wspólną imponującą kolekcję płyt oraz meble ze swojego pokoju. Po zakończeniu negocjacji Lucyna kompletnie straciła chęć do życia.

Właśnie w tym momencie wyjazd do spa byłby świetną odskocznią od codziennego kieratu, ale Anna praktycznie zniknęła dla wszystkich. Chwilowo zapomniała, jak wygląda Grzegorz, a Sushi musiała na dłuższy czas wyekspediować na przechowanie do Rafała. Początkowo się wzbraniał, ale Lucyna zadeklarowała fachową pomoc. Sama nie chciała ryzykować obecności kota w domu ze względu na alergię Franka.

Kilkutygodniowy pobyt w obcym kraju całkowicie oderwał Ankę od rzeczywistości. Jak się okazało, na szkoleniu odbierano uczestnikom telefony oraz wszelkie inne urządzenia służące do komunikacji. Dopiero w weekendy można było odzyskać do nich dostęp. Anka zamieszkała w hotelu stanowiącym integralną część kompleksu szkoleniowego. Całość położona była na przedmieściach, więc dopiero po kilku dniach udało jej się zobaczyć Nowy Jork. Była jedyną osobą z Polski, a w pokoju razem z nią zamieszkała Tao, urocza dziewczyna z Pekinu, więc mogła zapomnieć o rozmowie po polsku. Jej angielski nigdy nie miał się lepiej. Po powrocie do domu czuła się, jakby wylądowała na innej planecie. Wszystko wydawało się nowe, a polska mowa przez pierwsze dni brzmiała dość dziwnie i nieswojo. Ale tutaj również nie zamierzano jej oszczędzać. W firmie planowano jakąś epokową reorganizację struktur handlowych i chwilowo zapanował całkowity chaos. Wszyscy gonili w piętkę. Ance powiększono teren i dorzucono jeszcze obsługę hurtowni. To była już wyższa szkoła jazdy, a ona nawet nie miała czasu, żeby się w tym zakresie podszkolić. Znów musiała improwizować, ale w ostatnich miesiącach zdążyła się już do tego przyzwyczaić i nabierała coraz większej wprawy. Romans z Grzegorzem miał się świetnie, chociaż oboje byli w ciągłych rozjazdach i zazwyczaj się mijali. W te krótkie chwile, które udawało im się spędzić razem, nie mogli się sobą nacieszyć i zazwyczaj spędzali je w łóżku. Po pewnym czasie Anka zaczęła odczuwać niedosyt.

– Wiesz, chciałabym kiedyś z tobą porozmawiać.

– A o czym?

– O czymkolwiek. Brakuje mi rozmów z tobą, a tyle się dzieje.

– Masz rację, to jakiś cholerny sajgon, a najgorsze jest to, że w najbliższym czasie nie ma szans na zmiany. Mam już grafik na następny miesiąc. Belgia, Włochy, Niemcy… – Grzegorz zaczął wyliczać swoje planowane destynacje.

– Matko, znowu te Niemcy – westchnęła ze współczuciem. Doskonale wiedziała, z jaką niechęcią tam jeździł.

– No właśnie. Nie lubię Berlina. A przed końcem roku mam być tam jeszcze minimum dwa razy. Bogu dzięki, że mam tam rodziców. To trochę łagodzi tę niechęć.

– Co tym razem?

– Jakieś finansowe audyty i kontrole, no i szkolenia. Ech, normalka. Albo ja szkolę kogoś, albo ktoś szkoli mnie. Czasem mam wrażenie, że to sztuka dla sztuki, i tylko czekam, aż zacznie mnie szkolić ktoś, kogo sam szkoliłem – roześmiał się Grzegorz.

– Cóż, takie uroki pracy w międzynarodowej korporacji. Każdy chce wykazać, jak bardzo potrzebny jest firmie, więc siedzą mądrale i wymyślają, jak tu poprawić doskonałe.

– Wszędzie trzeba uzasadniać swoje istnienie, a lepsze często jest wrogiem dobrego, stąd mamy to, co mamy.

Ankę również czekało kilka służbowych wyjazdów. W planie miała targi farmaceutyczne, konferencję sprzedaży i jeszcze codzienne zajęcia.

Wyhamowała dopiero tuż przed Bożym Narodzeniem. Było dla niej oczywiste, że święta spędzą wraz z Grzegorzem, ale niemile ją zaskoczył. Już wcześniej zdecydował, że święta spędzi z rodzicami. Anna wyraźnie zmarkotniała. Chciała wspólnej Wigilii i łamania się opłatkiem w świetle choinkowych lampek. Pragnęła tej romantycznej magii panującej w ten jeden jedyny wieczór w roku. Nawet już kupiła prezent dla Grzegorza i nie spodziewała się, że wszystko pójdzie nie tak, jak sobie wymyśliła. Zrobiło jej się przykro, pomimo że jako osoba pełna empatii rozumiała, że syn chce spędzić święta z chorą na raka matką.

– A niech się wypcha, przyjdziesz do nas – zarządziła krótko Lucyna trzy dni przed Wigilią.

– Z wielką chęcią.

– Ja wszystko rozumiem, ale samej cię nie zostawię.

– Wiem – odparła Anna stłumionym głosem.

– Ty mi się tutaj nie wzruszaj, tylko marsz na zakupy. Co ty myślisz, że ja sama będę stała przy garach? Zrobisz sałatkę ze śledzi, pierogi z kapustą i grzybami. Ja ugotuję resztę. A, i kutię zrób, bo ja nie umiem. – Lucyna błyskawicznie rozdzieliła zadania.

– Ale ja nie umiem robić kutii – zaprotestowała przerażona Anna.

– Ale masz babcię ze Lwowa i przynajmniej wiesz, jak to powinno smakować, a ja nie.

– No dobra – sapnęła daleka od zachwytu. – Ale te pierogi…

– No co ty, dasz radę. Na parę osób nie potrzeba znowu tak dużo.

– Coś wymyślę – mruknęła i nerwowo przetrząsnęła pamięć w poszukiwaniu jakiejś wytwórni domowych pierogów. Lucyna była tradycjonalistką i nie tolerowała żadnej lipy w tym względzie, więc pierogi musiały przynajmniej udawać domowe.

– Tylko nie myśl o kupnych. – Przyjaciółka przejrzała ją w lot.

– A miejże litość, kobieto!

– Mowy nie ma! To Boże Narodzenie, więc zero badziewia! Kupne to sobie jedz kiedy indziej.

Ankę ogarnęła panika. O ile sałatka ze śledzi w śmietanie nie stanowiła problemu, bo już dawno sobie ustaliły wspólną, jedynie słuszną jej wersję z parzoną cebulą, jajkiem i jabłkiem, o tyle sprawa pierogów i kutii była mocno problematyczna. Anka w życiu nie robiła kutii i nie znosiła lepić pierogów. Te z pierwszego wałkowania zawsze miały za cienkie ciasto, a te kolejne robiły się coraz grubsze. Nigdy nie mogła utrafić tak, żeby wszystkie były jednakowe, ale postanowiła spróbować.

Usiadła do komputera w poszukiwaniu przepisu na kutię. Gdyby babcia jeszcze żyła, zapytałaby ją, a tak mogła liczyć jedynie na czyjeś doświadczenie. Chciała przyrządzić wersję możliwie najbardziej tradycyjną, ale jak przeczytała o ręcznym obtłukiwaniu niełuskanych ziaren pszenicy, odeszła jej ochota na powrót do korzeni.

Przepisów jak zwykle było tyle, ilu gotujących, więc po dłuższej chwili zdecydowała się na wersję najbardziej popularną wśród internautów. Skrupulatnie wynotowała potrzebne składniki i korzystając z chwili wolnego czasu, pojechała na zakupy. Wolała nie odkładać tego na popołudnie. Nie lubiła kłębiących się tłumów, a przepychający się ludzie doprowadzali ją do szału, dlatego zawsze odwiedzała galerie handlowe tuż po otwarciu. Sprawnie uporała się z zakupami spożywczymi. Zakup prezentu dla Franka również nie stanowił problemu. Mały był teraz na etapie kolekcjonowania figurek żółto-niebieskich potworków na krótkich nóżkach, a że sprzedawca wiedział, co jest właśnie na topie, wyeksponował figurki na wprost wejścia do działu z zabawkami. Anna nie mogła się zdecydować, co wybrać, więc kupiła kilka sztuk, licząc na to, że w razie czego Franek z kimś się wymieni. Problem pojawił się dopiero przy prezencie dla Lucyny. Przyjaciółka była wybredna i nawet Anna miewała problemy, żeby utrafić w jej gust. Olśnienia doznała przy sklepie z przeróżnymi akcesoriami do dekoracji wnętrz. Tutaj co krok coś ją zachwycało i co rusz z zachwytem brała do ręki a to drewniane ptaszki do przypięcia gdziekolwiek, a to wymyślne komplety do przypraw. Uwielbiała spacerować po takich sklepach choćby po to, żeby poglądać te śliczne, nikomu do niczego niepotrzebne przedmioty. Podobnie jak Lucyna była osobą praktyczną i denerwowało ją gromadzenie zbędnych dyrdymałów. Mimo tego po ostatniej przeprowadzce i tak zostało jej całe pudełko różnych dziwnych rzeczy, z którymi nie wiedziała, co zrobić. Wiedząc, że przyjaciółka ma podobnie, chciała wybrać dla niej coś takiego, czego sama w życiu sobie nie kupi, a przyda się jej. Przez dobry kwadrans chodziła po sklepie, by wreszcie zdecydować się na wytworny zestaw do serwowania sushi, a mijając księgarnię, dokupiła jeszcze kryminał. Zadowolona z zakupów, wzięła się do pracy, ale jak to zwykle przed końcem roku, nikt nie chciał zamawiać nowych dostaw przed remanentem. Korzystając z okazji, poskładała wszystkim życzenia i gdzie było trzeba, wręczyła klientom firmowe upominki. Tego roku firma zafundowała pięknie pakowane skórzane rękawiczki w wersji damskiej i męskiej, więc prezent był bardzo na czasie. Skórkowe rękawiczki uratowały jej życie, ponieważ oprócz Lucyny i Franka na wieczerzy miała być jeszcze mama Lucyny oraz Rafał. Prezent był jak znalazł.

Grzegorz zadzwonił z życzeniami w Wigilię. Właśnie miała wychodzić do Lucyny, kiedy zabrzęczał telefon. Już na sam dźwięk ukochanego głosu błogi uśmiech przywarł jej do twarzy.

– Strasznie mi ciebie brakuje – powiedziała cicho.

– Też tęsknię, ale cóż, obowiązki rodzinne.

– Jak mama?

– Nie chcę zapeszyć, ale choroba chyba w remisji. Jesteśmy umiarkowanie dobrej myśli. A ty, jak tam świąteczne porządki?

– Jakie porządki? Ja mam posprzątane na co dzień. Właśnie idę do Lucyny, a w święta będę leżeć, gapić się w telewizor i myśleć o tobie.

– Nie przemęczaj się, bo będę miał czkawkę, a chciałbym coś zjeść – zachichotał.

Anka ostrożnie spakowała pojemniki z jedzeniem. Udało jej się kupić pyszne pierogi świetnie udające wersję domową, więc Lucyna nie powinna się zorientować. Jej firmowa sałatka śledziowa jak zwykle wyszła bez pudła, ale i tak najbardziej była dumna z własnoręcznie wykonanej kutii. Fenomenalne połączenie pszenicy, maku i bakalii od pokoleń wprawiało w zachwyt niejedno wytrawne podniebienie. Nie zliczyła, ile razy próbowała podczas mieszania. Słodka masa smakowała po prostu niebiańsko.

– A czy ty wiesz, ile to ma kalorii? – Lucyna bezczelnie nałożyła sobie kolejny pucharek i z lubością oblizała łyżeczkę.

– Wiem. Ponad siedemset na porcję, ale przez dietę i ten kocioł w robocie ostatnio tyle schudłam, że mi się należy. Poza tym narobiłam się przy tym jak głupia, więc nie będę sobie żałować.

– Jak byłam młodą dziewczyną, babcia mojej koleżanki ze szkoły zawsze nas tym częstowała. Nie miałam pojęcia, z czego to robiła. – Mama Lucyny również wyraziła swoje uznanie i dyskretnie poluzowała pasek przy sukience. – Ale twoja jest lepsza.

– No to kaplica – jęknęła Anka, czując, że teraz już co roku będzie skazana na kutię.

Święta i przerwę do Nowego Roku spędziła na nadrabianiu zaległości. Nikt jej nie przeszkadzał, więc szybciutko rozprawiła się ze służbową dokumentacją, zrobiła sobie plan na nadchodzący kwartał i po wyjściu na prostą w kwestiach zawodowych, wreszcie znalazła trochę czasu na sprawy prywatne. Korzystając z atrakcyjnych sklepowych wyprzedaży, uzupełniła braki w garderobie. Naresztcie kupiła sobie parę drobiazgów do domu, których potrzebowała od dawna, no i, co najważniejsze, udało jej się do tego samego namówić Lucynę.

Przebieg sprawy rozwodowej wyglądał całkiem obiecująco i wszystko wskazywało na to, że jeszcze w pierwszym kwartale nowego roku małżeństwo Lucyny i Karola formalnie przestanie istnieć. Lucyna dzielnie trzymała fason, ale im bliżej rozprawy, tym bardziej to wszystko przeżywała. Ostatnio jej samopoczucie było pod psem i Anka miała uzasadnione obawy, że prędzej czy później przyjaciółka jednak pęknie i któregoś dnia emocjonalnie się rozsypie. Zakupy podziałały uzdrawiająco. Przynajmniej na chwilę.

W nowy rok Lucyna wkroczyła przepełniona kontrolowanym optymizmem. W lecznicy zaczęło się kręcić lepiej niż dotychczas, a Franek wreszcie przestał chorować. Anka też była dobrej myśli. Odprężona i wypoczęta, energicznym krokiem weszła do biura. Rozesłała uśmiechy wszystkim mijanym po drodze i punktualnie o czasie zameldowała się przed salą konferencyjną.

– O, jak dobrze, że już jesteś! – Maria z działu kadr bez słowa wyjaśnienia capnęła Ankę za łokieć i odciągnęła ją od drzwi, zanim tamta zdążyła je otworzyć. – Chodź!

– Ale co? Eee… Ale odprawa… – Anka przyzwyczajona już była do różnych biurowych wolt i zagrywek, ale teraz zaniepokoiła się nie na żarty. – Nie mogę się spóźnić. Marta nie lubi spóźnień.

– Wiem, ale stary nie lubi ich jeszcze bardziej – szepnęła Maria i wskazała na drzwi gabinetu dyrektora handlowego. – No wchodź! – tamta pchnęła drzwi i uśmiechnęła się pokrzepiająco.

Wewnątrz za niewielkim stołem siedział dyrektor handlowy w towarzystwie Marty oraz szefowej działu kadr. Pod Anką ugięły się nogi. Szybko przeanalizowała sytuację i pewna, że właśnie za chwilę zostanie zwolniona z pracy, przywitała się drętwo.

– Zapraszamy panią, pani Anno. – Dyrektor wskazał jej miejsce przy stole. – Widzę, że jest pani zaskoczona.

– Dziękuję. – Uśmiechnęła się z wysiłkiem. – Trudno nie być zaskoczonym w takiej chwili, panie dyrektorze.

– To dobrze. – Mężczyzna upił kawy z porcelanowej filiżanki i przekazał głos Marcie, a szefowa działu personalnego dostojnie pokiwała głową.

Kurczę, dobrze, że siedzę, bobym upadła, pomyślała przerażona Anka.

– Cóż…

– Czy jestem zwolniona? – niespodziewanie wymsknęło się Ance.

– Tak. Poniekąd tak. To znaczy jesteś zwolniona z dotychczasowego stanowiska, by w zamian objąć moje – wyrecytowała sztywno Marta. – Zapadła taka decyzja.

– A ty? Co stanie się z tobą?

– Pani pozwoli, że wyjaśnię. – Dyrektor wypowiedział słowa z takim namaszczeniem, jakby mianował prezydenta Rzeczypospolitej Polskiej. – Pani Marta właśnie awansowała na mojego zastępcę i zajmie się rynkami wschodnimi. Jak pani wiadomo, nasza organizacja przechodzi właśnie gruntowną restrukturyzację, a w ślad za tym idą też personalne roszady. Nasi udziałowcy mają swoje wymagania, a my staramy się im sprostać, choć to dopiero początek całego procesu. – Mężczyzna mówił jeszcze przez chwilę, ale Anka kompletnie go nie słyszała. Jak zaczarowana wpatrywała się w jego ruszające się usta. W głowie jej huczało i miała wrażenie, że właśnie przeniosła się w inny wymiar.

– I co ty na to? – wysoki tembr głosu Marty wyrwał ją z osłupienia.

– Eee, przepraszam, ale nie spodziewałam się. Jestem zaskoczona i nie wiem, co powiedzieć.

– Cóż, ja bym powiedział „dziękuję", ale rozumiem, że potrzebuje pani chwili do namysłu – odparł rozbawiony dyrektor.

– Tak. – Anna machinalnie skinęła głową. – Oczywiście, dziękuję. Kiedy miałabym zacząć? – zapytała przez ściśnięte gardło. Tymczasem rozdzwoniła się dyrektorska komórka. Mężczyzna wzrokiem dał znać, że chce zostać sam, więc kobiety opuściły gabinet.

– Marta? O co tu chodzi?

– Właśnie dostałaś awans.

– Ale jakim cudem?

– Właśnie nie wiem. Nie ukrywam, że typowałam inne kandydatury na moje miejsce – wypaliła Marta bez owijania w bawełnę

– Aha – teraz Anka już zgłupiała kompletnie.

– Anna, nie zrozum mnie źle. Jesteś świetnym nabytkiem, zrobiłaś kolosalne postępy, by stanąć w szeregu wśród najlepszych w zespole, ale są wśród nas osoby, które pracują kilka lat dłużej niż ty i uważam, że to one bardziej zasługują na awans. Tak więc nie miej mi za złe, że nie skaczę pod sufit z twojego powodu, bo jestem tak samo zaskoczona jak ty.

– Zaskoczona to mało powiedziane.

– Skoro to już się stało, to ci gratuluję i życzę powodzenia. Będziesz go potrzebować. Teraz zobaczysz, jak wredna potrafi być korporacyjna sitwa.

– Nie rozumiem.

– A niby czego nie rozumiesz? – Marta straciła cierpliwość. – Pomyśl tylko, dziewczyno! Co teraz wyobrażają sobie inni?! Teraz myślą tylko o tym, jakiego ważnego musisz mieć protektora, któremu to dałaś dupy za swój awans – powiedziała i obróciwszy się na pięcie, poszła w swoją stronę.

– Co? – Anka powiodła wzrokiem za oddalającą się Martą. Zastygła na środku korytarza niczym słup soli i pewnie jeszcze długo by tak stała, gdyby nie głos szefowej kadr.

– Idziemy podpisać papiery? – zapytała tamta i uśmiechnęła się pobłażliwie do wyraźnie wystraszonej dziewczyny.

– Tak, tak, oczywiście. Jestem gotowa.

Wszystkie formalności nie trwały dłużej niż kwadrans, ale był to czas wystarczający, by wieść o najnowszych zmianach zdążyła dotrzeć do wszystkich działów.

– Czy to wszystko? – zapytała Anka z nadzieją na chwilę samotności. Musiała ochłonąć i pozbierać myśli.

– Na razie tak. Na nowym stanowisku zacznie pani za dwa tygodnie, ale przedtem musi pani jeszcze pojechać do centrali i odebrać samochód w dziale transportu. Nie znam szczegółów, ale taka jest procedura.

– Rozumiem. A nie mogę zatrzymać obecnego samochodu? Całkiem niedawno mi go wymieniono.

– Nie żartuj sobie, słońce. Mowy nie ma. – Kadrowa uśmiechnęła się z politowaniem.

W firmie obowiązywała ściśle określona polityka dotycząca służbowych samochodów. OTC International na całym świecie współpracowało z kilkoma markami motoryzacyjnymi i nie było mowy o żadnych odstępstwach. Do każdego stanowiska przypisano określony model samochodu i nie było możliwości zmiany.

– No tak – dodała Anka i z ulgą opuściła biurowiec. Najwyższy czas wrócić do swoich obowiązków. Wszystko zgodnie z procedurą, a klienci są jak dzieci i nie lubią, jak się ich zaniedbuje. Do tego wypadałoby ich poinformować o zmianach personalnych, co powinna zrobić w ciągu najbliższego tygodnia. W drugim tygodniu Marta miała przekazywać jej swoje obowiązki, więc było niemożliwe, żeby odwiedzić i poinformować wszystkich. Taka operacja wymagałaby pełnego miesiąca, zatem Anka postanowiła odwiedzić jedynie tych najważniejszych i najbardziej wymagających. Zaczęła już w głowie układać sobie listę klientów. Od razu chciała ruszyć w teren, ale w chwili uruchomienia silnika dotarło do niej, że tak na łapu-capu nie zrobi niczego sensownego. Po chwili namysłu wyłączyła silnik, wyjęła z teczki notes i przeszła do położonej nieopodal kawiarenki, w której pierwszy raz spotkała Grzegorza. W zimie zlikwidowano ogródek, ale na samo wspomnienie tamtej chwili uśmiechnęła się do siebie. Zaczął sypać gęsty śnieg i ostro zawiało, więc pospiesznie pokonała kilka metrów zaśnieżonego chodnika, co w kozakach na wysokiej szpilce nie było zbyt łatwe, i z ulgą dopadła przytulnego, bezpiecznego wnętrza. Strzepnęła śnieg z włosów i odwiesiła płaszcz na wieszaku. Było jeszcze wcześnie i lokal świecił pustkami. Z przyjemnością zapadła się w miękką kanapę. Pierwotnie planowała zamówić tylko kawę, ale miła kelnerka zdołała namówić ją na zupę dnia. Tego dnia rządziła cebulowa z grzankami i Anka zgodziła się chętnie. Z nerwów zawsze głodniała, a minione godziny pełne emocji zostawiły w jej żołądku konkretne spustoszenie. Potrzebowała chwili wyciszenia. Musiała ochłonąć i od nowa, jeszcze raz wszystko przewartościować. Od kiedy zaczęła pracę w tej firmie, jej życie stanęło na głowie, a gdy tylko miała wrażenie, że wszystko pomału wraca do normy, okoliczności fundowały jej kolejnego fikołka. Przez ostatni rok nie mogła narzekać na brak wrażeń i gdyby uprzedniej zimy ktoś jej powiedział, w jakim punkcie znajdzie się teraz, zapewne uznałaby go za szaleńca i popukała się w czoło.

Rozdział 12

Co zrobił?! – Lucyna zastygła z kubkiem kawy w połowie drogi między stołem a ustami.

– Załatwił mi awans, w dodatku za moimi plecami i bez porozumienia ze mną. – Anka po pierwszej fazie euforii teraz wyglądała na kompletnie załamaną.

– A rozmawiałaś z nim już?

– A niby jak? Siedzi na jakimś szkoleniu Bóg wie gdzie i nie odbiera telefonów. Poza tym nie chcę dzwonić tak od razu, dopóki nie ochłonę.

– Święta racja.

– Przecież jak go dorwę, to mu nogi z tyłka powyrywam! Jak on mógł? – Anka miotała się po kuchni, prychając wściekle. – Wiesz, na kogo ja teraz wyszłam? Na jakąś korporacyjną dupodajkę!

– Uspokój się.

– Wiesz, ile trudu wymagało od nas, żeby ukryć nasz związek przed tą przeklętą kliką?

– I nikt nie wie? To aż dziwne, żeby w takim tyglu nic nie wyszło.

– Nic mi na ten temat nie wiadomo. A przecież nie możemy ukrywać się w nieskończoność. Kiedyś trzeba będzie się ujawnić i co wtedy? No co? Dla wszystkich stanie się jasne, że jako kochanica finansowego dostałam dodatkowe fory! Ych! – Anka wściekała się na całego.

– Słuchaj – Lucyna próbowała jakoś uspokoić Ankę, ale nie znała jej zawodowych realiów i w związku z tym marnie jej szło. – A może to nie on?

– A niby kto?

– A sypiasz z kimś jeszcze? – Lucyna próbowała obrócić wszystko w żart. W ostatniej chwili uchyliła się przed lecącym w jej stronę pomidorem. – Parol! Parol! – krzyknęła ze śmiechem i uniosła ręce do góry. – Przecież każdy może awansować. Jesteś dobra w te swoje handlowe klocki, to cię doceniono.

– Ech, głupia jesteś – fuknęła Anka, a Lucyna zjeżyła się odrobinę.

– Przepraszam?

– Nie, to ja przepraszam – zreflektowała się Anka i sięgnęła po rolkę papierowych ręczników, by usunąć z podłogi rozbryźniętą pomidorową breję. – Przecież ja wiem, że chcesz dobrze, ale nie masz pojęcia o wewnętrznych układach. W firmie robią jakąś megaroszadę, szkolą ludzi na potęgę i zmieniają stanowiska. Tylko nie wiem, z jakiego klucza.

– No to ja tym bardziej.

– Zawsze jak było coś do obsadzenia, w firmie aż huczało na giełdzie nazwisk. Tu moje nawet nie padło. Sama Marta była w szoku, bo typowała inne kandydatury. Ona zna nas najlepiej. W końcu są inni, z dużo większym stażem.

– Ale może z mniejszym talentem? – Lucyna wcięła się w słowo. – Przecież każdy głupi widzi, że urodziłaś się do rządzenia.

– Możliwe, nie przeczę, że być może sprawdzę się jako menedżer, ale jakim cudem wybrano właśnie mnie?

– Ja ci tego nie powiem, ale jak znam życie, pewnie z czasem się dowiesz.

– Matko, za jakie grzechy? – Anka w końcu przestała chodzić po kuchni tam i z powrotem i ciężko opadła na krzesło w jadalni. – Masz jakieś wino? Dłużej nie wytrzymam… – westchnęła.

– Mam, już ci naleję. A co z twoim autem?

– Chrzanić auto – burknęła Anka i upiła z kieliszka spory łyk. – Jutro rano je odbiorę.

W czasie wcześniejszego samotnego posiedzenia w kawiarni Anka wynotowała sobie wszystkich klientów, których zamierzała osobiście uprzedzić o personalnych zmianach. Z ulgą stwierdziła, że wcale nie ma ich aż tak wielu, jak początkowo sądziła. Swobodnie powinna zmieścić się w czterech dniach, więc ewentualne poranne opóźnienie następnego dnia nie przeszkadzało jej w niczym. Z każdym kolejnym łykiem wina emocje powoli opadały. Chęć zamordowania Grzegorza ustąpiła przypływowi nagłej paniki. Anka nie miała pojęcia, czy będzie potrafiła zarządzać zespołem, i to w dodatku takim, który niespecjalnie darzył ją sympatią. A przynajmniej w części. Zakładając, że wcześniej padły inne kandydatury, a ona zdystansowała wszystkich, Anka mogła spodziewać się niesubordynacji zakrojonej na szeroką skalę.

– Oni mnie zjedzą – mruknęła po chwili namysłu.

– Cóż, ludzie to ludzie. Cudzy sukces zawsze im nie w smak – skomentowała filozoficznie Lucyna.

– To nie ludzie. To hieny. Nalej mi jeszcze. – Anka w znaczącym geście wyciągnęła przed siebie rękę z kieliszkiem.

– Nie przesadzasz?

– Przecież wiem, co robię, a od dwóch kieliszków jeszcze nikt nie umarł – burknęła Anka. – Tylko patrz, na co mi przyszło. Jeszcze się człowiek z jednym problemem nie upora, a tu nagle bach! Już jest następny. Nie zdążysz się z tym ogarnąć, a tu łup! Trzeci. Mówię ci, normalnie kanał i tyle. Jak tak dalej pójdzie, to obie wpadniemy w alkoholizm.

– Będzie dobrze. Teraz jesteś zaskoczona, ale szybko się pozbierasz. Czy ta Marta była dla was dobrym szefem?

– Tak, bardzo – przyznała Anka skwapliwie.

– Więc masz ułatwione zadanie. Po prostu rób tak, jak zrobiłaby ona. Gdyby była złym szefem, trzeba byłoby robić odwrotnie. Ot, i cała logika.

– Brzmi całkiem łatwo – Anka opróżniła kieliszek i sięgnęła po krakersa. Tego dnia machnęła ręką na setki spożywanych kalorii. W nerwach miała przyspieszone spalanie. Rozmowa z Lucyną oraz wino podziałały na nią krzepiąco. Powoli wszystko układało się w głowie. Anka wspomniała słowa ojca, który twierdził, że ludzki mózg przypomina katalog w starej bibliotece. Miliony ułożonych obok siebie szufladek odpowiadających za różne aspekty i dziedziny życia. Według jego teorii jednocześnie otwierała się tylko część z nich, inne natomiast pozostawały zamknięte na długo i nieraz potrzeba było wiele czasu lub niespodziewanych okoliczności, żeby się otworzyły. To właśnie one, te szufladki, odpowiadają za chwile, w których człowiek niespodziewanie odnajduje w sobie pokłady tego czegoś, o czym nigdy nie miał pojęcia. Chwile, w których odkrywamy utajnione przez całe życie zdolności i talenty, kiedy z radością i olśnieniem odkrywamy zawartość tajemnych szufladek.

Właśnie teraz Anna wyraźnie odczuła prawdę jego słów. Być może za sprawą nowych wyzwań, Lucyny i wina jej myśli jakoś dziwnie same się posortowały i trafiły do odpowiednich szufladek. A te stały otworem i tylko czekały, by zaczęła z nich czerpać pełną garścią.

Gotowa, by stawić czoło nowej rzeczywistości, rankiem z ochotą wstała zaprogramowana na podbój świata. Włożyła najlepsze z nowo kupionych ubrań i zadowolona dwukrotnie okręciła się przed lustrem. Jej doskonały humor jeszcze się poprawił na dźwięk słów uznania, które padły z ust kontrahentów. Nawet nie przypuszczała, że aż tak bardzo ważne było dla nich, kto ich odwiedza i kto reprezentuje daną firmę. Zdążyła już się zorientować, że dotrzymywanie słowa i słuchanie tego, co mają do powiedzenia, niewątpliwie stanowi klucz do handlowego sukcesu, niemniej nie spodziewała się aż takich wyrazów sympatii. Niektórzy zachowywali się tak, jakby miała odlecieć na Księżyc, i na nic zdały się tłumaczenia, że nadal będzie ich odwiedzać przy okazji kontrolowania podległych jej handlowców. Ku jej zaskoczeniu w kilku miejscach nawet polały się łzy wzruszenia.

– Co się stało? – w słuchawce rozbrzmiał wyczekiwany z tęsknotą głos Grześka.

– Dostałam awans na szefa regionu.

– Gratuluję, kochanie.

Anna się zapieniła.

– Nie udawaj idioty! – huknęła w słuchawkę. – Wiesz, co się teraz będzie działo, jak nasze relacje wyjdą na jaw?

– Ale nie za bardzo rozumiem, w czym rzecz. Nie cieszysz się? I nie krzycz tak, bo mi urwie ucho.

– Zamknij się! Mówisz tak, jakbyś pracował w tej cholernej firmie od tygodnia i nie wiedział, co stoi za awansami biorącymi się znikąd! Nie zgadzam się, żeby ktoś mnie posądził, że dostałam protekcję przez twoje łóżko!

– Ale ja...

– Trzeba było mi przynajmniej powiedzieć, że są takie plany!

– Nic o nich nie wiedziałem – bronił się Grzegorz.

– Akurat! – Anka była tak zła, że aż chciało jej się płakać ze złości. – Zapomnij, że teraz zgodzę się na ujawnienie naszych relacji. Po prostu moja duma mi na to nie pozwoli i już!

– Kochanie...

– Dosyć! – Anka rozłączyła się bez pożegnania. Nigdy nie była hipokrytką i gardziła jakimkolwiek zakłamaniem, a Grzegorz swoją protekcją właśnie skazał ją na coś takiego. Od jakiegoś czasu miała nadzieję, że wreszcie będą mogli przestać się kryć, że zamieszkają razem, że wreszcie uda się odebrać kotkę od Rafała, który już na dobre zdążył zaadoptować Sushi i wcale nie miał zamiaru jej oddawać. Że w końcu będzie mogła zwolnić bezsensownie wynajmowane mieszkanie i nie płacić czynszu za miejsce, w którym tylko nocuje, podczas gdy dom Grzegorza stał pusty i aż prosił się o gospodarską kobiecą rękę. Ale nie! Nie, nie i nie! Jak zwykle coś musiało się spierniczyć! I to tak, żeby popsuć jej całą radość z pracy, którą zaczęła czuć, lubić, uznawać za swoją i sobie przeznaczoną. Ostatnio dogadała się też z pozostałymi członkami zespołu. Dwukrotnie byli już razem na piwie i na dyskotece. Koleżanki i koledzy wreszcie otworzyli przed nią hermetyczne podwoje i zaczęli traktować Ankę jak jedną z nich. Jak swoją. A tu nagle bum! Awans jak grom z jasnego nieba, którego, włącznie z samą zainteresowaną, nikt się nie spodziewał.

– A na diabła mi to? – zżymała się Lucynie.

– Nie nudź. Jak ci nie pasuje, to się zwolnij. Z OTC w życiorysie raczej nie będziesz mieć problemu ze znalezieniem nowej pracy. Konkurencja łyknie cię w pięć minut.

– Nie łyknie. Mam podpisaną lojalkę i klauzulę o zakazie konkurencji na dwa lata od ustania umowy o pracę, więc pod tym względem lipa. Kompletna masakra.

– Wiesz co? – Lucynę już nieco znudziło narzekanie Anki. – Weź się, kurna, ogarnij! Durna babo. Przejdź się w odwiedziny na jakiś oddział onkologiczny albo do ośrodka odwykowego dla narkomanów. Tam zobaczysz, co oznacza prawdziwe nieszczęście, i może wreszcie przestaniesz mi tu jojczyć.

– Przepraszam, wiem, że masz swoje problemy

– Spoko. Potraktuj to jak rodeo. Chwyć tego byka za rogi i po prostu nie daj się zrzucić. Przecież wiesz, że potrafisz. Poza tym jak chcesz mnie wspierać, skoro sama jesteś w rozsypce? Moja rozprawa rozwodowa już na dniach, więc zepnij poślady i wio!

Anka otrząsnęła się i wreszcie otrzeźwiała. Za sprawą reprymendy od przyjaciółki dotarło do niej, że jej wyimaginowane problemy wcale nie miały jakiejś wiekopomnej wagi. Jedynie wymagały od niej pokazania wszystkim, że ten nieszczęsny awans wcale nie był dziełem przypadku tudzież mocnych układów kochanka. Skoro dostała to stanowisko, postanowiła pokazać, że w pełni na nie zasługuje, a wszystkie złośliwe kuluarowe konfabulacje ma tam, gdzie słońce nie dochodzi.

– Ja wam pokażę! – warknęła przed bramą firmy. Energicznie pchnęła ciężkie drzwi i raźno podążyła do działu kadr. Po drodze minęła się z Martą, która już chyba pogodziła się z awansem swojej podwładnej, bo miło ją przywitała. W przelocie odbyły krótką pogawędkę i umówiły się na przyszły tydzień na przekazanie obowiązków. Aktualnie Anka wybierała się do Warszawy po swój nowy samochód, ale tuż przed wyjazdem zaszła pewna zmiana.

Znienawidzony przez wszystkich szef firmowej floty wreszcie poszedł po rozum do głowy i zdecydował, by prawie nowe dotychczasowe auto Anki zostawić na miejscu w Krakowie dla kogoś, kto przejmie po niej obowiązki. Korzystając z jej przyjazdu do centrali, poprosił, by przywiozła mu najstarszy w firmie pojazd w celu sprzedaży na drodze licytacji. Ance było wszystko jedno i nie chciała zadzierać z upierdliwcem, więc bez szemrania przejęła nieco zdezelowany pojazd od działu administracji. Podpisała stosowne protokoły, względnie zadowolona z wykonania założonego planu na ten dzień. Wypakowała wszystkie swoje rzeczy z poprzedniego samochodu, zabrała je ze sobą i podjechała pod dom. W pobliskich delikatesach zrobiła podstawowe zakupy i w końcu ulitowała się nad stertą ubrań, która już od dawna czekała na uprasowanie. Prasowanie było jedną z nielicznych czynności domowych, którą wprost uwielbiała, więc teraz, kiedy rozstawiła deskę i przyniosła sobie wszystko, co potrzeba, bez reszty oddała się machaniu żelazkiem. Od zawsze obiecywała sobie, że kiedyś nabędzie profesjonalną stację parową, a byle jakie żelazko, które dostała na stacji benzynowej w ramach programu lojalnościowego, wyrzuci z hukiem oraz wszelkimi honorami do śmietnika. Włączyła pierwszy z brzegu telewizyjny kanał muzyczny i podśpiewując pod nosem, oddała się ulubionej czynności. Zaległości miała tak duże, że nawet się nie zorientowała, kiedy wybiła dwudziesta druga. Żeby nazajutrz ze wszystkim zdążyć, planowała wyruszyć przed szóstą rano. Chciała uniknąć porannych korków. Pomna swoich wcześniejszych pobytów w centrali i niekończących się formalności, wolała mieć zapas czasowy, zwłaszcza że zajechane do granic autko ledwie zipało i zdawało się puszczać przysłowiową ostatnią parę. Wcześniej, na firmowym parkingu, cudem zdołała je uruchomić. Na nadchodzącą noc na szczęście nie zapowiadano dużych mrozów, więc liczyła, że obejdzie się bez biegania do sąsiada po prostownik. Istotnie, udało jej się uruchomić auto bez przeszkód, ale jej radość nie trwała długo. Właśnie wysiadł nawiew i musiała czekać dobre pół godziny, zanim udało się rozmrozić oblodzoną przednią szybę. Parkujący nieopodal sąsiad użyczył Ance odmrażacza w spreju, inaczej czekałaby nie wiadomo ile.

– A wie pani, że oboje możemy dostać teraz mandat za to skrobanie? – zagaił starszy mężczyzna.

– A niby dlaczego? – zdziwiła się.

– Za stanie na postoju na włączonym silniku. Powyżej jednej minuty jest to zabronione.

– Że jak? – zbulwersowała się Anka. – To w jaki sposób mam odmrozić tę szybę? Mam jechać z zamarzniętą i nic nie widzieć? Przecież za to też można dostać mandat, że o kraksie nie wspomnę.

– Otóż to, miła pani. Takie mamy durne prawo. Jak się policjant uprze, nie ma zmiłuj.

Po półgodzinie udało jej się w końcu ruszyć spod domu. Jak na złość droga wlokła się niemiłosiernie. Samochód absolutnie nie nadawał się do wyprzedzania czegokolwiek poza furmanką lub traktorem, a jeśli wierzyć temu, co powiedzieli jej w firmie, w środku zimy miał zamontowane letnie opony, i to w dodatku łyse jak kolano. Przemieszczając się w żółwim tempie, Anka już w okolicy Słomnik chciała umrzeć z nudów. Nigdy nie umiała nastawiać stacji radiowych, a tym razem zapomniała, by zabrać na drogę jakąś płytę z ulubioną muzyką. Na chybił trafił powciskała guziki w radioodbiorniku i jakimś cudem znalazła stację. Zadowolona zasłuchała się w melancholijny utwór, by po chwili dołączyć do zbiorowej modlitwy.

– O nie, tylko nie to – powiedziała i znów zaczęła przyciskać wszystko po kolei. Nie pamiętała, co stało się pierwsze. Usłyszała głuchy huk czy poczuła niewidzialną siłę, która oderwała jej plecy od oparcia fotela. Uderzenie w tył musiało być bardzo silne, bo jej małe autko jak piłka oderwało się od drogi, przetoczyło się dachem przez przydrożny rów, staranowało drewniany parkan i zatrzymało się dosłownie metr od murowanego budynku. Ostatnią rzeczą, jaką zapamiętała, były zdziwione buzie dwójki dzieci, które pojawiły się w oknie. Chciała odpiąć pas bezpieczeństwa, ale nie dała rady. Jej umysł spowiła gęsta ciemność. Mimo walki ta lepka i mięsista otchłań w jednej chwili pozbawiła ją wszystkich zmysłów. Zanim na dobre straciła przytomność, usłyszała jeszcze histeryczny kobiecy krzyk.

Nie znosił szpitali, a z chwilą gdy otrzymał informację o wypadku Anki, nie znosił ich jeszcze bardziej. Od dwóch godzin tkwił przy jej łóżku i czekał, aż ona się ocknie. Jeżeli się ocknie, jak wyraził się lekarz. To stwierdzenie przeraziło go nie na żarty, bo nieraz już słyszał o ludziach pozostających w śpiączce przez wiele lat. Zaskoczony informacją, w pierwszym odruchu podał się za brata pacjentki, co dało mu możliwość stałego przebywania przy chorej. Słyszał, że do osób nieprzytomnych należy mówić. Sam bynajmniej nie był wielkim mówcą, więc uruchomił tablet i zaczął czytać na głos ostatnio zakupiony e-book. Napisana dowcipnym językiem powieść kryminalna wciągała od pierwszej strony i gdyby nie regularne pikanie szpitalnej aparatury, mógłby całkowicie oderwać się od rzeczywistości.

– Arturek? – naraz doszedł go szept. – Pić.

– Boże! Nareszcie! – ucieszył się jak wariat i w podskokach pobiegł po pielęgniarkę.

Siostra oddziałowa na początek lekko zwilżyła spieczone usta pacjentki. Odczytała tajemnicze informacje z monitora pełnego liczb i wykresów, i wezwała lekarza dyżurnego. Ten rutynowo zaświecił Ance latarką w oczy, połaskotał ją długopisem po stopach i wypytał o kilka rzeczy.

– Miała pani mnóstwo szczęścia – powiedział.

– Pić – szepnęła bezgłośnie.

Wreszcie dostała trochę wody. Wypiła łapczywie i spróbowała odchrząknąć, by pozbyć się z gardła suchej kluchy. Podniosła głowę z poduszki.

– Jezu! Moja głowa – jęknęła i przymknęła oczy. Odruchowo namacała sztywny kołnierz zamocowany wokół szyi.

– Niech się pani nie rusza. A przynajmniej nie tak gwałtownie i nie tak od razu. Mocno uderzyła pani głową, więc mogą wystąpić mdłości i zawroty głowy. Do tego kręgi szyjne nie wyglądają za dobrze.

– Ale co się stało? – Anka po trzecim łyku odzyskała głos.

– Miała pani wypadek. Staranowała panią rozpędzona ciężarówka. Pamięta pani?

– Tak, ale chyba nie wszystko. Pamiętam uderzenie z tyłu. Było strasznie silne. Gdyby nie pas, wyleciałabym przez okno. A potem już tylko te dzieci.

– Jakie dzieci? – lekarz czujnie nadstawił ucha.

– W oknie. Były bardzo zdziwione.

– Wszystko się zgadza. Wylądowała pani u nich w ogrodzie. Całe szczęście zalegający śnieg złagodził skutki dachowania. Gdyby to było inne podłoże, możliwe, że już nie mielibyśmy okazji porozmawiać.

– Boże, za co? – Bezwładnie opadła na poduszkę.

– Chce pani coś zjeść? – zapytała pielęgniarka i przy okazji pomajstrowała przy kroplówce.

– Nie, teraz nie dam rady.

– Nic dziwnego. Ale jakby czegoś pani chciała, to proszę dzwonić do dyżurki – powiedziała i położyła przy głowie pacjentki kabel zakończony przyciskiem alarmowym. – A pan może już pójdzie, bo pacjentka powinna odpoczywać.

– Oczywiście. – Arturek stanął prawie na baczność. – Zamienię tylko parę zdań z siostrą i więcej nie będę przeszkadzał.

– O co chodzi z tą siostrą? – zapytała Anka, kiedy już zostali sami.

– Podałem się za twojego brata, więc dostałem taką rodzinną wejściówkę bez ograniczeń – roześmiał się. – Nieźle jesteś obita. No, no. Narozrabiałaś ostro. Siniaki wielkości talerzy. Tylko pogratulować.

– Ale skąd ty się tu wziąłeś?

– Z twojego telefonu.

– A możesz jaśniej? Jakbyś zapomniał, to miałam wypadek, oberwałam w głowę i przez jakiś czas mogę mieć problemy z analizą faktów. – Anka uśmiechnęła się słabo.

– W komórce na pierwszym miejscu masz wpisany kontakt do mnie. Zadzwonili z policji, powiedziałem, że już jadę. Żeby nie komplikować tematu, powiedziałem, że jesteś moją siostrą, a teraz głupio będzie się wycofać. Przyjdę jutro.

– Jasne. A gdzie mój telefon? I reszta rzeczy?

– Spokojnie. Wszystko masz w szafce przy łóżku, ale telefon się rozładował, więc wezmę go ze sobą i jutro przywiozę ci naładowany. Mam kogoś poinformować?

– Tak. Lucynę. Znajdziesz ją w kontaktach.

– Kogoś jeszcze zawiadomić?

– Nie. Tylko ją. Ona już będzie wiedziała, co robić.

Anka na razie wolała nie informować rodziny. Znając skłonność swoich bliskich do dramatyzowania i wyolbrzymiania rzeczy nieistotnych, chwilowo wolała się nie przyznawać. W końcu jeszcze nie planowała przenosin na tamten świat, a na rozmowę o wypadku kiedyś nadejdzie odpowiednia pora. Teraz najbardziej potrzebowała spokoju. Próbowała wyrównać oddech i w ten sposób uspokoić rozszalały puls. Poczuła, że słabnie. Rozmowa wyczerpała ją kompletnie, więc z wdzięcznością odnotowała wyjście Arturka. Jeszcze nie do końca do niej docierało, co tak naprawdę się stało. Poczuła bezgraniczne zmęczenie. Powieki stały się ciężkie jak z ołowiu, a w głowie rozszalała się karuzela. Właśnie tak wyobrażała sobie chorobę morską, której nigdy nie doświadczyła. Żołądek podjechał jej do gardła z zamiarem wyskoczenia na zewnątrz. Język napuchł jak po ukąszeniu jadowitego owada i nienaturalnie przylgnął do podniebienia. Anka znowu zapadła w ciemność.

Rozdział 13

Obudziło ją ostre światło. To salowa, bez pardonu, z hukiem otworzyła drzwi i zaczęła zmywać podłogę mopem, co rusz trącając o łóżko chorej. Dobrą chwilę trwało, zanim Anka skojarzyła, gdzie jest, i przypomniała sobie, co stało się poprzedniego dnia. Przetarła oczy. Makijaż z poprzedniego dnia skutecznie posklejał jej powieki. Sprawdziła stan rozmazanego tuszu na palcach lewej dłoni i na jej widok prawie krzyknęła z przerażenia. Jej ręka od łokcia aż po same czubki palców przybrała kolor przypominający dojrzałą śliwkę węgierkę. Chciała wstać, ale najpierw spróbowała przeciągnąć się na łóżku, co w efekcie skończyło się przepełnionym bólem jękiem. Bolało ją wszystko, co tylko może boleć człowieka. Zawroty głowy i mdłości na szczęście minęły, ale w tej sytuacji była to marna pociecha. W żołądku odezwało się dotkliwe ssanie. Względnie zregenerowany organizm głośnym burczeniem zaczął dopominać się o swoje.

– Przepraszam? Nie wie pani, kiedy śniadanie? – Anka zapytała salowej, ale ta nawet nie zareagowała, natomiast w tej samej chwili, jak na zawołanie, do sali wparowała młodziutka kobieta z metalową tacą.

– O, dziękuję – ucieszyła się Anka. – Pomoże mi pani usiąść?

– Oczywiście. Smacznego! – odparła dziewczyna z entuzjazmem takim, jakby właśnie przyniosła pacjentce najbardziej wykwintne śniadanie w jej życiu. Anka, głodna jak wilk, z apetytem rzuciła się na zawartość metalowej tacy, próżno szukając na niej wyrafinowanego menu. Na talerzu, wokół dwóch kromek suchego chleba, turlało się jajko w skorupce. Tylko jajko i aż jajko. Dorzuciwszy do tego cienką i totalnie przesłodzoną herbatę w metalowym kubku, można było pokusić się o skojarzenie z wiktem godnym więzienia o zaostrzonym rygorze. Anka upiła herbaty. Od najmłodszych lat pijała gorzką i teraz aż wstrząsnęła się z obrzydzenia, ale świadoma energetycznych właściwości zawartych w cukrze węglowodanów, dzielnie opróżniła kubek.

– Dolać? – zapytało dziewczę z chochlą, a Anka skwapliwie skinęła głową.

Czując przemożną chęć skorzystania z toalety, spróbowała wstać z łóżka i pewnie runęłaby na podłogę, gdyby nie pomoc czujnej kobiety. Anka nie spodziewała się, że jest aż tak osłabiona. W głowie jej się nie mieściło, że w ciągu jednej doby można stracić wszystkie siły. Dzień wcześniej pełna energii i werwy, teraz była słaba jak mucha. Powłócząc nogami, ledwie doszła do łazienki. Powrót do łóżka też stanowił spore wyzwanie. Na chwilę padła jak nieżywa, ale głód doskwierał jej tak bardzo, że z apetytem zabrała się za jajko z suchym chlebem, jednak nie przewidziała, że to jajko na półmiękko. Wraz z pierwszym kęsem całe żółtko wylądowało na szpitalnej piżamie. Anka zaklęła szpetnie. Na to do sali wparował Arturek. Położył obok łóżka torbę.

– Cześć – wysapał. – Ta twoja Lucyna ma chorego dzieciaka, ale powiedziała, że czeka na telefon. Spakowała ci trochę rzeczy, a co do reszty, to się dogadajcie same.

– Dzięki, stary. – Anka uśmiechnęła się z wdzięcznością. – Jak znam Lucynę, niczego już mi nie trzeba. – Rozsunęła suwak torby i uważnie otaksowała jej zawartość. Nie myliła się. W środku znalazła podstawowe kosmetyki, książkę do czytania, piżamę z Lidla, ręcznik, trochę jedzenia oraz japonki, które zostawiła u Lucyny po swoim ostatnim pobycie. Wyglądało na to, że chwilowo jej elementarne ludzkie potrzeby zostały zaspokojone.

– Strasznie wyglądasz – wyznał szczerze. Otarcia i stłuczenia na twarzy Anki zaczęły przybierać wszystkie możliwe kolory tęczy. Ponieważ miała zmierzwione włosy i wczorajszy makijaż, była pewna, że z powodzeniem mogłaby straszyć małe dzieci grymaszące nad obiadkiem.

– Dzięki – bąknęła z przekąsem. – Jeśli wyglądam w połowie tak strasznie, jak się czuję, to dziwię się, że jeszcze nie uciekłeś z krzykiem.

– Ja? Coś ty! Ja uwielbiam horrory, szczególnie te z udziałem wampirów i zombi.

– Świnia – Anka spróbowała się roześmiać, ale ból od razu stłumił ten poryw.

– Teraz to ja dziękuję. Przywiozłem ci naładowany telefon i ładowarkę. Znalazłem w firmie jakąś niepotrzebną, więc mi ją oddasz, jak już będzie po wszystkim.

– Nie wiem, jak ci dziękować. Przede wszystkim za dochowanie dyskrecji.

– Nie ma sprawy. W firmie otrzymali już oficjalną wersję zdarzeń. Ten dupek od samochodów użera się z pomocą drogową, która podobno bez żadnych ustaleń odholowała wrak na swój parking i teraz oczekuje zwrotu kosztów.

– A to tak można? Bez zgody właściciela?

– Sama widzisz.

– Zawsze mi się wydawało, że zadaniem policji jest zabezpieczenie auta i zawartości. A jakbym tak przewoziła brylanty warte fortunę?

– A tego to ja już nie wiem. Na szczęście miałaś tylko torebkę, więc ją przejąłem i tyle. A po to auto, a raczej to, co z niego zostało, nie ma już sensu wracać.

– Przepraszam państwa. – Na salę weszła oddziałowa. – Przyszli panowie z policji. Chcą zadać pani kilka pytań.

– Tak, ale czy mogę się trochę odświeżyć?

Oddziałowa skinęła głową i bez słowa odpięła Ance kroplówkę.

– Czegoś ci trzeba? – Artur już zbierał się do wyjścia.

– Tak. Jogurtu w butelce. Jak nie znajdziesz, to maślanka w kartonie. Jeden czort.

Anka dotychczas nawet nie przypuszczała, że zwykła kąpiel potrafi być czynnością tak dalece wyczerpującą. Zaznała co prawda zbawiennego wpływu wody i mydła, ale ledwie trzymała się na nogach. Była tak słaba, że obawiała się upadku na podłogę. Nie sądziła, że mycie włosów może sprawić jej taką mękę. Wreszcie wykrzesała z siebie ostatnie resztki energii i wróciła do łóżka. Jej opłakany wygląd niewiele zyskał dzięki gruntownej toalecie, ale przynajmniej sama poczuła się lepiej. Prysznic, czysta piżama, czyste włosy i nareszcie zmyty makijaż zdecydowanie poprawiły jej samopoczucie.

Policjanci nie zajęli jej wiele czasu. Zadali Ance kilka rutynowych pytań i wyjaśnili przyczyny wypadku. Kierowca ciężarówki co prawda był trzeźwy, ale usnął za kierownicą i dlatego staranował jej auto. Teraz martwił się o jej stan, mając świadomość, że przez jego nieodpowiedzialność mogło być jeszcze gorzej. Anka miała naprawdę mnóstwo szczęścia – śnieg złagodził uderzenie i dodatkowy opór wyhamował prędkość samochodu. Jakimś cudem nie trafiła w dom, co mogło skończyć się tragicznie nie tylko dla niej, ale i dla mieszkańców. Dodawszy do tego fakt, że dosłownie kilka metrów dalej zaczynał się las, a w nim potężne drzewa, Anka aż skurczyła się w sobie na myśl o tym, co jeszcze mogło się stać. Na widok zdjęcia zmasakrowanego samochodu, którym jechała, krew odpłynęła jej z twarzy. Wrak wyglądał jak harmonijka i ciężko było poznać, co to za model i marka.

– Och! – szepnęła roztrzęsiona. Jej ciałem targnął szloch. Było jej głupio, że tak się rozkleiła w obecności obcych ludzi, ale mimo starań nie mogła nad sobą zapanować. – Przepraszam. Ja nie jestem beksą – powiedziała do policjantów i mając w nosie dobre maniery, głośno wysmarkała nos.

– To normalne. Stres pani puszcza – podsumował wąsaty sierżant.

– Myśli pan? – chlipnęła, ocierając łzy. Właściwie nie wiedziała, dlaczego płacze. Płakała bardzo rzadko. Zazwyczaj wtedy, kiedy czuła, że coś, na czym jej zależy, mimo jej wysiłków zaczyna ją przerastać. Nie znosiła uczucia bezsilności, ale teraz wcale nie czuła się bezsilna. Nie czuła nawet żalu, bólu. Po prostu płakała z wdzięczności, że żyje. Że oddycha własnymi płucami, że posiniaczona może rozmawiać z policjantami i może własnoręcznie wyszczotkować zęby.

Po wyjściu policjantów spróbowała się pozbierać. Długo trwało, zanim się uspokoiła. Wszystkie minione zdarzenia odebrały jej chęć, aby wykrzesać z siebie trochę energii i zadzwonić do Lucyny. Znając życie, przyjaciółka pewnie umierała z nerwów i czekając na telefon od Anki, chodziła z komórką do toalety. Wiedziała, że również i Grzegorza wypadałoby powiadomić o wypadku, ale ponieważ chwilowo przebywał na szkoleniu w Berlinie, pewnie jeszcze o niczym nie wiedział. W OTC International wieści rozchodziły się w tempie błyskawicy, niemniej zawsze szanowano czyjąś obecność na wszystkich spotkaniach, konferencjach i szkoleniach, więc istniała spora szansa, że jeszcze nic do niego nie dotarło. Do tego w firmie nikt nie wiedział o tym, że są razem, dlatego wieść o wypadku Anki mogła wcale do niego nie trafić.

Pomimo głodu nawet nie tknęła szpitalnego obiadu. Jak świat światem w całym swoim życiu nie widziała jeszcze tak nieapetycznych potraw. Gęsta szara zupa z kaszą, niby krupnik, wyglądała jak zaczerpnięta prosto z wiadra z pomyjami. Nawet pojedyncze strzępki marchewki pływające w zawiesinie nie były w stanie dodać jej kolorytu. Anka wzdrygnęła się na sam widok i szybko zakryła pokrywką metalowe naczynie. Drugie danie też nie było w stanie się obronić. Widok kotleta w odłażącej rozmoczonej panierce mógł przyprawić o mdłości i nie pomogło tu nawet towarzystwo zwiędłej zielonej sałaty. Półpłynne purée, które niewiele miało wspólnego z ziemniakami, również nie zachęcało do konsumpcji. Anka jeszcze nigdy nie widziała ziemniaków w płynie, więc postanowiła nie ryzykować własnego zdrowia. Jedynie wściekle zielona galaretka agrestowa wydawała się ratować ten nieszczęsny obiadowy zestaw. Anka wzięła jednorazową łyżeczkę i z apetytem zaatakowała deser.

– Co jest? – zdziwiona popatrzyła na plastikową łyżkę. Za nic nie mogła przebić się przez zwartą sprężystą substancję. Z niedowierzaniem dziabnęła jeszcze kilka razy, aż złamała lichą rączkę.

– Niech pani da spokój – powiedziała leżąca obok starsza kobieta.

– Ale coś bym zjadła – mruknęła Anka.

– Oj, kochana. Tu się nie najesz.

– Właśnie widzę, ale nie rozumiem. Ktoś komuś płaci za to z naszych składek, a kimże trzeba być, żeby zepsuć zwykłą zupę z kaszą, ziemniaka i galaretkę?

– No mają ludzie talent – roześmiała się tamta. – Czasem się zastanawiam, czy tam gotują krawcy czy kucharze, choć znam i krawców, u których można nieźle zjeść.

– To ja już się nie dziwię, dlaczego ludzie chudną w szpitalach. Porażka totalna.

– W podziemiach jest restauracja. Tam można po ludzku zjeść. Szkoda, że nie noszą tu na górę, na oddział. Tylko szczęśliwcy, co są na chodzie, mogą liczyć na godne wyżywienie, które sami sobie kupią.

Pogawędka z towarzyszką niedoli odrobinę ożywiła Ankę. Pod wieczór poczuła się nieco lepiej i wybrała numer do Grzegorza. Wieść o jej wypadku jeszcze do niego nie dotarła, więc siląc się na swobodny, niefrasobliwy ton, opowiedziała mu, co się stało. Mężczyzna zdenerwował się nie na żarty, ale Anka zapewniła go, że żyje, jest w jednym kawałku i czuje się coraz lepiej. Dobrze wiedziała, że odległość wpływa wprost proporcjonalnie na uczucie strachu i niepewności. Bycie daleko od centrum wydarzeń sprawiało, że Anka czuła dużo większy niepokój. Bezpośrednia bliskość dawała jej subiektywne poczucie panowania nad sytuacją. Cóż z tego, że to uczucie bywało tylko pozorne, skoro dzięki temu miała się lepiej. Doskonale wiedziała, co teraz czuje Grzegorz, i nie zamierzała dać mu nawet cienia podstaw, by pomyślał, że zmyśla jak najęta.

Właśnie zaczęło do niej docierać z całą jasnością, jak niewiele dzieliło ją od śmierci. Prawda o tym, jak bardzo ulotne jest ludzkie życie i jak zaskakująca czy przypadkowa potrafi być śmierć, uderzyła ją z całą mocą. Tymczasem cały czas zajmowała się rzeczami bez znaczenia, zaniedbując sprawy najważniejsze. Poświęcała się nieistotnym błahostkom, przy okazji przepuszczając życie pomiędzy palcami. Teraz wszystko stało się jasne. Ktoś gdzieś zdecydował o tym, że dostała nową szansę, by w kolejnym podejściu zmienić swoje życie na lepsze. Sama była zdziwiona, że rozwiązania są takie łatwe i tak oczywiste, że tylko emocjonalny ślepiec mógłby ich nie zauważyć. Teraz już wiedziała, że takim ślepcem nie chce już być. Wypadek i świadomość tego, co mogło się stać, sprawiły, że z oczu wreszcie spadły jej łuski.

– Jestem cała i odzyskałam wzrok – powiedziała następnego ranka do Lucyny.

– Jezu, nie wiedziałam, że oślepłaś przez ten wypadek!

– To tylko taka przenośnia. Do tej pory zamartwiałam się jakimiś pierdołami bez znaczenia. To, co ważne, gdzieś się rozlazło. Choćby to ukrywanie związku z Grzegorzem.

– Ale przepisy wewnętrzne...

– A gdzieś mam przepisy wewnętrzne! Jak się tej bandzie hipokrytów nie podoba ludzkie szczęście, to niech się idą bujać na drzewo. Sami w delegacji wyrywają dziwki na boku i szaleją, aż furczy, ale nie! W domu idealna żona z dzieciakami, no i oczywiście nie z tej firmy – Anka tak się nakręciła, że aż zaczęła się złościć. – Pierniczona dulszczyzna!

– No tak, może boją się zdrady służbowych tajemnic?

– Że co? Że niby w łóżku nie mamy co robić, tylko gadać o bilansie i planie sprzedaży? No bez jaj! A jeśli nawet, to co? Myślą barany, że bez bzykania ludzie niczego sobie nie mówią? Przecież ta firma to jakaś cholerna mafia i tu wszyscy wszystko wiedzą.

– Oj, widzę, że już nic ci nie jest, skoro możesz tak się pienić – ucieszyła się Lucyna. – Wiesz już, kiedy cię wypiszą? Ten rudy nie wiedział zbyt wiele.

– Ja też nie wiem. Za dzień, może dwa. Już dwa razy przebadali mnie na wylot. Na razie ledwie żyję i nie za bardzo mogę się pokazywać ludziom na oczy, więc dostanę chyba jakieś zwolnienie na kilka dni.

– No to zaczęłaś awans z przytupem.

W drzwiach stanął uśmiechnięty pełną gębą Arturek i delikatnie zastukał we framugę.

– Cześć, nie przeszkadzam?

– A skąd, już kończę. Wejdź – zakończyła rozmowę z Lucyną i uśmiechnęła się szeroko.

– Kurna, wyglądasz jeszcze gorzej niż wczoraj. – Arturek załamał ręce nad wyglądem koleżanki. – Przyniosłem ci ten jogurt i jeszcze banany.

– Banany? – zdziwiła się Anka, milczeniem pomijając wzmiankę na temat jej wyglądu.

– A co? Przecież chorym przynosi się cytrusy – zarechotał. – A! Jeszcze najważniejsze, byłbym zapomniał. – Tu sięgnął do portfela, wyciągnął zeń niewielki pakiecik i wręczył go Ance.

– Co to jest? – zdziwiła się Anka. W woreczku widać było maleńki kawałek czarnego plastiku.

– To karta pamięci z twojego telefonu. Upadł mi wczoraj i odskoczyła obudowa. Musiało wypaść.

Anka pierwszy raz widziała na własne oczy kartę pamięci. Nawet nie wiedziała, do czego to służy i że w ogóle ma coś takiego w telefonie.

– A co się z tym robi?

– Daj, włożę – powiedział Arturek i kilkoma ruchami sprawnie rozmontował smartfon. – A tak przy okazji, to co mam zrobić z fakturą za paliwo, którą wyjęli z wraku? Uwzględnisz ją w rozliczeniu swojej zaliczki czy jakoś osobno?

– Osobno. W mojej zaliczce mogę rozliczać tylko rachunki dotyczące mojego auta, a to przeklęte cholerstwo tankowałam jednorazowo, żeby tylko dojechać nim do Warszawy.

– To co mam z tym zrobić? Do księgowej?

– Może być i do finansowego. Obojętnie – wzruszyła ramionami. Celowo wspomniała Grzegorza, że niby nic nie wie o jego nieobecności.

– W porządku. – Artur kiwnął głową. – Jak tylko wróci od tej swojej niemieckiej kochanicy, to mu dostarczę w twoim imieniu.

Anka naraz poczuła, jakby dostała w głowę czymś ciężkim. W uszach jej zaszumiało i chyba pobladła, ale i tak przez całą gamę kolorów na posiniaczonej twarzy nie można byłoby tego dostrzec.

– O czym ty mówisz? – wykrztusiła z trudem. Miała nadzieję, że się przesłyszała.

– No, o naszym Grzesiu sympatycznym. Odkąd rozstali się z Martą, często odwiedza tę dupencję w Berlinie. Laska ma dziecko. Jakoś tak w wieku przedszkolnym. Może nawet ich wspólne, bo on często kupuje chłopakowi zabawki. Nie wiedziałaś?

– Nie. A ty skąd o tym wiesz? – zapytała, ale nie miała pewności, czy chce usłyszeć odpowiedź.

– Nie no, ja jestem dyskretny człowiek. Mówię ci dlatego, że ci ufam, więc niech to zostanie między nami, dobra?

– Dobra – mruknęła Anka z rezygnacją i ciężko opadła na poduszkę.

– Kiedyś Grzegorz złapał jakiegoś wirusa w komputerze i zresetowało mu hasło na firmowej poczcie. Ja mam nieograniczone uprawnienia, jeśli chodzi o dostęp do wszystkiego, co przechodzi przez nasz serwer, więc zacząłem w tym grzebać. A jak już wlazłem w tę jego pocztę, to wiesz, jak to jest, oko mi uciekło i poczytałem sobie to owo.

– Ej, nieładnie!

– Wiem, ale też firmowe konto jest do spraw firmowych, a nie prywatnych. Jak sobie chce gruchać z kobietą, to niech sobie założy konto na Interii albo gdzie tam sobie chce.

Trudno było odmówić Arturowi racji. Komputer firmy, serwer firmy, poczta i domena należące do firmy i czas pracownika również, takoż i jego służbowa korespondencja.

– Jesteś pewien, że to jego kochanka? – Anka starała się przybrać nonszalancko obojętny ton.

– No pewnie. Normalnie tak bije żarem z tych wiadomości, mało światłowodów w serwerowni nie popali. No i niby do kogo się pisze per kochanie, kocham cię, tęsknię za wami i takie tam?

– Rozumiem, że masz na to dowód? – Anka nie wiedziała, jak w obecnej sytuacji sprytnie podejść Arturka, by pokazał jej cokolwiek na potwierdzenie swoich słów.

– A jakże! Jak chcesz, to zaraz ci pokażę.

– Jasne, że chcę – puściła do niego oko, a uczynny rudzielec ochoczo sięgnął do teczki po płaściutkiego netbooka. Chwilę poklikał. Oczom ogłuszonej Anki ukazała się felerna korespondencja. Tekst nie zostawiał wiele miejsca na domysły. Jasno z niego wynikało, że Grzegorz celowo obiera tamten kierunek. W końcu zależało mu, żeby bywać tam jak najczęściej.

– Nieźle – mruknęła. – Ale wiesz, że nie powinieneś czytać takich rzeczy?

Nigdy wcześniej się nad tym nie zastanawiała, ale w tej chwili uderzyła ją świadomość, że dział informatyczny ma wgląd dosłownie we wszystko, co przechodzi przez firmowy serwer. Po odejściu Artura musiała porządnie pozbierać myśli. Jak na jej chwilowo rozchwiany emocjonalnie stan było tego stanowczo za dużo. Skoro informatycy mogli swobodnie przeglądać zawartość całej elektronicznej korespondencji, choćby tak dla sportu, oznaczało to, że mogli czytać i jej. Na ile dała radę, skupiła się i wytężyła pamięć w poszukiwaniu sytuacji, w której pisałaby coś intymnego do Grzegorza, ale niczego takiego nie mogła sobie przypomnieć. Mieli zwyczaj rozmawiać, ewentualnie wysyłali do siebie SMS-y.

– Uff, przynajmniej tyle – Anka odetchnęła i skupiła się na temacie podwójnego życia kochanka. Tego było już za wiele. Chciała od razu chwycić za telefon i nakrzyczeć na Grzegorza, ale po namyśle zrezygnowała. Nie mogła powołać się na dowody, które dostarczył jej Arturek, bez wkopania go. A przecież dała słowo.

Do wieczora kombinowała, jak odprawić Grzegorza. Musiała wymyślić coś innego, co byłoby w miarę wiarygodne. Była tak wściekła na siebie, że znowu dała się zranić, iż z tego wszystkiego zapomniała, że cokolwiek ją boli. Grzegorz i tak miał masę szczęścia, że w tej chwili nie nawinął jej się pod rękę, bo na pewno by go zabiła.

Rozdział 14

Po wyjściu od Anki Artur jeszcze długo siedział w samochodzie, zanim ruszył z przyszpitalnego parkingu. Cały czas bił się z myślami, czy postąpił słusznie. Już od pewnego czasu podejrzewał, że coś łączy tych dwoje. Dwukrotnie widział ich jadących razem samochodem, by jakiś czas później natknąć się na nich w restauracji. Byli tak pochłonięci rozmową i patrzeniem sobie w oczy, że nawet go nie zauważyli. Artur nie widywał Anki zbyt często, większość czasu spędzała bowiem w terenie, a on nie zamierzał specjalnie wpuszczać wirusa do systemu, żeby tylko dobrać się do jej komputera. Bardzo chciał potwierdzić swoje podejrzenia, więc dyskretnie zasięgnął języka tu i tam, ale niczego się nie dowiedział. Nawet Milena, największa plotkara w firmie, o niczym nie miała pojęcia, a zważywszy na to, że od samego początku nie znosiła Anki, gdyby tylko cokolwiek na nią miała, z pewnością wykorzystałaby to do swoich potrzeb. Artur nie chciał podpytywać zbyt dociekliwie, bo Milena była sprytna i w mig mogła się połapać, o co biega. A wtedy to już by nawet i święci pańscy Ance nie pomogli. Postanowił działać sam. Wieczorami sukcesywnie przeczesał mailową korespondencję kilku osób, ale nie znalazł w niej niczego, co mogło mu się przydać. Zrezygnowany i zniechęcony niepowodzeniem już miał odłożyć swój pomysł ad acta, ale zdarzyło się coś, co potraktował jako dobry omen. Pewnego dnia w drzwiach prowadzących do działu IT zameldował się dyrektor finansowy we własnej osobie i zostawił Arturowi swój laptop do przeglądnięcia. Przypadkowo wraz z innymi programami poinstalował sobie jakieś trefne wtyczki i zamulacze, które praktycznie sparaliżowały system.

– Zrób coś z tym – powiedział Grzegorz. – Muli jak jasny gwint, otwiera się tak powoli, że można się zestarzeć.

– Pewnie nałapałeś jakiegoś syfu z sieci. A było oglądać stronki z dziewczynami? – Artur musiał zażartować, żeby śmiechem przykryć własne zadowolenie.

– Ile czasu potrzebujesz na posprzątanie tego gówna?

– Zobaczę, co to jest, i myślę, że na jutro będzie gotowe. Jak coś się zmieni, zadzwonię. W razie czego dam ci zastępczy sprzęt.

– W porządku, dzięki, stary.

Artur skrupulatnie przekopał się przez zawartość dyrektorskiego laptopa, by w końcu znaleźć coś, co natchnęło go do zmiany planów. Serwer! Artur doznał olśnienia i przesiadł się na inne stanowisko; nareszcie znalazł coś, co mogło mu się przydać. Przygotował sobie nie wiadomo którą już kawę i zabrał się do pracy. Przy niewielkim wysiłku udało mu się zmodyfikować kilka dokumentów. Wykonał ich kopię metodą screena i wszystko schował w zaszyfrowanym folderze. Był prawie pewien, że to, co ma, przyda mu się w niedalekiej przyszłości. Wtedy nawet nie przypuszczał, że w nadchodzących dniach szczęście jeszcze bardziej zacznie mu sprzyjać.

Właśnie wtedy ktoś przypadkowo wykonał telefon do niego, by poinformować go o wypadku Anny. Bardzo się zdenerwował i od razu, nic nikomu nie mówiąc, wybiegł z biura. Później już wszystko potoczyło się błyskawicznie. Szpital, obawa o stan zdrowia koleżanki, jej rozładowany telefon i prośba o pomoc. Sam lepiej by tego nie wymyślił.

Zanim ruszył z parkingu, gęsto sypiący śnieg pokrył jego samochód kilkucentymetrową powłoką. Wyjął z bagażnika zmiotkę z długą rączką i starannie omiótł auto. Jeszcze raz rzucił okiem w stronę rozświetlonego okna na piętrze. Trochę żałował, że dołożył Ance zmartwień właśnie teraz, gdy już i tak miała ich aż nadto, ale stało się. Nie było nad czym się zastanawiać.

– A już mi się wydawało, że poukładałam sobie priorytety – powiedziała Anka dzień później Lucynie, która wreszcie znalazła czas, by ją odwiedzić. – A tu kicha. Wszystko wzięło w łeb! – chlipnęła cicho. – Już chciałam go przekonać, żebyśmy w końcu się ujawnili i zaczęli żyć jak ludzie, a teraz dziękuję Bogu, że nikt nic nie wie. Kuźwa, za jakie grzechy?

– A jak w tej sytuacji wyobrażasz sobie powrót do pracy? Dasz radę pracować z nim dalej w jednej firmie? – zapytała przytomnie Lucyna.

– Nie wiem, najwyżej się zwolnię. Ech, gdzie się obrócę, dupa zawsze z tyłu.

– Zwariowałaś? – Lucyna zrobiła oczy jak pięciozłotówki.

– Nie, bo i tak mam przerąbane jak w ruskim czołgu bez lufy. Awansowałam wbrew intencjom pewnych ludzi. Pozostali pretendenci do mojego stanowiska zostali moimi podwładnymi i na pewno bardzo się z tego cieszą. Na dodatek w przeciwieństwie do mnie znają tę chorą strukturę od lat i są w stanie załatwić mnie na cacy. Tylko czekać, kiedy ta banda spiskowców podrzuci mi świnię!

– Podołasz. – Lucyna była dobrej myśli. – Urodziłaś się do rządzenia i wreszcie niech do tej twojej pustej głowy dotrze, że jesteś naprawdę dobra w tym, co robisz. Cały czas uważasz, że na coś nie zasługujesz. A to bzdura, jakiej w życiu nie słyszałam!

– A związki? – Anna szepnęła z rezygnacją. Jej mina zdradzała zbliżający się wybuch płaczu.

– O nie! Tylko mi się nie rozklejaj!

– Dobrze. – Anka potulnie zwiesiła głowę. W aktualnym nieszczęsnym wcieleniu swym autorytetem mogła zakłopotać co najwyżej jakieś tępawe gospodarskie zwierzę.

– Na związkach świat się nie kończy. I nie wszyscy faceci to dranie – odparła Lucyna z przekonaniem.

– To tylko widocznie my mamy pecha.

– Głowa do góry. – Lucyna serdecznie uścisnęła przyjaciółkę. – Jutro przyjadę po ciebie. Jak tylko dostaniesz wypis, od razu daj mi znać. Chcesz jechać do siebie czy do mnie? Sushi znów rezyduje u Rafała, więc może ze dwa dni zostaniesz u mnie, a później na weekend odstawię cię do domu razem z kotem?

– Pasuje. Tylko przywieź mi jakieś ciuchy, bo wszystkie, które miałam na sobie w chwili wypadku, poszły do śmietnika.

Po wyjściu Lucyny Anka kompletnie oklapła i fizycznie, i psychicznie. Emocje opadły, a wraz z tym opuściła ją cała energia. Skubnęła co nieco z niejadalnego szpitalnego obiadu. Znowu zapomniała poprosić Lucynę, żeby pożyczyła jej jakieś pieniądze. Sama miała w portfelu jedynie karty płatnicze i trochę drobnych, a szpitalna kantyna nie honorowała płatności kartą. Tego dnia zupa była nawet jadalna, ale drugie danie wyglądało złowrogo. Sflaczałe placki ziemniaczane z proszku w niczym nie przypominały prawdziwych placków. To sztuczne coś po prostu nie nadawało się do jedzenia. Anka postanowiła nie ryzykować, jedynie deser w postaci kremowego budyniu wzbudził jej zaufanie. Z apetytem spałaszowała skromną zawartość plastikowej miseczki i za zgodą pacjentki z sąsiedniego łóżka załapała się również i na jej porcję. Po obiedzie z nudów posprzątała sobie w portfelu. Wreszcie miała czas, żeby przejrzeć i wyrzucić stare paragony tudzież inne kwitki niewiadomego pochodzenia. Przy okazji opróżniła też wnętrze torebki. Na dnie znalazła kilka drobniaków, co w połączeniu z zawartością portfela dało jej kwotę, która powinna wystarczyć na obiad w szpitalnym barze. Była uratowana. Właśnie przed chwilą zatelefonował Grzegorz i zapowiedział się z wizytą. Na sam dźwięk jego głosu żołądek z nerwów podskoczył jej do gardła. Pierwotnie myślała, że spotka się z nim już po wyjściu ze szpitala, ale Grzegorz postawił na swoim i uznał, że przyjedzie tak czy siak. Anka nie miała wyjścia, więc uznała, że przed rozmową powinna porządnie się posilić. Zeszła na dół i zamówiła pierogi ruskie. Pochłonęła je błyskawicznie. Nareszcie najedzona jak Pan Bóg przykazał, wróciła do siebie i spróbowała jakoś zrobić porządek ze swoją twarzą. W pierwszym porywie chwyciła za kosmetyczkę, ale po gruntownej obdukcji zrezygnowała. Pudrowanie fioletowo-zielonych siniaków i zaschniętych strupów mijało się z celem. Uznała, że wystarczy tusz, ale nawet i to nic nie pomogło. Zdołała wytuszować rzęsy tylko w jednym oku, kiedy wparował Grzegorz. Wyglądał na zdenerwowanego i ustawiwszy na stoliku gigantyczny kosz różowych gerber, podbiegł do Anki i porwał ją w objęcia.

– Boże święty! Tak się martwiłem! Kochanie!

– Jak widać, zupełnie niepotrzebnie – rzuciła Anka sztywno i odsunęła się od niego.

– Co się stało? Nie cieszysz się? – zaniepokoił się i bezradnie powiódł wzrokiem za pacjentką wychodzącą z sali chorych. Domyślna kobieta już wcześniej słyszała co nieco i teraz postanowiła dyplomatycznie się oddalić.

– Nie za bardzo.

– Czyli?

– O mało nie zginęłam, a jak wiesz, takie sytuacje rozjaśniają ludziom w głowach i zmuszają do refleksji. Ostatnio żyłam w jakimś wściekłym rozszalałym wirze i wcale nie dostrzegałam tego, jak mnie to niszczy. Wiele przemyślałam. Wybacz Grzesiek.

– Kochanie? Czy ty chcesz mi coś powiedzieć?

– Owszem. Chcę, żebyś odszedł.

– Jak to? – Grzegorz zerwał się na równe nogi.

– Normalnie. Ostatnio żyliśmy w totalnym zakłamaniu, w tajemnicy trzymając nasze relacje. Dużo o tym myślałam i dalej tak nie chcę. W dodatku bez przerwy cię nie ma, ciągle gdzieś się bujasz po świecie. To robota dobra dla singla, a nie dla faceta po przejściach, który myśli o poważnym związku.

– Ale Ania… – Grzegorz zrobił pauzę i złapał ją za rękę. – Mogę zwolnić się z pracy. Mam inne propozycje. Powiedz tylko słowo.

– Nie. Nie chcę życia w kłamstwie. Jak tylko ujawnimy się z naszym związkiem, niezależnie, czy zostaniesz w OTC, czy nie, cała firma pieprznie w szwach od takiej sensacji – skłamała gładko.

– Stawiasz mnie przeciwko firmie? – Grzegorz nie dowierzał.

– Owszem. Nie mam wyjścia – odrzekła twardo.

– I kto wygrywa?

– Firma – powiedziała z mocą i wiele ją kosztowało, żeby nie posunąć się dalej. Tak bardzo chciała przywalić mu mocniej, ale przecież nie mogła. Obiecała.

– Nie wiem, co w ciebie wstąpiło. Chyba od tego wypadku poprzestawiały ci się w głowie wszystkie klepki.

– Zgadłeś. Nareszcie wylądowały na swoim miejscu i ustawiły się w odpowiedniej kolejności. Idź już.

– Jak sobie życzysz, a ja życzę ci zdrowia.

Grzegorz nawet nie próbował dyskutować, tylko odwrócił się na pięcie i kręcąc głową z niedowierzaniem, wyszedł bez słowa. Anka pogratulowała sobie zimnej krwi. Na odchodne chciała mu jeszcze powiedzieć, żeby wsadził sobie swój bukiet w dupę, ale w ostatniej chwili ugryzła się w język. Na zewnątrz udawała kamienny spokój, a wewnątrz szalało tornado. Miała już dość udawania. Ta rozmowa kosztowała ją wiele. Tak wiele, że przypłaciła ją fontanną łez. Znów dała upust nagromadzonym emocjom. Nie pamiętała, żeby kiedykolwiek w życiu płakała tak często jak ostatnio. Sąsiadka z łóżka obok właśnie wróciła do siebie i bacznie przyjrzała się Ance.

– Czy wszystko w porządku? – zapytała. – Nie trzeba coś pomóc?

– Nie, nie, dziękuję. Może obejrzymy sobie jakiś film przed snem?

– Oczywiście – tamta zgodziła się chętnie i wertując program telewizyjny, przeskoczyła pilotem po kanałach.

– Może być *Kariera Nikodema Dyzmy*?

– Jak najbardziej, to mój ulubiony serial.

Przez godzinę oglądała, właściwie nie widząc nic. Przed oczami jedynie przesuwały się obrazy bez ładu i składu, i tylko czasem docierały do niej znajome kwestie z dialogów Dyzmy z Kunickim. Życie w ostatnich dniach dostarczyło jej tak skrajnych emocji i zmusiło do tak dogłębnych refleksji, że z ich nadmiaru chwilowo popadła w intelektualną katatonię. Miała wszystkiego dość. Pierwszy raz w życiu nie miała już siły myśleć o niczym. Jakby tak się dało, wysłałaby swój mózg do sanatorium i chętnie wzięłaby na ten czas jakiś zastępczy. Całkiem czysty i pusty, bez wspomnień. Ech, pomyślała i zapadła w niespokojną drzemkę.

– Nie bądź taką optymistką, w szpitalach na wypisy czasem czeka się do popołudnia – Arturek zadzwonił z rana zapytać o samopoczucie i zaproponować, że chętnie ją odbierze. Trochę gryzło go sumienie, że wybrał nieodpowiedni moment na przekazanie jej swoich domysłów, tymczasem z tonu jej głosu nie mógł wywnioskować niczego. Czyżby się pomylił i wystrzelił jak kulą w płot, przy okazji wychodząc na wścibskiego i w dodatku łamiącego wewnętrzne procedury? Właściwie opierał swoją teorię na domysłach i kilku SMS-ach znalezionych w pamięci jej telefonu, mogących świadczyć o czymś więcej niż zwykła znajomość. Ale pewności nie miał. Natomiast jedno wiedział na pewno. Że Anka go nie chce.

– Spokojnie, dam radę. Dzięki. I tak muszę zaczekać na Lucynę. Przywiezie mi jakieś ciuchy i zostanę u niej przez kilka dni.

Anka już czuła się dobrze. Poza szyją usztywnioną specjalnym kołnierzem nic jej nie dolegało. Wszystkie obrażenia na twarzy wyraźnie się zmniejszyły, ale nadal mogła jeszcze zapomnieć o ewentualnym zamaskowaniu ich pudrem. Efekt takiego zabiegu mógł okazać się jeszcze gorszy.

– Wiesz już, na jak długo będziesz mieć L4?

– Jeszcze nie, ale patrząc na to, jak wyglądam, pewnie jeszcze z tydzień. Nie mam też pojęcia, co z dalszą rehabilitacją. Rozmawiałam już z dyrektorem, Marta zgodziła się zostać na swoim dotychczasowym stanowisku, dopóki nie wrócę.

– Spoko babka. Wiesz, że była kiedyś żoną Grzegorza?

– Wiem – krótko ucięła temat. – Muszę kończyć. Lekarz przyszedł. Pa!

W tym dniu na wypisanie do domu nie czekało zbyt wielu pacjentów, a młody lekarz był jeszcze na tyle przejęty swoją nową pracą, że uporał się z formalnościami grubo przed południem. Wręczył pacjentce plik dokumentów, uścisnął jej dłoń i życzył szybkiego powrotu do zdrowia.

Od chwili wypadku Anka zaczęła jakby nieco inaczej postrzegać otaczającą ją rzeczywistość. Wszystko wokół stało się jakieś takie inne, jakby bardziej wyraźne. Ze zdziwieniem stwierdziła, że nawet rozmoczony odwilżą brudny śnieg nasuwał dobre skojarzenia. Każda najprostsza czynność sprawiała jej radość.

– Wiesz, nigdy nie skrobałam marchewki z takim zamiłowaniem jak dziś. Z chęcią pójdę piechotą na bazarek po ziemniaki. Nawet w deszczu.

– Dlaczego? – zainteresowała się Lucyna znad książki przychodów i rozchodów.

– Bo w nowym życiu wszystko mnie cieszy. – Odłożyła obieraczkę na blat i rozmasowała sobie kark. – Gdyby nie Grzegorz, wszystko byłoby takie piękne.

– Cóż, nie można mieć wszystkiego – mruknęła filozoficznie Lucyna i poszła nakarmić swój nowy nabytek. Mały żółwik Józio wprawił Franka w ekstazę i chłopiec od kilku godzin prawie nie odstępował fachowo urządzonego terrarium. Józio miał szczęście, że jego pani zabroniła go stamtąd wyjmować, bo znając życie, Franek niechybnie zamęczyłby go swoją miłością i zachwytem.

– Na razie poza tym, że zmartwychwstałam, to nie mam nic.

– Nie chrzań głupot! Jeszcze metr dalej i mogło cię nie być lub zostałabyś kaleką na resztę życia. Masz wszystko, co potrzeba, by ruszyć z kopyta. A że kolejny facet nabił cię w butelkę, to już nie twoja wina. Chcesz colę?

Lucyna zanurkowała w lodówce i nie czekając na odpowiedź, poturlała po blacie w stronę Anki aluminiową puszkę.

– Trzymaj!

Anka złapała w ostatniej chwili.

– Zwariowałaś? – roześmiała się. – I jak ja to teraz otworzę? Takie potelepane? Co?

– Bardzo prosto. – Lucyna wzruszyła ramionami. – Rób tak przez minutę. – Postawiła przed sobą zamkniętą puszkę i postukała ją paznokciami z góry na dół. – I otwórz.

Anka z obawą podważyła zawleczkę. Syknięcie nie było nawet głośniejsze niż zwykle.

– A co to za czary?

– Heh, ja mam wiele talentów. I właśnie przyszedł mi do głowy niezły pomysł.

– Aż boję się zapytać.

– Zamierzam urzeczywistnić twój genialny pomysł, który nam nie wyszedł. Co powiesz na odnowę biologiczną i medycynę estetyczną? Krótko mówiąc, cały weekend w spa? Franka damy do babci, w gabinecie zastąpi mnie koleżanka, a twojego kota chwilowo mamy z głowy.

– Zwariowałaś do reszty?! Mam jechać z moją twarzą? – oburzyła się Anka.

– Jak chcesz, możesz zostawić ją w domu – padła odpowiedź. – A co ty sobie myślisz, że po tych wszystkich czarodziejskich zabiegach wygląda się lepiej? Zobacz sobie w necie, jak się wygląda po mezoterapii igłowej albo po dermabrazji. To jest dopiero masakra.

– Czy ja wiem – Anka nie była przekonana, ale Lucyna dobrze przygotowała się do tematu i wytoczyła argumenty nie do odparcia.

– Moja droga. Po pierwsze, na cito potrzebujesz masaży, a tam muszą być w pakiecie, i coś mi się zdaje, że na te swoje z NFZ-etu to sobie trochę poczekasz. Po drugie, nie ma nic lepszego po rozstaniu z facetem niż takie coś, to pewne. Po trzecie, w naszym wieku należy zacząć już w siebie inwestować, bo później będzie za późno, a my jeszcze nie wypadłyśmy z obiegu, prawda? Po czwarte, kiedy ty znowu będziesz mieć wolne? Po piąte...

– Dobra! Przestań już! Poddaję się. – Anka parsknęła śmiechem. – To gdzie jedziemy?

W ośrodku, który Anka znalazła już wcześniej, był komplet gości, więc wybór miejsca pozostawiły przypadkowi. Warunkiem była niewielka odległość od Krakowa, pełny pakiet usług i dostępność terminów. Same dobrze nie wiedziały, czego dokładnie oczekują, więc fachowy personel i dobre opinie o wybranym miejscu również wzięły pod uwagę. Po godzinie szperania w internetowych czeluściach i kilku telefonach jednogłośnie dokonały wyboru. Padło na ekskluzywne centrum odnowy biologicznej nieopodal Mszany Dolnej. Zarówno lokalizacja, jak i pakiet usług bardzo im odpowiadały. Dobre wrażenie wywarł również profesjonalizm kobiety, która zanim przeszła do dokonania rezerwacji, fachowo wypytała o preferencje. Niespodziewanie powiało optymizmem.

Anka jakby nabrała wiatru w żagle, a Lucyna dostała przyspieszenia. Wszystko dosłownie paliło jej się w rękach. Anka w zamian za gościnę zobowiązała się pomóc przyjaciółce w papierkowej robocie i na pierwszy ogień zabrała się za domowe rachunki. Od zawsze Karol zajmował się domową biurokracją do tego stopnia, że Lucyna nawet nie wiedziała, ile się płaci za prąd i gaz. W domowych rachunkach panował totalny chaos. Anka nie mogła siedzieć zbyt długo w bezruchu, więc co chwila wstawała i robiła sobie przerwę. Uporządkowanie wszystkiego zajęło jej cały dzień. Najwyraźniej był to ostatni dzwonek, kilka instytucji bowiem już zaczęło upominać się o swoje, wysyłając wezwania do zapłaty.

– Lucyna, dlaczego ty im nie płacisz? – zainteresowała się Anka. Do tej pory była przekonana, że wszystko gra. – Masz jakieś finansowe kłopoty?

– Ja? Nie. A skąd! Tylko nie ogarniam tego wszystkiego.

– Na serio nie masz jakichś zobowiązań, na które cię nie stać? Może mogłabym ci pomóc?

– Nie. W sumie nie. Z fanaberii mam tylko leasing na USG do gabinetu, więc spłacam raty, to wszystko.

– A jesteś pewna, że je spłacasz?

– Coś tam spłacam, ale nie pytaj mnie o takie rzeczy.

Anna w obawie, że w firmowej dokumentacji może być jeszcze gorzej niż w domowej, następnego dnia zainstalowała się w pokoiku na tyłach gabinetu weterynaryjnego. Uznała, że w razie czego założy sobie na twarz chirurgiczną maseczkę, co przyda jej profesjonalnego wyglądu, bo na razie mogła udawać jedynie pobitą księgową z jakiejś podrzędnej mafii.

Skrupulatność w prowadzeniu dokumentacji nie była najmocniejszą stroną Lucyny, niemniej w firmie sytuacja przedstawiała się o niebo lepiej niż w domu. Anka uporządkowała aktualne sprawy i przygotowała przelewy. Nazajutrz planowała cofnąć się o kilka miesięcy i dla świętego spokoju sprawdzić, czy wszystko jest w porządku. Nie była wykwalifikowaną księgową, ale nieźle sobie radziła z podstawową rachunkowością.

– Ankaaa!!! – Lucyna wrzasnęła, jakby się paliło.
– Chooodź!

Anna poderwała się z miejsca. Przed chwilą w gabinecie rozgrywały się dantejskie sceny przy obcinaniu pazurów miniaturowemu sznaucerowi. Zwierzak wydzierał się, jakby go ktoś obdzierał ze skóry, a nie obcinał pazurki, a najgorsze było to, że przerażona właścicielka prawie wpadła w histerię i Anka musiała pospieszyć z pomocą. Roztrzęsiona kobieta z trudem dała wyprowadzić się do poczekalni, by Lucyna, z pomocą jej męża, mogła spokojnie dokończyć psi manicure.

– Co znowu? – Anka założyła maseczkę i wypruła z biura. W poczekalni i gabinecie nie było nikogo. Za to przy stole operacyjnym stała Lucyna i grzebała sobie w spodniach.

– Chodź szybko! Patrz!
– Matko, co ci jest? – Anka zrobiła niepewną minę.
– Nic. Patrz! Widzisz to okrągłe? – podekscytowana wskazała na monitor ultrasonografu.
– No widzę.
– To jajeczko. Właśnie mam owulację. Ale dżezy! – Lucyna cieszyła się jak dziecko.

200

– No i na co ci ona?

– Na nic, ale pierwszy raz w życiu widzę własną owulację, czyż to nie świetne?

– Jak badałaś mi nerki, to myślałam, że to sprzęt dla zwierząt.

– A co za różnica? Poza ceną oczywiście. Już to „ludzkie" kosztuje tyle, co dobra fura, a weterynaryjne dwa razy więcej, a i tak widać na nim to samo. Jak chcesz, tobie też sprawdzę owulację.

– Nie ma potrzeby, chyba że masz jakieś niecne plany w związku z naszym wyjazdem, a ja o czymś nie wiem? – Anka uśmiechnęła się krzywo.

– Nie mam, ale się uczę i każdy żywy organ do zbadania jest dobry. To co?

– No dobra – zgodziła się Anka i ze śmiechem położyła się na stole.

– Nie rechocz, głupia, bo mi się obraz trzęsie – napomniała Lucyna i zabrała się do badania.

Rozdział 15

Nazajutrz Anka również wylądowała w gabinecie i zaszyła się w biurze. Jej twarz wyglądała już na tyle dobrze, że zrezygnowała z maseczki chirurgicznej i skorzystała z pudru. Zadowolona uznała, że nareszcie znów wygląda po ludzku, i rzuciła się w wir pracy. Przynajmniej w taki sposób mogła odwdzięczyć się Lucynie, a dodając do tego późniejszą zgodę na eksperymenty badawcze na swoim ciele, stwierdziła wieczorem, że są kwita.

– Słuchaj, a mogę zbadać ci krew? – zagaiła Lucyna jeszcze w samochodzie.

– Co, kurde?!

– Wiesz, że ja lubię się uczyć, a po ostatnim szkoleniu zaczęłam pasjonować się analizą krwi pod mikroskopem. Mogę cię zbadać za darmo – kusiła.

– Kobito, w szpitalu zbadali mi każdą krwinkę z osobna i tak mnie skłuli, że na sam widok igły mam dosyć. No dobra – Anka westchnęła po chwili z rezygnacją. – Ile tej krwi?

– Dwie kropelki – zaszczebiotała zachwycona Lucyna i od razu po przyjściu do kliniki przystąpiła do rzeczy w obawie, że Anka się rozmyśli.

– Nie włożysz nawet kitla?

– A na co mi kitel? Zaraz, nie ruszaj się. Już! – Ukłuła Ankę w palec i utoczyła odrobinę krwi na specjalne szkiełko.

– Ałaaa! To ostatni raz. Obiecałam sprawdzić ci tę całą finansową biurokrację i nie godziłam się na eksperymenty na moim żywym organizmie!

– Ale...

– Koniec, kochana! Wszystko ma swoje granice, za chwilę jeszcze mi każesz szczekać i sikać do słoika. Mowy nie ma!

– Okej, jeśli chcesz, to w zamian mogę ci usunąć kamień nazębny. Zupełnie gratis. – Głową wskazała na specjalne urządzenie.

– Zwariowałaś! Ja od zawsze wiedziałam, że ty jesteś nienormalna, ale nie przypuszczałam, że aż tak.

– Dobra, dobra. Przestań ględzić i patrz! – mruknęła Lucyna znad mikroskopu. – Ojoj, gdybyś była psem, tobym powiedziała, że masz anemię i musisz jeść dużo żelaza, ale...

– A dajże mi już spokój! Nie mam żadnej anemii!

– No bo nie jesteś psem – Lucyna zaniosła się śmiechem.

– Za to boli mnie szyja, więc coś z tym zrób, jak takaś mądra! – parsknęła Anka ze śmiechem.

– Przecież robię. Zabieram cię do masażysty.

Im bliżej było wyjazdu, humory dopisywały dziewczynom coraz bardziej, a gdy nadeszła pora pakowania, dostały już kompletnej głupawki. Uznawszy, że cały czas spędzą zamotane w ręczniki lub odziane w specjalne szlafroki, zabrały ze sobą minimum ubrań. Ankę w ostatniej chwili olśniło, że wypadałoby spakować kostiumy kąpielowe i gumowe klapki. Spakowały wyłącznie wygodne sportowe ciuchy i mniej więcej o umówionej godzinie ruszyły spod domu Lucyny. Pomachały Frankowi i jego babci na pożegnanie. Anka odniosła dziwne nieokreślone wrażenie, że z tą chwilą zamknęła jakiś etap. Nie miała pojęcia, cóż takiego się stało, ale wydawało jej się, że usłyszała zatrzaskujące się gdzieś za nią drzwi.

– Wiesz, dziwnie się czuję. To tylko wyjazd na dłuższy weekend, a jakbym otwierała nowy rozdział.

– Mam podobne uczucie. Może to dlatego, że od kiedy jesteśmy dorosłe, jeszcze razem nie wyjeżdżałyśmy? Każda z nas była zawsze przypięta jak rzep do swojego faceta, tak jakby to oni byli w tym życiu najważniejsi. Ech, co za bzdura. Niedawno do mnie dotarło, że przez całe moje małżeństwo z Karolem to on był najważniejszy. Zawsze najważniejsze były jego oczekiwania, jego praca też była ważniejsza od mojej. To, co on chciał, zawsze miało największy priorytet. To, co dotyczyło mnie, zwykle schodziło na dalszy plan, a jak już urodził się Franek, stałam się jednym wielkim wykonawcą moich licznych obowiązków. Normalnie jakiś cholerny chodzący koncert cudzych życzeń.

– Niedawno gdzieś czytałam, że dla dużej rzeszy kobiet rozwód to najlepsze, co je w życiu spotkało.

– A żebyś wiedziała. Jak już przebrnęłam przez etap czarnej rozpaczy i zobaczyłam światło na końcu tunelu, poczułam, że dam radę. Mam dziecko, o które muszę się zatroszczyć, mam firmę, której nie mogę zaniedbać, no i mam siebie i wielki deficyt w dotychczasowej trosce o siebie. Ktoś musi ciągnąć ten wózek i jestem to ja. Żebym mogła to uciągnąć, muszę być silna, a jak świat światem nawet najsilniejszy wół potrzebuje nagrody po ciężkim dniu orki. Inaczej się zaprze i dalej nie pójdzie.

– Czyli marchewka rządzi – Anka podsumowała celnie. Niedawno odbyte szkolenia z zakresu zarządzania personelem sprowadzały się właśnie do metody kija i marchewki, i choćby nie wiadomo jak ubrać to w słowa i jak elokwentny prelegent by się nie wymądrzał przy prezentacji, to i tak zawsze chodziło o to samo. Kara i nagroda. Jeszcze się taki nie urodził, który wymyśliłby coś mądrzejszego.

Większość trasy zleciała im jak z bicza strzelił. Lucyna, korzystając z okazji, zrobiła sobie emocjonalną wiwisekcję i pochłonięta rozmową pomyliła drogę. Na domiar złego zaczął sypać śnieg. Delikatna zadymka po chwili przerodziła się w potężną śnieżną zawieruchę. Sypało tak intensywnie, że wycieraczki ledwie nadążały z odgarnianiem śniegu. Na drodze zrobiło się ślisko. Lucyna zaklęła pod nosem.

– Wiesz, gdzie jesteśmy? – zapytała Anna i chwyciła się fotela. Po ostatnich przeżyciach jeszcze niezbyt pewnie czuła się w samochodzie.

– Wiem. W czarnej dupie – wycedziła Lucyna przez zęby i zmełła w ustach przekleństwo. – Masz nawigację w telefonie?

– Mam, tylko nie umiem jej włączyć – Anka przyznała zgodnie z prawdą. W sprawie korzystania z dziesiątek telefonicznych aplikacji była kompletnym laikiem. Nie bez trudu nauczyła się obsługiwać aparat telefoniczny i dyktafon, a o nawigacji wiedziała tylko tyle, że jest.

Zrobiło się jeszcze ciemniej i zanim dotarły do najbliższej miejscowości, Lucyna wyrzuciła z siebie robaczywy pacierz pod adresem zimy, klimatu i stanu polskich dróg. Wybawienie czekało tuż za zakrętem. Niewielka stacja benzynowa majaczyła w śnieżycy niczym bezpieczna ostoja dla utrudzonego wędrowca. Korzystając z okazji, uzupełniły zapas paliwa, dokładnie odśnieżyły szyby i wypytały o drogę. Jak się okazało, w linii prostej były już całkiem blisko, ale że zajechały od innej strony, od miejsca przeznaczenia dzieliła je wąska i stroma droga przez las. Inaczej musiałyby nadrobić ponad dwadzieścia kilometrów.

– Da się tamtędy przejechać w tym śniegu? – zapytała Anka.

– Jeśli ostro depnąć pod górę, to tak. Ale ja bym nie ryzykował – odparł pracownik stacji i rzucił okiem na bieżnik w oponach.

– Dziękuję panu. To gdzie ten wjazd?

– Zwariowałaś? – syknęła Anka. – Nie wyjedziemy, tam jest za stromo.

– Zobaczymy. Mam porządne nowe zimówki, wszędzie wjadą. Jak się nie uda, to wrócimy, ale to taki kawał drogi, że mi się nie chce. Zapnij pas. Jedziemy.

Ance zaschło w ustach. Przerażona capnęła oburącz za uchwyt pod sufitem i na wszelki wypadek odmówiła zdrowaśkę. Lucyna ruszyła pod górę. Na początku było nieźle, niestety po drodze samochód zesłabł, zabuksował i stanął w miejscu. Nie było mowy, żeby ponownie ruszył pod górę. Drogę pokrywała kilkucentymetrowa warstwa śniegu.

– No to lipa. Cofamy.

Anka odetchnęła z ulgą, ale jak tylko zorientowała się, że przyjaciółka właśnie szykuje się do drugiego podejścia, pobladła ze strachu.

– Bóg cię opuścił? Przecież utkniemy w tym lesie, do rana nas zasypie i odnajdą nas wiosną.

– Nie pękaj, damy radę. – Lucyna zjechała na tyle daleko, by wziąć większy rozpęd niż poprzednio. Trafiła na odśnieżony płaski fragment i zredukowała bieg. – No to jazda!

– Lucyna. Błagam cię…

– Zamknij się! – warknęła. Zacisnęła dłonie na kierownicy, spięła pośladki i gdyby to było możliwe, zacisnęłaby również powieki. Maksymalnie skupiła się na ekstremalnej jeździe, im wyżej bowiem, tym śniegu było więcej. Już teraz prawie sięgał osi, a do wierzchołka góry zostało jeszcze kilkadziesiąt długich metrów. Anka wstrzymała oddech. Poczuła, jak oblewa się potem, i zmówiła w duchu kolejne dwie zdrowaśki.

– Uch! Ale jazda! Super, nie? – podekscytowana Lucyna z entuzjazmem oznajmiła osiągnięcie szczytu.

– Teraz to ty się zamknij. – Anka miała już dość atrakcji.

Przestało sypać, a oczom obu kobiet objawił się widok jak z bajki. Nieco poniżej wierzchołka widniała ogromna posesja przypominająca roziskrzoną światłami śnieżną oazę. Rozległa budowla będąca nowoczesną wersją góralskiego pałacu wyglądała bardzo zachęcająco, a położony tuż obok turkusowy basen przykryty szklaną kopułą wyglądał jak przeniesiony z innej galaktyki.

– I co? – Lucyna wzięła przyjaciółkę za rękę. – Warto było, nie?

– Ech, wybaczam ci. – Anka wreszcie odczuła ulgę i odetchnęła pełną piersią.

– Ty się tak nie ciesz, moja droga. Jeszcze musimy jakoś tam zjechać, a stromo i ślisko jak jasny gwint.

– Teraz już się nie boję.

– A powinnaś. – Lucyna wrzuciła drugi bieg i ostrożnie spuściła auto z ręcznego. Kontrolowała prędkość, od czasu do czasu celowo zahaczając o zalegający na poboczu drogi śnieg. Nie chciała pozwolić, żeby samochód za bardzo się rozpędził. Na szczęście technika się sprawdziła i po kwadransie zaparkowały przed wejściem.

– Matko, spociłam się jak dziwka w kościele – Lucyna wytarła mokre dłonie o uda.

– Minęłaś się z powołaniem. Powinnaś być kaskaderem albo rajdowcem, a nie weterynarzem.

– Możliwe, ale już chyba za późno na jedno i drugie. Teraz do końca weekendu zamierzam być jedynie bezmyślną rośliną, wokół której wszyscy skaczą. I tobie też to radzę.

– Dokładnie taki mam zamiar. – Anka wysiadła z auta na miękkich nogach. Miała zamiar położyć się do łóżka, ale jak się okazało, to marzenie ściętej głowy. Dopiero dochodziła osiemnasta, a ich opiekunka nawet nie dała im czasu, by odsapnęły po podróży. Zaordynowała podwieczorek składający się z kilkunastu rodzajów orzechów i suszonych owoców, a zaraz po tym wysłała je na okłady z alg morskich. Anka nigdy wcześniej nie korzystała z takich dobrodziejstw, więc teraz ze zdziwieniem zareagowała na widok mikroskopijnych, przypominających sznurek jednorazowych stringów oraz jednorazowych japonek. Nieco skrępowana swoim strojem weszła do gabinetu. Lucyna już tam stała i właśnie bez protestu pozwalała się smarować zielonkawym błotem. Anka nie miała zamiaru pozostać w tyle, więc pewnym krokiem weszła do gabinetu i również oddała się temu dziwnemu zabiegowi. O ile samo smarowania zgniłozielonym śmierdzącym mazidłem dało się wytrzymać, to już owijanie całego ciała z góry na dół folią spożywczą omal nie wywołało w niej spazmów śmiechu.

– Matko, wyglądam jak ta laska z filmu *Piąty element* – ryknęła śmiechem Lucyna.

– Niech się pani nie śmieje, bo folia pęknie – napomniała ją masażystka, na co Anka nie wytrzymała i zwinęła się ze śmiechu. Wprawdzie spożywcza folia strzeliła jej tu i ówdzie, ale równie rozbawiona dziewczyna szybko owinęła Ankę drugą warstwą.

– Idziemy do baru? – szepnęła konspiracyjnie Lucyna i włożyła na siebie jednorazowy szlafroczek.

– A to nie zaszkodzi?

– Kochana, nie bądź głupia. Co niby ma zaszkodzić? Jeden drink jeszcze nigdy nikomu nie zaszkodził, a w tej folii czuję się jak kruche ciasto na szarlotkę. Przecież nie przyjechałyśmy tutaj, żeby tylko cierpieć, prawda?

– Ano prawda. W sumie nie ślubowałam ascezy – zgodziła się Anka i posłusznie poczłapała za przyjaciółką w stronę baru, pozostawiając za sobą błotniste ślady.

Wjechały windą piętro wyżej i wygodnie usadowiły się na wysokich barowych hokerach. Miły barman od razu pospieszył z ofertą najbardziej wymyślnych drinków świata. Lucyna wybrała tajemniczą specjalność szefa baru, a Anka postawiła na zwykłe mojito. W doskonałych humorach opróżniły szklanki i już miały zamiar z powrotem zjechać na dół, ale przy barze właśnie zameldowała się kobieta z bandażami na twarzy i podobnie jak one od stóp do głów owinięta folią spożywczą. Z lekka chropowatym głosem zamówiła whisky z lodem. Dziwna postać wyglądała jak mumia, ale od szyi w dół prezentowała się całkiem zgrabnie. Nawet pomimo błota, folii i bezkształtnego jednorazowego szlafroczka.

– Cześć. Jestem Aurelia, a wy? – wypaliła mumia bez wstępów i wyciągnęła rękę na powitanie.

Po krótkiej prezentacji barman polał jeszcze jedną kolejkę. I następną. Rozmowa z mumią wkrótce zamieniła się w dowcipną pogawędkę, a że wszystkie bawiły się świetnie, zapomniały, że minął im czas zmycia algowego błota. Pierwsza zaczęła się drapać Lucyna. Kilka minut później dołączyła do niej Anka. Aurelia początkowo się śmiała, ale wkrótce przestała. W jednej sekundzie wszystkie trzy odstawiły swoje wymyślne drinki na bar i z krzykiem pobiegły w stronę łazienek przy basenie. Równo wskoczyły pod jeden prysznic, nawzajem zdzierając z siebie upapraną algami folię. Swędzenie było nie do wytrzymania i dopiero po dokładnym umyciu okazało się, że ich ciała pokryte są czerwoną swędzącą pokrzywką.

– Chyba przesadziłyśmy. To za długo. – Lucyna wiedziała już, że to reakcja alergiczna. – Chodźmy do pokoju. Mam w torebce Frankowy zyrtec. Tylko się nie drapcie!

– Kurna, jak swędzi – żaliła się Aurelia. – Za chwilę mam iść na taniec motyli, a jak mi swędzenie nie przejdzie, to koniec.

– Taniec czego? – Lucyna i Anka zapytały jednocześnie i w sekundzie zapomniały o świądzie.

– To taki delikatny masaż twarzy i dekoltu, wykonywany specjalnymi pędzlami z naturalnego włosia, wprowadza w stan całkowitego odprężenia. Podobno pełny odlot.

– Ile trwa? – Lucyna jak zawsze konkretnie podeszła do tematu.

– Tu piszą, że pół godziny

– E, to nie dla mnie. Nie wytrzymam. Nie cierpię się relaksować przy masażu twarzy – Lucyna nie zdradzała entuzjazmu. – Już bym wolała coś na cellulit.

– No to masz, proszę bardzo. Peeling cynamonem, kawą, jakieś elektrowstrząsy i co tam sobie zażyczysz, ale najpierw konsultacja lekarska. A to jutro rano.

W programie na piątkowy wieczór miały jeszcze masaż i basen. Dzięki Bogu pokrzywka znikła i Anka z lubością oddała się w ręce doświadczonego masażysty. Pomimo tego, że skoncentrował się głównie na szyjnym odcinku kręgosłupa, wymasował również całe ciało. Anka zeszła ze stołu na miękkich nogach i zajrzała za kotarkę, gdzie masowano Lucynę.

– I jak? – zapytała tamta.

– Dziwnie się czuję. Jakbym nie miała kości i cała była z gumy. A szyję mam tak miękką, że sprawia wrażenie, jakby nie mogła utrzymać głowy. Niesamowite uczucie.

– Ty, ja mam to samo, nogi jak z waty i takie miękkie kości – powiedziała Lucyna po chwili. – Teraz już tylko leżeć i odpoczywać.

– Nic z tego. Teraz aqua aerobik.

– Boszzz… – skonana kobieta wymownie wywróciła oczami.

– No, ruszaj się! Nie przyjechałyśmy tutaj wypoczywać, co nie?

– No tak, sama chciałam.

Wbrew pierwotnym planom, by zakończyć wieczór w barze, po zajęciach były tak wykończone, że po lekkiej kolacji jak nieżywe padły do łóżek. Nazajutrz miały zaplanowane sporo zabiegów i wypadało wcześniej wstać. Lucyna ostatkiem woli zwlokła się z łóżka i nastawiła budzik na siódmą rano.

Wcześniej nie zauważyły, że w ośrodku przebywa jednocześnie aż tyle kobiet. Dopiero na śniadaniu okazało się, że chętnych na zatrzymanie upływu czasu jest zdecydowanie więcej niż tylko one i Aurelia. Ich nowa znajoma trzy dni wcześniej zafundowała sobie krwawy zabieg dermabrazji i właśnie wkroczyła do jadalni już bez bandaży. Gdyby nie charakterystyczny tembr głosu, dziewczyny w życiu by jej nie poznały. Wcześniej widziały ją w bandażach, teraz dla odmiany cała była w strupach.

– O rety, a ja się wstydziłam siniaków – mruknęła Anka konspiracyjnie i szturchnęła przyjaciółkę łokciem.

– Cześć, dziewczyny, mogę się przysiąść? Zaraz przedstawię was reszcie. Niektóre z nas siedzą tu regularnie po kilka tygodni w roku, więc już zdążyłyśmy się poznać. Popatrzcie, ta z fioletowymi włosami to Irena. Gwiazda kabaretu. – Tu Aurelia wymieniła nazwisko tak znane, że przyjaciółki aż zatchnęło z wrażenia.

– Jezu, przecież ona ma już chyba ze sto lat, a nie wygląda nawet na połowę tego – szepnęła Anka z przejęciem. – Ja też tak chcę.

– Sama widzisz. Ostatnio medycyna czyni cuda, ale nie dam się pociąć. Jest tyle opcji, że nie trzeba posuwać się do takich drastycznych metod.

Jak się okazało, Aurelia była pisarką i wcale nie wyglądała na ponad dekadę starszą od nich. Co prawda jej twarz na razie przypominała podsuszony tatarski befsztyk, ale za to ciało nie zdradzało najmniejszych oznak upływającego czasu. Anka łypnęła zazdrośnie na jej płaski brzuch i wąziutką talię.

– Jak ty to robisz? – westchnęła. – Przecież masz siedzącą pracę?

– A i owszem, mam. To prawda. Codziennie regularnie płaszczę tyłek przed komputerem po kilka godzin, ale za to codziennie też chodzę na fitness i ćwiczę z trenerem. Przestrzegam diety.

– Matko, same ograniczenia.

– Nie, no bez przesady. Przecież wszystko jest dla ludzi. Nie można sobie narzucać nie wiadomo jakiej katorgi. Ja ćwiczę, bo lubię. Zapisałam się na siłownię, bo rzuciłam palenie i przytyłam dwa kilo. Chciałam to zrzucić i tyle, ale tak mnie wciągnęło, że zostałam tam na stałe i teraz jak czasem nie pójdę, to się czuję jak wagarowicz i mam wyrzuty sumienia.

– Pięknie się wkręciłaś.

– No właśnie – uśmiechnęła się Aurelia. – Ale ja to pokochałam. Również dietę. Wiem, co mogę. Jem, co lubię, i wiem, co mi służy. Żadnych ekstremów. Wszystko gra. O, jest i moja szwagierka! – wskazała na podchodzącą do nich postawną kobietę i zamachała do niej energicznie. Ta z kolei wyglądała jak z filmu o genetycznie zmutowanych kosmitach. Jej twarz pokrywały wypukłe jasne bąble. Zwłaszcza okolice oczu i brody. – Chodź do nas!

– Cześć. Zocha jestem – zadudniła tubalnym głosem nowo przybyła i uścisnęła rękę Lucynie i Ance. Uścisk był tak silny, że o mało nie pogruchotał im kości. Było to o tyle zaskakujące, że Zocha okazała się kardiochirurgiem dziecięcym słynącym z delikatności i wspaniałego podejścia do małych pacjentów. Sama bezdzietna równo kochała wszystkie dzieci świata, a całą niespełnioną rodzicielską miłość przelewała na swoich małych pacjentów. Jeśli wierzyć zapewnieniom i rekomendacjom Aurelii, Zocha w swoim fachu była geniuszem.

– A wy co? Nic nie jecie? – Pani doktor przyniosła sobie górę jajecznicy na jednym talerzu, górę kanapek na drugim i poszła po pomidory. Tutaj też nie zamierzała się rozdrabniać i od razu przyniosła sobie cały półmisek.

– My już po – odparła rozbawiona Anka. Z mety polubiła poczciwą i prostolinijną Zochę. – Co robiłaś na twarz? Wiesz, te bąble.

– A kochana, gębę mi skuli. To kwas hialuronowy. Podobno czyni cuda. Do tego jakaś bomba witaminowa i jeszcze wsadzili mi nici w podbródek. O, patrz, jakie sińce – huknęła Zocha i zadarła głowę do góry. Istotnie, całą jej szyję pokrywały ciemne zasinienia. – No, cholera, wyglądam jak ofiara przemocy domowej. Normalnie jakby mnie mój stary poddusił, ale on nawet muchy nie zatłucze, taki z niego delikatny gamoń – zagrzmiała Zocha. – A te nici mają mi podnieść pelikana, bo nawet nie wiecie, jak mnie wkurzało to obwisłe podgardle. Szlag z tym wiotczeniem, nie powiem.

– A to boli?

– Jak robią, to nie boli, ale jak puści znieczulenie, to jakby cię ktoś kijem obił, ale da się wytrzymać. Gorzej, jak się te nici w środku przesuwają przy każdym ruchu. Jakby tam jakiś obcy siedział i cię zjadał od środka. Brrr.

– O brrr. – Anka też się zatrzęsła i odruchowo pomacała własny podbródek. Z ulgą stwierdziła, że wszystko jest na swoim miejscu i nie musi się uciekać do takich makabrycznych działań.

Po śniadaniu wszystkie cztery zapisały się na różne zabiegi, tym razem szerokim łukiem omijając błotniste okłady. Po pokrzywce nie pozostał już ślad, ale samo wspomnienie nie było zbyt miłe.

Anka zdecydowała się na peeling kawowy, Lucyna wybrała cynamonowy. Po godzinnym zabiegu obie miały podobne refleksje.

– Boże, już myślałam, że mnie ta baba żywcem ze skóry obedrze – pożaliła się Lucyna i pogładziła się po gładszych niż zwykle przedramionach. – Idziemy do baru?

– Tak wcześnie?

– A co, jakiś koktajl z bananów i błonnika, nie wrzucisz?

Okazało się, że mimo stosunkowo wczesnej pory barman miał pełne ręce roboty. Po pierwszej turze zabiegów w barze zeszła się połowa turnusu. Soko-wirówka i blender wydawały już ostatnie tchnienie, a kobiety wymieniały między sobą wrażenia z porannych sesji. Te, które rezydowały w klinice dłużej, zwykle decydowały się na bardziej brutalną ingerencję w swoje ciało, natomiast weekendowe kuracjuszki raczej wybierały lżejszą wersję upiększania.

– Boże, jak wy to znosicie kilka razy do roku? – zapytała Lucyna przy obiedzie. Do tej pory zdążyła już zapuścić ucha i dokładnie wypytała dermatologa w temacie pielęgnacji i zabiegów.

– Normalnie. Idzie się przyzwyczaić – odparła Aurelia. – Efekty są spoko, ale i tak nic lepiej człowiekowi nie robi niż nowy facet. Poziom endorfin wzrasta, chudniesz, promieniejesz. To najlepsza kuracja – kobieta mimo strupów uśmiechnęła się słabo i wymownie spojrzała na zwalistą szwagierkę.

– Ech, głupia. Mów za siebie. Ja znam mojego Edka od prawie czterdziestu lat i żaden młodszy żigolak do szczęścia mi niepotrzebny.

– Taa, jasne – zadrwiła Aurelia ze szwagierki. – Nie daj Bóg jak się biednemu Edkowi zechce w domu posiedzieć albo, co gorsza, razem z nią gdzieś pojechać, to się Zocha cały czas żali, że jej ten mękoła przez okrągłą dobę na głowie siedzi i gitarę zawraca. A ten anestezjolog, co go ostatnio przyjęli? Hę?

– A dajże spokój. Ślimok jakiś taki nieopierzony. Ja lubię prawdziwych facetów i żaden wypindrzony goguś mojego Edka nie przebije – oznajmiła tubalnie Zocha i powachlowała się połami flizelinowego szlafroka.

Dziewczyny nie miały cierpliwości na wielogodzinne wylegiwanie się na stole u kosmetyczki, ale w końcu dały się namówić na zabiegi oczyszczające skórę twarzy. Delikatne mazanie i głaskanie nawet im się spodobało, ale finalnie podziękowały Bogu, że w życiu mają jeszcze czas na regularne zabiegi. Ankę znów rozbolała szyja, więc pobiegła umówić się na masaż, a Lucyna wybrała odżywczą bombę witaminową. Była przekonana, że maść, którą na początek wtarto jej w twarz, to jakiś kosmetyk, tymczasem był to środek znieczulający, a owo witaminowe uderzenie aplikowało się strzykawką. Dziesiątki niewielkich iniekcji ostatecznie dało się wytrzymać, ale Lucyna nie przewidziała jednego. Nie miała pojęcia, że efekt uboczny zabiegu będzie widoczny przez kilka najbliższych dni.

– Matko święta – jęknęła później sprzed lustra. – I jak ja teraz pójdę do pracy? Z taką twarzą? Przecież ja wyglądam, jakby mnie pokąsało stado wściekłych komarów.

– Sama chciałaś. Jak się chce być pięknym, to trzeba cierpieć. Założysz sobie maseczkę chirurgiczną. Ja mam to przećwiczone – stwierdziła filozoficznie Anka i poszła pod prysznic.

– Taa, kurna, zwłaszcza po pracy. Jak jakiś Japończyk, cholera – mruknęła i sprawdziła, co ma w walizce. Wybrała legginsy i obszerną bluzę typu oversize. Ostatnio polubiła wygodne ciuchy bez wykończeń, a wystrzępione brzegi szczególnie przypadły jej do gustu. W nosie miała docinki Anki, że wygląda w tym jak kloszard.

– Żaden kloszard nie ma adidasów za pięć stówek – odgryzła się.

Zbliżała się pora obiadu. Po masażu i przedpołudniowych zabiegach Anka poczuła zmęczenie i Lucyna prawie siłą wyciągnęła ją z łóżka. Po południu czekała je jeszcze sauna i zabiegi na dłonie, więc trzeba było porządnie się posilić.

Obiad zaserwowano w formie szwedzkiego stołu. W jadłospisie królowały sałatki i warzywa na parze. Gotowane mięso i grillowane ryby, a na deser panna cotta i sałatka z owoców.

– Czy tu wszystko musi być takie zdrowe i chude? Człowiek płaci Bóg wie ile, a oni na żarciu oszczędzają – zżymała się Zocha. – Jak tak dalej pójdzie, to ja tu umrę na tych brokułach i kaszy.

– Nie jest tak źle. – Anka nałożyła sobie sporą porcję mieszanki warzywnej gotowanej na parze.

– Jak nie jest źle? – zadudniła Zocha. – Zawsze chudnę tu z pięć kilo, bo niby kto normalny wytrzyma takie tempo? Przecież taki turnus to jak zaprawa dla piechoty morskiej. Nie dość, że człowieka przeczołgają jak psa, to jeszcze żreć mu nie dadzą, a ty głupia babo za to wszystko płać.

– To po co tu wracasz, hipokrytko? – zażartowała Aurelia i wpakowała sobie na talerz filet z kurczaka. – Może kurczaczka?

– Weź mnie nie denerwuj – zezłościła się Zocha i poszła do kuchni obsztorcować kucharza. Po chwili wróciła do stolika ze schabowym z kapustą i zabrała się do jedzenia. – Że też się człowiek wszędzie musi użerać. Macie już kreacje na wieczór?

– Jakie kreacje? – Anka i Lucynka wymieniły między sobą zaniepokojone spojrzenia.

– No, jakieś takie wieczorowe. Zawsze w soboty jest elegancko przy kolacji. Przygrywa jakiś grajek i dają lepsze jedzenie – wymamrotała Zocha pomiędzy kęsami kotleta.

– Niestety – powiedziała Anka. – Mamy dwa wyjścia. Albo przyjdziemy w dżinsach, albo schowamy się w pokoju.

– Bez przesady – dodała Aurelia. – Choć niektóre z tu obecnych szykują się jak na sylwestra i z turnusu na turnus coraz wyżej podnoszą poprzeczkę.

– To my ją obniżymy.

– A widzicie tę rudą pod oknem? – Aurelia wzrokiem wskazała na szczupłą, wyfiokowaną kobietę. Nawet o tej porze miała na twarzy krzykliwy makijaż. – Jak znam życie, wystąpi dziś z brokatem na włosach – dodała konspiracyjnie.

– Tylko żeby się znowu nie pomyliła – mruknęła Zocha z przekąsem. – Bo wiecie, niedawno opowiadała, jak przed wizytą u gina psiknęła się dezodorantem.

– Ale gdzie? Tam? – Lucyna znacząco spojrzała w dół.

– No tam, tylko w trakcie badania lekarz stwierdził, że w czasie całej swojej wieloletniej praktyki jeszcze nie miał takiej eleganckiej pacjentki. Spreje jej się pomyliły i użyła brokatu.

Anka ze śmiechu o mało nie udławiła się jedzeniem.

Dziewczyny w doskonałych nastrojach spędziły czas do kolacji. Wspólnymi siłami jakoś udało im się wykombinować całkiem przyzwoity strój. Anka włożyła ciemną tunikę, a Lucyna wcisnęła się w obcisłe rurki biodrówki pożyczone od Aurelii i odwróciła się tyłem.

– I jak? Nie za obcisłe?

– Proca ci z tyłu wystaje. Albo upchnij te stringi, albo włóż dłuższą bluzkę.

Summa summarum udało im się wyczarować coś z niczego i w świetnym nastroju dotarły na kolację. Tym razem zaserwowano całe mnóstwo kolorowych przekąsek. Anka spróbowała tylko po jednej z każdego rodzaju i uznała, że zaraz pęknie. Miejscowa orkiestra miała w repertuarze znane światowe standardy, a że klawiszowiec na stałe włączył mocny dyskotekowy beat, kobiety żwawo ruszyły do tańca. Widok był jedyny w swoim rodzaju, ponieważ oświetlone kolorowymi laserami, niejednokrotnie nie do końca wygojone, twarze prezentowały się niczym maski w Halloween. Pełni szczęścia dopełniło trupie światło stroboskopu.

Niedzielny poranek nie zaliczał się do najłatwiejszych. Obie z jękiem zwlokły się z łóżek. Od nocnych szaleństw na parkiecie bolało je dosłownie wszystko. Wcześniej planowały wyjazd tuż po śniadaniu, ale Anka postanowiła skorzystać jeszcze z wolnego terminu u masażysty. Jej szyja była w coraz lepszym stanie, ale nie mogła jej nadwyrężać. Po powrocie do Krakowa miała jeszcze przez jakiś czas kontynuować zabiegi i nosić ortopedyczny kołnierz dla odciążenia kręgów. Szczególnie było to wskazane przy jeździe samochodem i pracy przy biurku, czyli dwóch podstawowych czynnościach, ale Anka i tak dziękowała Bogu, że nic więcej jej się nie stało. Kołnierz mogła nosić, zwłaszcza że z powodzeniem zastępował jej szalik.

– Jak będzie jutro? Idziesz do pracy? – zapytała Lucyna już po powrocie.

– Idę. Nie mogę siedzieć na zwolnieniu dłużej niż to konieczne. – Anka upchnęła do torby resztę swoich rzeczy. Wraz z kotem wracała już do siebie. Rafał zgodził się ją odwieźć, choć niechętnie oddał jej Sushi. Przez czas, kiedy była u niego, zdążył się do niej przyzwyczaić.

– Jak będziesz jeszcze kiedyś potrzebowała dla niej schronienia, to jestem do usług. W życiu nie widziałem takiego grzecznego kota, choć mogłaby tłuc trochę mniej tych ptaków. Przedwczoraj przyszli do mnie ze straży miejskiej.

– W sprawie Sushi?

– Tak. Że łapie ptaki i myszy. Ktoś złożył donos i musieli zainterweniować.

– Mówisz poważnie? Ludzie nie mogą być aż tak nienormalni.

– Jak najbardziej poważnie i jak widać mogą. Szczególnie moja sąsiadka z drugiej strony. Nie znam jej dobrze, ale wydaje mi się, że jest trochę szurnięta.

– I to zdrowo. To jakby ktoś doniósł na gołębia, że mu zapaskudził samochód! – Anka aż się zagotowała ze złości. – Trzeba im było powiedzieć, żeby dali jej mandat!

– Ale za co? Za rytualny ubój czy za seryjne morderstwo? – roześmiał się Rafał. Wypytał, jak było na wyjeździe, i wysłuchał oględnej relacji. – Aaa, to już teraz wiem, dlaczego Lucyna się schowała.

– No właśnie, ale oficjalnie nic nie wiesz i lepiej nie zachodź do niej przed środą.

– A ty?

– Wiesz, najlepszym sposobem, żeby o czymś nie myśleć, jest zmiana okoliczności i otoczenia na jakieś inne i mocno absorbujące. To działa, niestety do czasu. Najgorsze jest to uczucie, kiedy ktoś jest i nagle do ciebie dociera, że już go nie ma. Nie wiesz, co ze sobą zrobić, bo twój cholerny umysł w kółko podsuwa ci skojarzenia.

– Wiem coś o tym. Kiedy przed wyjściem na zakupy chcesz tę osobę zapytać, jakie bułki by zjadła i na jaki jogurt ma ochotę, a tu nic. Pusto.

– Nie jest tak źle. Nie mieszkałam razem z Grześkiem, więc przynajmniej to mam z głowy, co nie znaczy, że zapomniałam. Bo nie zapomniałam. Razem pracujemy, nie będzie lekko.

– Czy mogę ci zaufać? – zapytał Rafał, gdy już od nowa zainstalował Ankę w jej mieszkaniu.

– Już sam fakt, że zadałeś mi takie pytanie, świadczy o tym, że tak jest. Czyż nie?

– Wiesz, że jestem sam.

– O nie! – Anka podskoczyła jak oparzona. – Żadnych facetów, romansów i zalotów! Nie, nie i nie!

– Ale ja nie o tym – przerwał jej Rafał. – Ja chciałem zapytać o Lucynę. Czy ona bardzo cierpi?

– Łał, że niby wy? We dwójkę? – Anka w zaskoczeniu nie wykazała się zbytnią błyskotliwością. – Masz na nią oko?

– Owszem. Myślisz, że mam szansę? Na początku obstawiałem ciebie, ale miałaś mnie w nosie, więc odpuściłem. Ale Lucyna, wiesz…

– Chcesz, żebym ją podpytała? Nie sądzę, żeby to był dobry pomysł, bo jak ją znam, a znam ją dobrze, od razu się połapie. Jeśli masz jakieś plany, po prostu

222

przy niej bądź. Zadbaj o nią, tak normalnie. Podobnie jak ja, ona ma teraz uczulenie na płeć przeciwną, więc jeśli myślisz o niej poważnie, nie zrób falstartu.

– Dzięki, Ania, jakby co, szepnij o mnie coś dobrego – poprosił speszony.

– Rafał, o tobie nie da się powiedzieć złego słowa – roześmiała się głośno i serdecznie uściskała przejętego przyjaciela. – Głowa do góry! Jestem po twojej stronie i będę milczeć jak grób.

Po jej zapewnieniach Rafał sprawiał wrażenie usatysfakcjonowanego. Zanim odjechał, upewnił się jeszcze, czy Anka nie potrzebuje jakiejś pomocy. Potrzebowała, i owszem. Jej prywatny samochód od dawna stał nieużywany pod domem, a nazajutrz miała nadzieję z niego skorzystać. Jej poprzednie służbowe auto zostało na firmowym parkingu, tymczasowe wylądowało na złomowisku, a nowe czekało w Warszawie. Rafał chętnie wypełnił misję uruchomienia samochodu, po kwadransie zadowolony wręczył Ance kluczyki i zapewnił, że pali od kopa.

Skądinąd była ciekawa, jak po ostatnich przygodach poczuje się za kierownicą. Jeszcze w szpitalu rozmawiała na ten temat z psychologiem, a Zocha dodatkowo dorzuciła swoje trzy grosze. Miała na ten temat nieco własnych doświadczeń i wiedziała, że może być różnie. Za pierwszym razem, gdy na siedzeniu pasażera przeżyła dachowanie, jej mąż już następnego dnia posadził ją za kierownicą, wykręcając się złym samopoczuciem. Dopiero po latach do niej dotarło, że wtedy udawał, bo chciał, żeby pojechała. Skorzystał z faktu, że była jeszcze w szoku, i wszystko poszło gładko. Za drugim razem natomiast było już znacznie gorzej. Prowadziła sama, gdy kobieta jadąca z naprzeciwka straciła i głowę, i panowanie nad kierownicą. Obie przypłaciły czołówkę długim pobytem w szpitalu, a Zocha nabawiła się takiego urazu, że przez ponad dwa lata szerokim łukiem omijała wszystkie samochody. Pod niebiosa wychwalała miejską komunikację publiczną, ale jedynie do chwili, gdy pewnego razu tramwaj wypadł z szyn i uderzył w witrynę obuwniczego. Nie wiedziała, w co ręce włożyć i komu spieszyć z pomocą, tak wielu było rannych. Wtedy do niej dotarło, że przeznaczenie nie ma nic wspólnego ze środkiem transportu, z którego się korzysta.

– Kochanieńka – zahuczała przyjaźnie. – Życie można stracić przy wieszaniu firanek i klepaniu kotletów. Mój Edek omal się nie zabił w łazience, bo wchodził do wanny i mu się na śliskim nogi rozjechały. A on, zamiast się ratować, to ratował pastę i szczoteczkę, które trzymał w rękach.

– I co? – żywo zainteresowała się Anka.

– No jak to co? Wyrąbał głową w kran i obtłukł sobie jajka o rant wanny. Skończyło się na szyciu czerepu. Dobrze, że miałam w domu próbki nici, to w ramach rękodzieła artystycznego machnęłam mu na czole wyszywankę przed snem. W każdym razie przeżył, więc co komu pisane, to go nie ominie. Moja siostra poszła kiedyś z wnuczkami do kościoła, a że dzieciaczki ruchliwe, to je wzięła na chór, żeby po kościele nie latały. I co? I podniesienie, cisza błoga, skupienie i tak dalej, a tu jak jedno z nich nie zacznie rzygać na dół, przez te balustrady…

– Jezu kochany.

– ...a na dole ludzie się modlą...

– Matko – Anka kwiknęła ze śmiechu.

– Zatem widzisz, kochanieńka, że nie tylko cegły lecą na głowy w drewnianych kościołach, chociaż prędzej już bym się tej cegły spodziewała niż tego, że mi ktoś w czasie podniesienia na łepetynę narzyga.

Po powrocie do mieszkania Anka złapała się za głowę. Czekały ją gruntowne porządki. Już przed wypadkiem miała świadomość solidnych zaległości, a teraz mogła je pomnożyć przez dwa. Zaczęła od kuchni. Z pewną obawą uchyliła drzwi lodówki. Przez wzgląd na swoją dość długą nieobecność w domu mogła się spodziewać, że produkty mimo chłodu zaczęły już żyć własnym życiem i teraz o własnych siłach wyjdą z lodówki. Nic takiego się nie stało, ale większość i tak musiała wyrzucić, bo przeskoczył już termin przydatności do spożycia. Worek z karmą dla kota też świecił pustkami, więc poszła na zakupy i zaniosła do auta część dokumentów na następny dzień. Po powrocie zabrała się do gruntownych porządków w kuchni i nawet umyła okno. Wiedziała, że przypłaci to bólem szyi, ale okno było już tak brudne, że Anka nie widziała, jaka na zewnątrz panuje pogoda. Zmęczona, ale zadowolona, w końcu ułożyła się na kanapie z kotem na kolanach. Nigdy wcześniej nie miała zwierząt i dotąd nawet nie przypuszczała, że tak bardzo będzie tęsknić za jakimś kotem. Tymczasem ciepłe futrzaste ciałko ufnie przytuliło się grzbietem do jej brzucha i usnęło jak zabite. Anka czule pogłaskała czarne futerko. Właśnie doszła do smutnego wniosku, że poza Sushi nie ma nikogo do kochania. Wszystko, co wcześniej wydawało się względnie poukładane, teraz rozsypało się w proch. W sprawach sercowych powoli dochodziła do siebie. Po utracie Grzegorza zaczęła już nawet żartować, że ma w tym coraz większą wprawę. Dwa takie same scenariusze w ciągu jednego roku to niezła statystyka. Dodając do tego wypadek i czekające ją w najbliższych dniach totalne zamieszanie w pracy, musiała naprawdę zebrać się w sobie i zgodnie z planem o czasie wystartować w poniedziałkowy poranek.

Uważając, by nie obudzić Sushi, niechętnie podniosła się z łóżka. Włożyła kurtkę i upchnąwszy pod pachą kilka opasłych segregatorów z dokumentacją, zbiegła do samochodu. Przetarła szmatką boczne szyby i usiadła za kierownicą. Nie miała zamiaru nigdzie jechać, ale odruchowo uruchomiła silnik. Wrzuciła pierwszy bieg i spojrzała we wsteczne lusterko. Wbrew jej wcześniejszym obawom nie było w nim świateł taranującej ją ciężarówki. Ruszyła z miejsca i na totalnym bezdechu objechała dookoła cały kwartał kamienic. Nic się nie stało. Absolutnie nic. Nikt nie chciał jej rozjechać, inni kierowcy przestrzegali przepisów, nieprzytomni piesi nie wchodzili pod koła. Dopiero kiedy z powrotem zaparkowała na swoim miejscu, zauważyła, że nie oddycha. Głęboko nabrała powietrza i rozpłakała się z ulgi. W ciągu minionych tygodni po raz kolejny spłynęło na nią uczucie, że narodziła się na nowo. Teraz już wiedziała, że będzie dobrze.

Pobiegła do domu po portfel i znów wskoczyła za kierownicę. Tym razem już puściła muzykę i podśpiewując pod nosem, zaparkowała pod najbliższą galerią handlową. Na szczęście mieli jeszcze czynne, więc pewnym krokiem wparowała do salonu fryzjerskiego i zażądała zmian. Pokazała fryzjerowi, ile ma obciąć.

– Matko, aż tyle? Jest pani pewna? – fryzjer ważył w dłoniach jej wypielęgnowane długie włosy.

– Tak. Widzi pan to zdjęcie? – Anka postukała palcem w katalog z fryzurami. – Tak chcę. Kolor też taki sam.

Osławiony fryzjerski maestro nieczęsto dokonywał tak drastycznych zmian i choć dla każdego mistrza nożyczek takie ekstremalne strzyżenie stanowiło nie lada rarytas, teraz nawet jemu szkoda było pozbawiać Ankę takiego bogactwa na głowie.

– Serio? Żeby mi potem pani tu nie płakała – mężczyzna jeszcze raz się upewnił.

– Tak. Proszę zaczynać – odparła pewnym głosem i zamknęła oczy wraz z pierwszym szczęknięciem nożyczek.

Rozdział 16

P o kilku dniach zimowej pluchy i nastrajają-
cych samobójczo mgieł nareszcie zza chmur
wyszło słońce. Ludzie od razu zyskali więcej energii
i jakoś częściej się uśmiechali. Nawet sąsiadka Anki, skwaszona kobieta około czterdziestki, na powitanie zaszczebiotała niczym wesoła dzierlatka. Nisko
padające promienie odbijające się na mokrym asfal-
cie oślepiały tak skutecznie, że Anka musiała sięg-
nąć po okulary przeciwsłoneczne. Właśnie w takich
chwilach gratulowała sobie wyboru polaryzowanych
szkieł. Uwielbiała takie ostre promienie, choć bezli-
tośnie wydobywały każdy niepsoprzątany pyłek i kła-
czek, a nawet i w samochodzie ukazywały stopień
wielomiesięcznego zaniedbania. Anka nawet nie pamiętała, kiedy ostatnio myła przednią szybę od środka, więc teraz nie miała co wyklinać na to, że niewiele
przez nią widać. Obiecała sobie solennie, że po powrocie z pracy od razu się do tego zabierze. Poza tym
wraz z awansem w pracy i wejściem w posiadanie
wypasionego passata wypadało wreszcie pomyśleć

o sprzedaży własnego samochodu. Szkoda, żeby stał i niszczał, ale na razie była to jedynie kolejna rzecz na liście spraw pilnych.

Anka wzięła oddech i weszła do środka. Recepcjonistka przywitała ją uprzejmie i zapytała, w czym może jej pomóc.

– Dziękuję ci, Maniu. Sama trafię do siebie. – Anka puściła do niej oko.

– O Boże! Nie poznałam! Co za zmiana! – poczciwa Mania z wrażenia aż poderwała się z miejsca i gdy tylko nowo przybyła zniknęła za rogiem, chwyciła za telefon, by podzielić się z innymi nowiną. Zanim Anka dotarła na górę, wszyscy już wiedzieli, że zmieniła fryzurę. A zmiana była znaczna. Jej krótka fryzurka doskonale wydobyła ładny owal twarzy i przydała stylu. Najnowsza technika strzyżenia, w której temacie maestro wymądrzał się przez dobry kwadrans, miała na celu nadanie fryzurze lekkości i wigoru, a kolorowe pasemka na ciemnowiśniowej czuprynce sprawiły, że od Anki nie można było oderwać oczu. Marta, pomimo że już została uprzedzona, siedziała teraz z rozdziawionymi ustami i nie mogła znaleźć adekwatnego komentarza.

– Wyglądasz, eee… – zacięła się na dłuższą chwilę. – No, po prostu wyglądasz przez duże W. I jak się czujesz? – Marta znacząco zawiesiła wzrok na ortopedycznym kołnierzu. Do tego nowa fryzura, szykowny stalowoszary kostiumik i szpanerskie rude kozaczki.

Jeszcze poprzedniego wieczoru Anka, mierząc kupione dwa tygodnie wcześniej nowe ubranie, z zadowoleniem zauważyła, że znów nieco schudła.

– A dzięki, ujdzie. To na razie konieczność, zwłaszcza przy biurku i w samochodzie, ale z czasem mam go używać coraz mniej, żeby się nie rozleniwić.

– Kurczę, martwiliśmy się. Dobrze, że żyjesz. – Marta wstała zza biurka i serdecznie uścisnęła Ankę.

– Dziękuję, że pociągnęłaś przez ten czas ten nasz skrzypiący wózek. Coś nowego?

– A i owszem, ale zanim przekażą ci wreszcie ten twój nowy stołek, chciałam cię o coś zapytać.

– Cóż takiego?

– Chodzi mi o Grzegorza – powiedziała Marta i nerwowo przełknęła ślinę.

– A co z nim? – teraz to i Ance żołądek podjechał do gardła.

– Aresztowano go dziś rano pod zarzutem akceptowania lewych umów zlecenia, które korumpowały farmaceutów i lekarzy. Wiedziałaś coś o tym?

Anka pobladła. Doskonale znała ten proceder mający na celu zachęcanie odbiorców do polecania pacjentom produktów OTC International. W ich branży normalnym było wysyłanie farmaceutów i lekarzy na zagraniczne kursy i szkolenia, które w efekcie były ekskluzywnymi wyjazdami wypoczynkowymi dla ich rodzin i stanowiły rodzaj elegancko opakowanej łapówki. Do tego dochodziły wewnętrzne programy lojalnościowe, ściśle związane z wysokością sprzedaży, w których skorumpowani decydenci sprytnie manipulowali sprzedażą. Przy tym wszystkim i tak finalnie za wszystko z własnej kieszeni płacił pacjent, który zazwyczaj nie miał bladego pojęcia, że w sprzedaży funkcjonują tańsze i równie dobre zamienniki.

– Jezu. Nie. To znaczy wiedziałam, ale sama nie miałam z tym nic wspólnego. Przecież wiesz. Kompetencje repów nie wychodzą poza żelazko czy toster w nagrodę za dobrą sprzedaż. Przecież sama wiesz – zdenerwowała się Anka. Wcale nie chciała dzielić losu Grzegorza.

– Nie raz ostrzegaliśmy tych dupków w Nowym Jorku, ale ich wali, kto pójdzie siedzieć w Polsce albo na Ukrainie. Padło na Grześka. Zgarnęli go dziś rano. Ma zarzuty.

– Współczuję – powiedziała cicho Anka.

– Wiem, że jesteście razem. Niedawno powiedział mi o tym.

– To już nieaktualne. Już nie jesteśmy, ale przecież nie życzę mu źle, choć przez swoją nieuczciwość nieźle mnie zranił.

– Grzesiek? – zdziwiła się Marta. – Jakoś nie wierzę. Byliśmy małżeństwem kawał czasu i na upartego różne rzeczy mogłabym mu zarzucić, ale nigdy nie powiem, że był wobec mnie nieuczciwy.

– No widzisz, ludzie się zmieniają. Mam spore zaległości. Bierzmy się do roboty, co? – ucięła niemiły jej temat. Jeszcze przed chwilą czuła w sobie moc taką, że mogła góry przenosić, ale po tych rewelacjach zupełnie straciła impet. Od kilku dni zastanawiała się nad tym, jak zareaguje na jego widok, a jak widać wcale się na to nie zanosiło, i to na dłużej. Była przekonana, że jej były kochanek świetnie sobie poradzi, w końcu wykonywał jedynie płynące z góry służbowe polecenia.

Anka wypiła kawę i wreszcie zabrała się do porządkowania dokumentów. Marta pokazała jej, gdzie co leży i od czego należy zacząć. System raportowania na nowym stanowisku mocno odbiegał od tego, do którego Anka przywykła. Teraz już wiedziała, po co dotychczas produkowała tyle różnych raportów. Pisała je po to, żeby jej szefowa mogła napisać swoje i przesłać je do swojego szefa, który z kolei wysyłał je dokładnie w tym samym celu jeszcze wyżej, by wreszcie mogły zakończyć swój żywot w naście razy zmodyfikowanej tabelce, która ostatecznie lądowała w koszu na śmieci. Większość tej bezsensownej korporacyjnej biurokracji sprowadzała się de facto do wytworzenia złudzenia i mitu ciężkiej pracy. Tymczasem prawdziwa praca działa się na rynku, na samym dole, tam gdzie ludzie istotnie przynosili pieniądze do firmowej kasy. Im wyżej, tym generowano większe złudzenia.

Westchnęła ciężko i oparła głowę o zagłówek obrotowego fotela. Już prawie przebrnęła przez rozliczenie niedawnej kampanii promocyjnej. Za godzinę zaplanowała zebranie ze swoim zespołem. Cały ranek zastanawiała się, jak powinna się zachować. Części ludzi było całkowicie obojętne, kto będzie nimi zarządzał, ale były też osoby, z którymi nie pójdzie jej łatwo. Między innymi z Mileną i Beatą, które oficjalnie ostrzyły sobie zęby na jej posadę. Szczególnie ta pierwsza, która wraz z poparciem Marty liczyła na awans. Milena była tak pewna wygranej, że na wieść o awansie Anki doznała takiego szoku, że prawie zemdlała. Z relacji Arturka, który przypadkowo był tego świadkiem, wynikało, że poczerwieniała jak burak, a potem pobladła i z trudem łapała powietrze. Jak tylko oprzytomniała, chwyciła za telefon i zadzwoniła do jakiegoś mężczyzny. Nie oglądając się na to, że słyszy ją kilka osób, urządziła mu piekielną awanturę i w dosadnych słowach wygarnęła, co myśli na jego temat. Wszyscy postronni spoglądali po sobie mocno zdziwieni całą akcją. Zdenerwowana Milena w końcu oprzytomniała i bez słowa opuściła towarzystwo. Od tamtej pory każdy ze świadków zdarzenia zachodził w głowę, do kogo dzwoniła.

– Raczej nie mógł to być nikt z firmy. Jak myślisz? – zapytał Arturek przy lunchu.

– Może zadzwoniła do męża? – Anka wzruszyła ramionami.

– A co on miał z tym wspólnego? Jest jakimś inżynierem od mostów, więc co ma piernik do wiatraka? – zdziwił się Artur.

– To nie ma znaczenia, kim on jest. Moim zdaniem chciała po prostu na kimś wyładować złość, a niby kto byłby lepszy niż zakochany na zabój własny mąż?

– Cudzy mąż? – zażartował i posprzątał po sobie ze stolika.

– Nieważne. Bardziej mnie martwi, że mam wśród podwładnych wroga, i to doświadczonego w firmowych gierkach.

– A żeby to jednego – mężczyzna pokiwał głową i mrugnął do Anki. – Idziesz jak burza, niedługo cię wezmą do Warszawy.

– A w życiu się nie przeniosę do Warszawy! Od dawna to powtarzam. Tam to dopiero się szczury ścigają. Już bym wolała przenieść się do jakiejś Koziej Wólki i zarządzać kołem gospodyń wiejskich albo PGR-em.

– Życzę ci szczęścia. Będzie ci potrzebne. Trzymaj się, dziewczyno.

– Chyba nie mam wyjścia – uśmiechnęła się smutno. Od kiedy otrzymała ten nieszczęsny awans, wszystko szło nie tak. Normalnie ludzie się cieszą, że ktoś ich docenił. Podwyżka też była niebagatelna, ale Anka co rusz natrafiała na coś, co psuło jej humor. Z początku była zbyt zaskoczona, by się cieszyć. Ledwie ochłonęła, posypało się wszystko dookoła. Po chwili refleksji chciała zrezygnować, ale uznała, że zrobiłaby największy w życiu błąd. Nie była przecież jakąś ckliwą dzierlatką, którą zmiecie byle podmuch. W ostatnim czasie pokazała, co potrafi, a życie rzuciło jej pod nogi już chyba wszystkie kłody, jakie miało na stanie, więc w końcu coś musiało podziać się lepiej. Lucyna doszła kiedyś do wniosku, że po paśmie niepowodzeń musi nastąpić poprawa. Nawet jeśli jej ciężar gatunkowy będzie dużo mniejszy i nie będzie dał się zrównoważyć ze stosem minusów, trzeba się cieszyć z każdej dobrej passy. Zwykła powtarzać za księdzem Twardowskim, że to niedobrze, jak jest tylko dobrze, bo jak jest tylko dobrze, to jest niedobrze.

Właśnie, to ja już limit wyczerpałam i teraz już będzie dobrze, bo kiedyś w końcu musi, pomyślała Anka i zanotowała sobie jakąś myśl w notatniku. Zbierała siły na swoją pierwszą naradę w roli szefowej. Nigdy nie obawiała się publicznych przemówień, ale teraz czuła lekki niepokój. Musiała wziąć się w karby. Miała pełną świadomość, że jeśli pozwoli wejść sobie na głowę, to daleko nie zajdzie. Była szefem, nie niańką. Poza tym dotychczas nie zauważyła jakichś szczególnych wyrazów sympatii ze strony zespołu, więc uznała, że nie ma się co przejmować i cackać w zamian za brak skrupułów. Wbrew powszechnej opinii nie awansowała dzięki protekcji.

Była dobra, miała dar i postanowiła wreszcie zrobić porządek w zespole. Dość niesubordynacji w szeregach i naginania się do fanaberii wstrętnych niewdzięczników. Po prostu dość! Wstała zza biurka, zebrała notatki i w przelocie rzuciła okiem na swoje odbicie w lustrze. Pociągnęła usta nową szminką, odgarnęła grzywkę i posłała sobie samej całusa.

– Do roboty, skarbie. Pokaż im wszystkim, na co cię stać! – powiedziała do siebie i wyszła z gabinetu.

W sali konferencyjnej jak zwykle panował rozgardiasz i gwar, ale z chwilą gdy Anka przekroczyła próg, zapanowała cisza. Pierwszy raz słyszała ciszę tak totalną. Jedyne, co było słychać, to ciche buczenie klimatyzatora. Nie wiedziała, czy to zmiana wizerunku tak podziałała na ludzi, czy też jej autorytet miał taką kosmiczną moc, że odebrał ludziom mowę. Niestety obstawiała to pierwsze. Ale jak na początek to i tak jest nieźle, pomyślała.

– Witajcie, moi mili, dziękuję za przybycie. Na początek trochę konkretów. Nie zamierzam po Marcie wyważać otwartych drzwi, ale teraz za was odpowiadam i oczekuję czegoś w zamian. Zanim nadstawię karku za któreś z was, chcę wiedzieć, po co to robię. Nie będę tolerować niesubordynacji i kopania dołków. Pracujemy w zespole i oczekuję, że nasz team będzie zgrany. Jeśli tylko dowiem się, że ktoś intryguje przeciwko komuś, będziemy musieli się pożegnać. Czy to jasne? – zapytała, a reszta w ciszy skinęła głowami.

Anka zaczęła coraz bardziej się rozkręcać i z satysfakcją zauważyła, jak ludzie chłoną każde jej słowo.

– Jak zapewne już wiecie, dziś rano prokuratura postawiła pewne zarzuty pod adresem naszego dyrektora finansowego. Został zatrzymany i przebywa w areszcie śledczym. Jeszcze nie wiemy dokładnie, o co chodzi, ale najpewniej o nasze programy lojalnościowe dla klientów. Nie wiadomo, czy to koniec zatrzymań w związku z tą sprawą, więc proszę bez domysłów i konfabulacji, bo na razie jeszcze nikt nic konkretnego nie wie.

– To wstrzymujemy rozdawanie gadżetów? – wyskoczył Janek, jeden z pechowców o najkrótszym stażu.

– Janek, nie bądź śmieszny – upomniała go Anka. – Tu chodzi o coś poważniejszego niż dziurkowane chodaki dla pracownika apteki. Po prostu nie wiemy dokładnie, o co chodzi, więc apeluję, byście powstrzymali się od spekulacji i plotek. Wierzymy, że wkrótce wszystko się wyjaśni, więc nie rozgłaszajmy domysłów. Wszelkie konfabulacje mogą tylko zaszkodzić wizerunkowi firmy. Pewnie niedługo dowiemy się szczegółów, a jak wiecie, plotka powtórzona odpowiednią ilość razy staje się prawdą, więc nie gadajmy niesprawdzonych głupot. W naszej firmie obieg informacji funkcjonuje jak w murzyńskiej wiosce. Jeden zabębni i w kilka sekund wiedzą wszyscy.

Janek i reszta w skupieniu kiwali głowami, niektórzy nawet coś sobie zapisywali. Odkąd Marta wprowadziła kiedyś obowiązek noszenia notesów i notowania, w zespole stało się to standardem. Janek notował więcej niż zwykle i od pierwszego dnia wzbudził sympatię Anki. W myśl zasady, że człowiek w układzie jest nowy, dopóki nie pojawi się ktoś nowszy, to właśnie Jankowi zawdzięczała, że wreszcie przestała być nowa. Oczywiście do czasu, bo teraz znów była nowa. Tym razem, dla odmiany, w gronie *area sales* menedżerów.

– U klientów miejcie oczy i uszy szeroko otwarte – kontynuowała przemowę. – Ale starajcie się niczego nie komentować. Ponadto w naszej firmie od kilku miesięcy trwa reorganizacja i nikt jeszcze nie wie, jak to wszystko finalnie będzie wyglądać. Z różnych źródeł już doszły mnie słuchy o otwarciu spółki dystrybucyjnej i likwidacji naszego biura, więc tym bardziej nie rozsiewajmy niesprawdzonych informacji, bo to bez sensu. Tak czy owak, my tu na dole na niewiele mamy wpływ. Możemy tylko przyjąć i realizować podjęte gdzieś wyżej decyzje i tym się zajmijmy, bo za to nam płacą. Za dwa miesiące mamy ogólnopolską konferencję w Gdańsku i pewnie tam dowiemy się wszystkiego.

To dwa. Trzy, nie będę tolerować spóźnień w składaniu dokumentacji. Teraz już wiem, jak ważne jest terminowe raportowanie. Przypominam, że na podstawie waszych raportów ja sporządzam moje sprawozdania i potrzebuję mieć wszystko na czas, więc zero skuchy w tym temacie z łaski swojej. Podobnie jak Marta nie lubię się spóźniać, więc proszę tego przestrzegać. W temacie organizacji pracy proponuję, aby to Janek przejął teren po mnie. Jeżeli macie jakieś propozycje dotyczące podziału obszarów waszego działania, to ustalcie to między sobą. Macie czas do jutra do dwudziestej. Jasne?

– Tak – odparła służbiście Milena. – Czy mogę?

– Chwileczkę. Jeszcze jedna zasada dotycząca naszych spotkań. Spotkania prowadzę ja i dopóki nie skończę omawiać tego, co mam w agendzie, proszę mi się nie wcinać z pytaniami, bo to dezorganizuje pracę. Zawsze na koniec będzie czas na burzę mózgów, pytania i wasze wnioski. W końcu po to też są te spotkania. Pasuje?

Towarzystwo siedziało jak zaczarowane. Teraz wszyscy zgodnie kiwali głowami. Nie poznawali Anki. Ta cicha i skromna dziewczyna z dnia na dzień przeistoczyła się w konkretnego menedżera i co ciekawe, mimo niewielkiego stażu wiedziała, o czym mówi. Większość spoglądała z niekłamanym uznaniem.

– Zanim oddam wam głos. Jeszcze jedna kwestia. Magazyn i podział materiałów reklamowych. – Zrobiła pauzę. – Nieraz się zdarzało, że ktoś komuś coś buchnął z jego przydziału. Tak nie może być. Złodziejstwa nie tolerujemy. Jak wspomniałam wcześniej, nie mam zamiaru zmieniać pewnych zwyczajów wprowadzonych przez Martę, bo wiem, że lepsze bywa wrogiem dobrego, ale tutaj jej system nie działa. Odpowiedzialność zbiorowa to żadna odpowiedzialność, zatem będzie zmiana. Otóż osoba odpowiedzialna za magazyn będzie jedna i to ona będzie odpowiadać za zapasy i porządek przy podziale. Jeśli coś komuś zginie z jego doli, to z tym już nie do mnie. Kto chętny? Milena? Może ty? Masz największy staż.

– A co ja z tego będę miała?

– W zamian możesz otrzymać o dwadzieścia procent więcej materiałów reklamowych i dodatkowy punkt do premii uznaniowej. To chyba uczciwa oferta?

– Zgadzam się. – Milena zaskoczona propozycją od razu przystała na warunki. Anka była przekonana, że to właśnie ona podkrada kolegom ich przydział.

Sama, jako jedyna w zespole, nigdy nie narzekała, że coś jej zginęło, a o cokolwiek by człowiek zapytał, to miała wszystko.

– To świetnie. Na koniec miesiąca podpiszesz mi protokoły zdawczo-odbiorcze. Jeszcze mam niegotowe.

– A po co?

– Jak to po co? Jesteś za to odpowiedzialna. Musisz wiedzieć, czym dysponujesz i za co odpowiadasz. Dlatego musimy zrobić inwentaryzację. Niech wszyscy wiedzą, jaki majątek ci powierzam. A wracając do meritum, to w pozostałych kwestiach nic się nie zmienia. Kontrole, zasady promocji, rozliczenia, terminy. Wszystko po staremu. Pytania?

– Tak! Chwileczkę! – Milena wraz z Beatą poderwały się z miejsc i wybiegły na korytarz.

– Wazeliniary – padła cicha wypowiedź z końca stołu, ale Anka nie zdążyła sprawdzić, kto to powiedział, do sali konferencyjnej weszły bowiem dziewczyny z tacą pełną ciastek.

– Proszę. To dla ciebie. Chcieliśmy ci wszyscy pogratulować awansu – powiedziała Beata i wymownie szturchnęła Janka. Jako najmłodszy stażem dostał za zadanie otwarcie szampana, ale sądząc po jego minie, chyba nie za bardzo wiedział, jak się do tego zabrać.

– Matko, daj to! – Energiczna dziewczyna wyjęła mu z rąk schłodzoną butelkę i odwinąwszy sreberko, uporała się z drucianym zabezpieczeniem. – Teraz wykręć korek – poinstruowała Janka i poszła po tacę z kieliszkami.

Chłopak poruszał korkiem, ale nie doczekał się efektu. Potrząsnął butelką.

– Nieeee! – Anka zdążyła odskoczyć w ostatniej chwili, bo korek wyskoczył z hukiem i przeleciał kilka centymetrów obok jej nosa. W ślad za nim na podłogę wyleciała połowa butelki.

– Jezus Maria! Janek, czy to zamach? – roześmiała się Anka i podziękowała wszystkim za poczęstunek. Atmosfera wyraźnie się rozluźniła, postanowiła więc skorzystać z okazji i zaprosiła wszystkich w najbliższy piątek do pubu na drinka. Dobry klimat w zespole był wart o wiele więcej.

Zadowolona wróciła do siebie i wykonała zaległe telefony. Cudem udało jej się załatwić dogodne terminy u prywatnego terapeuty. Zocha poleciła go jako jednego z najlepszych w Krakowie, ale dostać się do niego bez kilkutygodniowej kolejki było rzeczą prawie niemożliwą. Tym bardziej się ucieszyła, bo właśnie znów rozbolała ją szyja. Anka była pewna, że to wynik nerwów i stresu, a tego w najbliższym czasie z całą pewnością miało jej nie zabraknąć. Przed wyjściem z pracy pożyczyła z działu marketingu porządny aparat fotograficzny. Chciała sfotografować swój samochód, by wreszcie wystawić go na sprzedaż. Dwa stojące pod domem samochody to było dla niej za wiele, podjechała więc do myjni samochodowej, a później dokładnie obfotografowała auto z każdej strony. Zadowolona z efektu zgrała zdjęcia do komputera i zabrała się za opis. Kompletnie nie znała się na samochodach, dlatego zanim napisała cokolwiek, sprawdziła oferty takich samych samochodów. Trochę zaskoczyły ją ceny. Spodziewała się wyższych, ale przecież i tak już podjęła decyzję o sprzedaży.

– Pomożesz mi? – zadzwoniła do Rafała.

– Jasne, tylko weź dokumenty i instrukcję do auta.

– Instrukcję do auta? – zdziwiła się.

– A nie czytałaś? – teraz to Rafał się zdziwił.

– A niby po co? Auto to auto. Kierownica, biegi, silnik. Każdy głupi wie – żachnęła się, niemniej półtorej godziny później, gdy spotkali się w jadalni u Lucyny, Anka ze zdziwieniem odkryła, że ma w aucie schowek pod fotelem i podgrzewanie kierownicy.

– No widzisz? Jak to warto czasem coś poczytać? – zadrwił Rafał i wyszedł na zewnątrz po opał do kominka. Po chwili do uszu Anki doszły odgłosy rąbanego drewna.

– Sympatyczny ten Rafał, cud, nie sąsiad. Drewna narąbie, w angielskim pomoże, a czasem i kota przechowa. – Anka jeszcze nie doszła nawet do połowy wyliczanki, gdy zauważyła, że Lucyna oblewa się pąsem. – Ejże! Co kombinujesz? Tylko gadaj mi tu prawdę jak na świętej spowiedzi, bo przecież i tak się dowiem. – Anka była przekonana, że Rafał mimo jej sugestii nie wytrzymał i coś wyznał Lucynie

– Nic. Lubię go. Odkąd wyskoczył z trampek i tych strasznych obcisłych rurek, ujdzie w tłumie – powiedziała Lucyna obojętnym tonem, ale umknęła wzrokiem i to wystarczyło.

– Taa… I kogo ty chcesz oszukać? Lepiej zjedz coś kwaśnego. – Anka nie wytrzymała i parsknęła śmiechem. – Nie mów, że ty i Rafał coś…

– Nie, no skąd. Zamknij się, głupia! Przecież ja formalnie jestem jeszcze mężatką!

– …ale gdybyś nie była – dokończyła za nią Anka i popisowo spaliła głupa. – Powiedział ci coś?

– Nie, nie. Skądże. Ale wiesz. On jest bardzo miły, pomocny. Kurde, Karol nigdy tak o nas nie dbał. A to przecież tylko sąsiad.

I to mocno zainteresowany sąsiad, pomyślała Anka i w duchu zatarła ręce z uciechy. Przy okazji będzie musiała szepnąć Rafałowi to i owo. Temat był otwarty i wyglądał całkiem obiecująco, a że Anka nigdy wcześniej nie bawiła się w Kupidyna, teraz mocno przeżywała całą sprawę.

– I co? Macie już ten opis? – Rafał rzucił porąbane szczapy przed kominkiem i zabrał się do rozpalania.

– Tak. Coś mam. Kupiony w salonie, pierwszy właściciel, bezwypadkowy, serwisowany, oryginalny przebieg. Może być?

– Nie. Zbyt pięknie i każdy pomyśli, że jest odwrotnie, bo wszystkie te truposze zza zachodniej granicy właśnie takie są. Igły normalnie, po dziadku, co tylko do kościoła jeździł. Albo po lekarzu lub księdzu. Kurczę, a co to lekarz nie może być fleją i nie dbać o auto? Paranoja jakaś – prychnął Rafał.

– To może napiszemy, że po kobiecie? – wtrąciła się Lucyna i utkwiła wzrok w dłoniach Rafała, co oczywiście nie uszło uwagi Anki.

– Jeszcze gorzej, bo pseudoznawcy od razu stwierdzą, że woziła obsrane dzieci, regularnie paprzące keczupem po tapicerce. Poza tym baby nie potrafią jeździć i po nich aut się nie kupuje, bo zaraz sprzęgło siada, skrzynia leci i filtr cząstek stałych się zapycha, bo auto w mieście mulone na półsprzęgle.

– O czym ty gadasz? Po pierwsze, nie mam dzieci, po drugie, nie jadam w samochodzie. Jeździłam tym autem również w trasy. Przeglądy mam wbite w książkę serwisową i do tego mam wszystkie faktury. No i dokładam letnie opony. A na półsprzęgle to tylko cofam na parkingu – dodała Anka oburzonym tonem.

– Dobra, dobra, nie gniewaj się. Przecież to nie do ciebie, ale mój znajomy prowadził kiedyś komis samochodowy i co nieco od niego słyszałem, więc napisz, jak jest, i dokładnie opisz wszystkie mankamenty. Napisz wyraźnie, że to auto używane i lakiernika widziało wyłącznie w fabryce. Wszystkie odpryski i ryski świadczą na twoją korzyść, bo odprysków nie mają wyłącznie auta ze świeżą farbą. Od biedy możesz mu fundnąć polerkę, ale ja bym się w to nie bawił. Auto jest, jakie jest, i jeśli ktoś go nie chce, to niech głowy nie zawraca. Tak napisz.

– Tak dosłownie? – zaśmiała się Anka.

– Ludzie piszą różne rzeczy, żeby się wyróżnić, ale tobie i tak nie wróżę kłopotów. Małe auta schodzą na pniu.

– Dzięki, Rafał. Tak zrobię.

Anka dokończyła herbatę, pozbierała swoje rzeczy i wróciła do siebie. Dwójce sąsiadów zostało jeszcze do opróżnienia pół butelki wina, więc wykręciła się pisaniem ogłoszenia i zostawiła ich samych.

Rozdział 17

Zrobiła tak, jak kazał jej Rafał. Jeszcze tego samego wieczoru wymyśliła opis i zamieściła ogłoszenie na Gratce. Telefon zaczął dzwonić już od szóstej rano. Zanim dojechała do biura, musiała trzy razy wytłumaczyć, dlaczego auto ma rysę na drzwiach i wgniotka na dachu. Jakoś nikt nie chciał uwierzyć, że lecący z drzewa kasztan mógł wgnieść dach, i wszyscy sugerowali, że Anka chce zatuszować jakąś poważną kolizję. To samo dotyczyło ryski będącej dziełem sztywnej gałęzi ligustru. Około południa miała już dość. Zalogowała się w serwisie i zmodyfikowała nieco swoje ogłoszenie. U samej góry napisała drukowanymi literami, że cena samochodu zawiera wgniotka, rysę i kilka odprysków, a fakt, że sprzedaje kobieta, nie upoważnia klienta do żadnych negocjacji. Po chwili zmieniła czcionkę na czerwoną i dopisała, że samochód jest niebieski, a ona nie ma na stanie innych kolorów do wyboru. Już prawie kończyła edycję tekstu, gdy cały ekran przykryły reklamy wyskakujące ze wszystkich stron. Zanim zdołała pozamykać je wszystkie, utraciła wprowadzone zmiany.

– Niech to licho – mruknęła i spróbowała ponownie edytować ogłoszenie, ale system znacznie spowolnił. Komputer działał teraz jak stary parowóz. Anka ustaliła, czy jest ktoś w dziale IT, ale zanim do nich dotarła, odebrała jeszcze dwa telefony od potencjalnych zainteresowanych. Tym razem jeden z nich zapewniał, że ma tańszą alternatywę i w związku z tym powinna opuścić cenę. Odesłała go tam, gdzie miał taniej, i grzecznie poprosiła, by nie marnował jej czasu. Drugi z kolei chciał przyjechać, ale jako że miał do przejechania ponad dwieście kilometrów, stwierdził, że w razie jakichkolwiek nieścisłości z opisem będzie oczekiwał od Anki zwrotu kosztów podróży.

– Nie uwierzysz, przez co przechodzę od rana. – Położyła laptop na biurku Arturka i opowiedziała, co się dzieje.

– I co mu powiedziałaś?

– Nic. Po prostu się rozłączyłam, bo inaczej mógłby mnie oskarżyć o zniesławienie. Rzuć okiem na mój sprzęt, co? Znowu złapałam jakieś wyskakujące badziewie.

– Pokaż. Matko, obcięłaś włosy! – dopiero teraz oderwał oczy od monitora i aż podskoczył.

– Ale masz refleks – zaśmiała się Anka.

– Gdyby nie głos, nie poznałbym cię. Super wyglądasz! Naprawdę. Fiu, fiu! – gwizdnął z podziwem. – Naprawdę niezła z ciebie sztuka.

– Aleś miły – zakpiła, ale i tak zrobiło jej się przyjemnie.

– Ja zawsze jestem miły. To tak na wypadek, jakbyś nie zauważyła. Dobra, zostaw ten sprzęt i weź sobie coś z tamtego biurka. Jak zrobię, to dam znać. Na razie mam urwanie głowy z prokuraturą. Zabezpieczyli wszystkie serwery, kopią, gdzie mogą.

– Poważnie?

– To wygląda na grubszą aferę. Dziś o świcie znów zamknęli jakieś osoby z centrali w Warszawie.

– Ale jaja. – Przysiadła na krześle i odebrała telefon od kolejnego interesanta. Tym razem dla odmiany dzwoniła kobieta i sprawiała wrażenie konkretnej. Powiedziała, że samochód jej się podoba i takiego szuka. Na koniec zażądała kontroli w autoryzowanej stacji obsługi.

– No wreszcie jakaś jedna konkretna. Przynajmniej chce zobaczyć samochód. I niech mi nikt nie mówi, że faceci się znają na samochodach. Bo się znają jak kura na pieprzu. Mam wszystkie pieczątki z przeglądów, wszystkie faktury, dokumentację przebiegu, wszystkie blachy i szyby fabryczne, to czego te chłopy chcą?

– Opuszczenia ceny. Myślą, że jak mają do czynienia z kobietą, to testosteron plus ich powalająca wiedza na temat motoryzacji sprowadzą biedaczkę do parteru. Ona spuści z tonu ze świadomością, że oferuje jakiś złom, i jeszcze z pocałowaniem w tyłek.

– Jeszcze czego – zaperzyła się Anka.

– Moja siostra rok temu sprzedawała samochód i usłyszała od taksówkarza, że od kobiet się nie kupuje, bo nie potrafią jeździć. A że kiedyś, za młodu, pasjonowała się driftem i jeździła na rajdach, więc gościa przewiozła.

– I co?

– O mało nie narobił ze strachu, ale zdania nie zmienił. Ech. Cóż poradzić, ludzie.

Do pokoju weszli śledczy, więc Anka wzięła zastępczego laptopa i poszła do siebie. Tabelki z cyferkami potrzebne do cyklicznych sprawozdań zostały w jej komputerze. Miała jeszcze trochę korespondencji mailowej do przejrzenia, toteż skorzystała z zastępczego sprzętu. Pomna bólu szyi, potwierdziła telefonicznie wizytę u terapeuty. Marzyła, żeby wreszcie pozbyć się niewygodnego kołnierza. Co prawda w zaleceniach lekarskich widniało, by możliwie często go zdejmować, żeby nie rozleniwić mięśni, ale niestety. Przy biurku nadal miała wrażenie, że nie ma siły utrzymać głowy na karku, a bez kołnierza dobrze było jej tylko w nocy. Na razie nie musiała zbyt wiele jeździć samochodem, jej służbowe auto miało bowiem dotrzeć do Krakowa dopiero z końcem tygodnia. Słynący ze złośliwości szef floty wykazał się w tym przypadku względną łaskawością i zgodził się, by jadący z Warszawy audytor finansowy pojechał do Krakowa passatem Anki. Była tak wdzięczna, że aż zdobyła się na dziękczynny telefon do działu transportu i złożyła na ręce kierownika specjalne podziękowania. Obiecała przy najbliższej okazji zrewanżować się lunchem, na co kierownik, o dziwo, przystał z ochotą. Anka oczywiście zapomniała o obietnicy w tej samej sekundzie, w której ją wygłosiła, ale gdy miesiąc później pojechała załatwić w centrali kilka spraw, sam jej o tym przypomniał. Nie miała wyjścia i zaprosiła go na obiad. Przy bliższym poznaniu kierownik okazał się nieco bardziej ludzki i nieco mniej wredny, niż było powszechnie wiadomo, ale Anka z przyjemnością opuściła restaurację. Przy okazji załatwiła z nim wymianę samochodu dla Janka i złożyła zamówienie na letnie opony dla całego zespołu. Z radością opuściła Warszawę. Nigdy nie lubiła tego miasta, a teraz, patrząc na gigantyczne korki i zagonionych ludzi pędzących po chodnikach z obłędem w oczach, z niechęcią pomyślała, że mogłaby zamieszkać w tym mieście.

Wróciła do domu bogatsza o pakiet firmowych ploteczek i o wstępny zarys nowej struktury. Kilka rozwiązań nieco ją zaskoczyło, szczególnie tych z jej udziałem, ale nic jeszcze nie było wiadomo na sto procent, dlatego na razie zatrzymała wszystkie informacje dla siebie. Zmęczona nakarmiła kota i przygotowała sobie ubrania na następny dzień. Rano miała stawić się w sądzie. Co prawda tylko w charakterze świadka, ale odbierając wezwanie, i tak bardzo się zdenerwowała. Była przekonana, że może mieć to jakiś związek z toczącym się w firmie postępowaniem. Stała przy pocztowym okienku i czuła, jak pocą się jej dłonie. Czytając na bezdechu wezwanie, zdenerwowała się drugi raz. Sprawa nie miała nic wspólnego z OTC International. Dotyczyła pewnego niefortunnego zdarzenia z jej poprzedniej pracy w agencji ubezpieczeń. Wspomnienie klienta, który z jej przypadkową pomocą wyłudził odszkodowanie, wcale nie należało do miłych. Nie lubiła do tego wracać i teraz znów poczuła coś na podobieństwo moralnego kaca.

Co się stało, to się nie odstanie, pomyślała i próbując zbagatelizować sprawę, włączyła cicho muzykę. Odczytała najnowsze maile. Odpisała na te najbardziej pilne i przełączyła się na Facebooka. Publikowane przez znajomych zabawne memy zawsze poprawiały jej humor, ale teraz nawet i to nie pomogło. Chciała już mieć za sobą nadchodzący dzień, ale gdy było już po wszystkim, co innego zajęło jej myśli. Znowu zdenerwowała się nie na żarty, bo tym razem sprawa dotyczyła jej samej.

Zdenerwowana opuściła brzydki gmach sądu. Jeszcze dobrze nie wyjechała z parkingu, jak rozdzwonił się telefon. Dzwoniła Maria – dziewczyna z warszawskiego działu kadr.

Anka zamieniła się w słuch. Dziewczyna paplała jak najęta, mając w nosie zachowanie zawodowej dyskrecji, do której się zobowiązała. Anka, nie chcąc jej spłoszyć, zachęcała ją półsłówkami, ale w chwili gdy usłyszała, jakież to kierownictwo ma plany wobec niej samej, wstrzymała oddech.

– Skąd o tym wiesz? – Anka w końcu nie wytrzymała.

– Och, wiesz. Czyżbyś mnie nie doceniała? – odparła kadrowa z wdziękiem.

– Ależ doceniam, doceniam. Jestem pod wrażeniem – wymruczała Anka tonem pełnym uznania. Doskonale wiedziała, że owo dziewczę jest wyjątkowo łase na pochlebstwa.

– No, to się szykuj na najbliższą konferencję sprzedaży. Tam prezio wszystko ogłosi.

– Przecież jeszcze nikt na ten temat ze mną nie rozmawiał. A jak się nie zgodzę? Jesteś pewna?

– Tak. Przecież wiem, co robię, nie?

Anka, zaskoczona przebiegiem rozmowy, dla uspokojenia wzięła kilka głębokich oddechów. Sensacyjne informacje z działu kadr całkowicie wytrąciły ją z równowagi. Nawet nie zauważyła, kiedy zajechała pod gabinet Lucyny. Przyjaciółka właśnie kończyła szczepić cały miot wyżłów weimarskich. Normalnie na taki widok Anka oszalałaby z zachwytu, lecz teraz nawet nie zwróciła uwagi na śliczne niebieskookie szczeniaki.

– Ooo, wszelki duch! – powiedziała Lucyna i chciała zażartować, ale na widok miny Anki ugryzła się w język. – Rany boskie, umarł ktoś?

– Nie. Milena, ta dziewczyna.

– Znowu ta baba utrapiona?

– Właśnie dzwoniła do mnie dziewczyna z kadr. Wiesz, ta Marysia, której kiedyś doradzałaś przez telefon.

– Ta, co jej kazałam obcinać kombinerkami wyłamany psi pazur?

– Właśnie ona. Powiedziała mi, że mam dostać awans.

– To chyba dobrze, nie? – zdziwiła się Lucyna, bo wyraz twarzy Anki nijak nie przystawał do dobrych wieści.

– Nie. Niedobrze. Stanowisko jest w Warszawie, a ja nie mam zamiaru się przenosić. W biurze ściany mają uszy, a ona przypadkiem podsłuchała co nieco. Powiedziała mi, że nasza kochana Milena od miesiąca ma romans z dyrektorem personalnym i że to właśnie ona wymogła na nim moją kandydaturę. Doskonale wie, że nie mam zamiaru przenosić się do Warszawy, bo niedawno rozmawiałam z nią o tym. No patrz, co za pinda. Co ja jej, kurde, zrobiłam?

– Jak to co zrobiłaś? Karierę zrobiłaś.

– Szmata jedna.

– Kochana, a ile ty masz lat? Mówisz, jakbyś urodziła się wczoraj. – Zdejmując jednorazowe lateksowe rękawiczki, Lucyna strzeliła nimi głośno i wyrzuciła je do kosza. – Mój wujcio zawsze powiadał, że prostytutka to zawód, a kurwa to charakter. I miał rację. Więc sama widzisz.

– No widzę. Ją na moim stanowisku w Krakowie. Krew by zalała. To wszystko nie tak miało być.

– A jak?

– Ech, nawet już gadać mi się nie chce. Co za dzień – westchnęła Anka z rezygnacją.

Po rozmowie z Lucyną trochę jej ulżyło. Miała w planach papierkową robotę, ale zniechęcona zrezygnowała z powrotu do biura. W ostatniej chwili zmieniła plany. Co prawda najchętniej wróciłaby do domu i posiedziała z kotem na kolanach, ale przyzwoitość wzięła górę nad zniechęceniem. Było dopiero południe, postanowiła więc skontrolować kilka aptek. Liczyła, że spotkania i rozmowy z jej dawnymi klientami oderwą ją na chwilę od mrocznych myśli. Polubiła pracę w terenie i nie sądziła, że teraz tak bardzo będzie jej tego brakowało. Na nowym stanowisku większość czasu spędzała w biurze, a przecież lubiła jeździć. Teraz ograniczała się jedynie do kontroli swoich repów i comiesięcznych wizyt u Antoniego Mnicha, który w dalszym ciągu nie przyjmował do wiadomości, że odwiedzanie go już nie leży w jej kompetencjach. Mimo tłumaczeń uparł się i z nikim innym nie chciał rozmawiać, a że właśnie finalizował otwarcie własnej hurtowni i sieci firmowych aptek, postawił na swoim. Anka nie miała zamiaru walczyć z wiatrakami w imię nie wiadomo czego. W końcu tego jednego klienta mogła obsługiwać osobiście, tak więc dla dobrej współpracy już bez pytania za każdym razem podchodziła do ekspresu i posłusznie piła wykręcającą twarz kawę z Kolumbii. Zdecydowała ponadto, aby nie komplikować sprawy rozliczeń i planów sprzedaży, że sprzedaż dla Mnicha zostanie przypisana Jankowi, to on bowiem docelowo przejął jej klientów. Oczywiście tutaj też nie obeszło się bez dyskusji z Mileną, która nagle zapałała chęcią przygarnięcia klienta. Nieznający sprawy Janek już miał zamiar się zgodzić, ale w ostatniej chwili Anka wkroczyła do akcji i przypomniała Milenie, że przecież jeszcze nie tak dawno sama robiła wszystko, żeby wykreślić upierdliwego klienta ze swojego regionu. Rzecz jasna nie przysporzyło to Ance sympatii solidaryzujących się z Mileną podwładnych. Po niedługim czasie również i Jankowi oberwało się z tego powodu.

– Przepraszam, że przeszkadzam, ale chciałbym pogadać – powiedział speszony. – Masz czas?

– Chodź, siadaj. Dla moich ludzi zawsze mam czas. No chyba że dzwoni nasz sławny Antoni. – Anka gestem wskazała Jankowi miejsce na kanapie i mrugnęła do niego porozumiewawczo.

– Ja właśnie w jego sprawie.

– Czyli?

– Dziewczyny z zespołu insynuują, że masz z nim romans.

– Ja?! – Ance opadła szczęka.

– Tak. Ale to tylko połowa ludzi tak twierdzi.

– A druga połowa?

– Druga połowa twierdzi, że to bzdura, bo masz go ze mną – wypalił Janek i spalił popisowego buraka.

– Eee... – Ance na chwilę odjęło mowę. – Aaaha. A nie mam gdzieś jeszcze jakiegoś trzeciego kochasia?

– Ekhm – Janek odchrząknął speszony. – Masz. W dziale IT. Słyszałem, że ty i ten rudy macie się ku sobie.

– Ten rudy, jak go nazwałeś, ma na imię Artur i jest kierownikiem działu, więc zanim znów tak o nim powiesz, to wcześniej puknij się w czoło. I to mocno. To mój przyjaciel, a ty jesteś nowy, więc uważaj, co gadasz i o kim.

– Przepraszam.

– To teraz, jak już się za nim wstawiłam, to już mamy romans na bank, co? Masz jeszcze jakieś rewelacje?

– Milena i Beata twierdzą, że Artur załatwił ci pracę.

Ance opadły ręce.

– Dla twojej wiadomości. Niczego mi nie załatwił. Poznaliśmy się na wakacjach i jak się dowiedział, że szukam pracy, zasugerował, żebym aplikowała do OTC. Właśnie prowadzili nabór. Zweryfikowali mnie, tak jak Marta ciebie, i przyjęli mnie do pracy. Pracujesz już dostatecznie długo, by wiedzieć, że nawet najlepszy informatyk w naszej firmie nie ma wpływu na rekrutację handlowców.

– Rozumiem.

– To super. Możesz to przekazać dziewczynom.

Tego dnia z przyjemnością pojeździła po aptekach, przypominając sobie swoje pierwsze dni w pracy. Tym bardziej było jej miło, kiedy prawie wszędzie, gdzie się pojawiła, witał ją szeroki uśmiech i otwarte ramiona. Kilka ulubionych farmaceutek nawet wycałowało ją na powitanie. Anka wzruszona takimi wyrazami sympatii w jednym miejscu zapomniała sprawdzić, czy produkty zostały prawidłowo wyeksponowane. Odruchowo chciała zawrócić, ale właśnie do niej dotarło, że właściwie to już nie ma po co. Termin wiekopomnej ogólnopolskiej konferencji, która to miała wyryć się złotymi zgłoskami w annałach polskiego oddziału OTC International, zbliżał się wielkimi krokami. Zostały jej jeszcze tylko dwa tygodnie.

No i pięknie, pomyślała. Daję dupy wszystkim dookoła i to cud jakiś, że jeszcze okrakiem nie chodzę. Do wyboru, do koloru. Opasły brunet, chłopaczkowaty blondynek i piegowaty rudzielec. Dobrze, że w wolnym czasie nie przetaczam się jeszcze przez alkowę Marty. Przy takiej różnorodności to już żadna różnica. Jakaś cholerna klęska urodzaju, szlag trafił! Anka zżymała się w duchu, jednocześnie kombinując, jak tu zdementować wszystkie te głupie plotki. Jak długo żyła, nie słyszała jeszcze podobnych niedorzeczności na swój temat. Co ciekawe, jeśli wierzyć temu, czego dowiedziała się od Janka, aż dziw, że wszyscy spekulanci i plotkarze tak daleko odeszli od prawdy. W myśl zasady, że najciemniej jest pod latarnią, kombinowali jak głupcy i głosili wyssane z palca brednie, gdy tymczasem tuż pod ich nosem przez kilka miesięcy kwitł prawdziwy romans.

– Ech, kłamliwe ślepugi – mruknęła do siebie. Była zła. Musiała coś wymyślić. Cóż z tego, że niedługo miała opuścić szeregi pracowników OTC International. Nie chciała pozostawić za sobą złej sławy jakiejś interesownej i rozwiązłej lafiryndy.

– Gdybym mogła, obydwóm strzeliłabym z liścia prosto w te ich wytapetowane gęby – wyżaliła się

Arturowi przy najbliższej okazji. – Skąd ludzie biorą takie bzdury? Nie mają własnych problemów? Normalnie jestem taka wściekła, że zaraz trafi mnie szlag – Anka się zagotowała.

– Nie nakręcaj się, nie ma sensu. Jestem pewien i mam ku temu podstawy, że Marek, mój wdrożeniowiec systemów operacyjnych, ma w twojej sprawie sporo za uszami – powiedział Arturek i uśmiechnął się pełen dumy.

– Jezu, a co ten znowu ma do mnie? Też z nim sypiam? Kurczę, nie mam już miejsca w grafiku.

– Nie, nie. Swego czasu zakochał się w Beacie z twojego zespołu. Wiesz, ta czarna.

– Wiem, psiapsiółka tej torby Mileny, ale nadal nie rozumiem, w czym rzecz i co ja mam wspólnego z tym, że się chłop zakochał. W sumie to mu się nie dziwię. Beata to prześliczna dziewczyna.

– No tak, ale zanim okazało się, że zamiast niego wybrała Martę, bo do kobitek jej bardziej po drodze, jako oddana przyjaciółka Mileny namówiła Marka na kilka przekrętów.

– O rany. Mów dalej – szepnęła z przejęciem i ostrożnie przysiadła na obrotowym krześle.

– Mówiąc krótko, ten zakochany dureń dał się namówić Beacie i kilka razy namieszał w systemie. Wszystkie te twoje historie z listami klientów, tajemniczymi urlopami, a nawet z podmianą cenników – to jego sprawka. Liczył na to, że jak już się odpowiednio zasłuży, to Beata się w końcu z nim prześpi, tymczasem popisowo zrobiła go w konia i finalnie związała się z Martą. Już od jakiegoś czasu mieszkają razem. Ale wiesz, ciii – Artur przytknął palec do ust. – Tajemnica.

– O kurde. – Anka już przestała cokolwiek analizować, tylko próbowała sobie to wszystko poukładać.

– Jesteś pewien, że rzeczywiście tak było?

– Tak. Ten idiota ma jeszcze więcej na sumieniu, ale to już dotyczy spraw wewnątrz działu, więc daruję ci te informatyczne zawiłości. Wszystko wyszło na jaw przy tym, jak policja dobrała się do naszych baz danych. Zaczęli grzebać, a ten głupek wystraszył się na całego. Wydawało mu się, że narozrabiał więcej, niż się w rzeczywistości okazało, i przyszedł się do mnie wyspowiadać. Bał się, że go wsadzą do ciupy albo że go zwolnię.

– I co?

– I nic. Zwolniłem go, ale najpierw wszystko wyśpiewał. Jak to fingował włamania do systemu, na serwer i takie tam różne. Ale ważne, że wyjaśniła się twoja sprawa.

Ance ulżyło. Właściwie to cały czas przez skórę przeczuwała jakiś spisek, ale przecież nie mogła być pewna. Nie miała żadnych podstaw, żeby kogokolwiek podejrzewać, zwłaszcza że w tak dużej strukturze i w kółko zmieniających się procedurach wcale nie trudno o błąd. Ludzie są tylko ludźmi, a pomyłek w pracy nie popełniają jedynie ci, którzy nie pracują. Niemniej takiej personalnej kombinacji nie wymyśliłaby nigdy. I nigdy jeszcze nie spotkała się z taką bandą hipokrytów. Owszem, zdarzył się jakiś od czasu do czasu, ale żeby aż tylu pod jednym adresem? To było dla niej po prostu niepojęte. Pierwszy szok mijał powoli, a do Anki wreszcie dotarło, że najlepsze, co może zrobić, to po prostu dać się zwolnić i wziąć nogi za pas. Byle jak najdalej od ludzi z OTC International.

Rozdział 18

Anka postanowiła do końca robić swoje. Do konferencji zostało już niewiele czasu, więc z przyjemnością darowała sobie papierkową robotę i wzięła się za kontrole w terenie. Niedawno firma wprowadziła dodatkowe produkty i właśnie teraz, gdy wydano fortunę na kampanię telewizyjną, trzeba było szczególnie zadbać o ich dostępność i atrakcyjną ekspozycję. Anka pogoniła ludzi w teren i sama również zabrała się do roboty. Skoro jej dni były policzone, postanowiła, że w tym czasie będzie robić to, co lubi najbardziej, czyli odwiedzać klientów. Ze zdziwieniem odkryła sporo niedociągnięć. Tym bardziej zaskoczyło ją, że miały miejsce na obszarze, za który odpowiadała Beata. Pomimo jednoczesnych skłonności do romansowania i intryg, nigdy nie można jej było zarzucić braku profesjonalizmu. Jej teren zawsze stanowił przykład dla innych. Anka była tego tak pewna, że w ciemno właśnie tam zabierała zagraniczne wizytacje. Klienci Beaty to był pewniak. Do teraz. Właściwie nie powinno już to Ankę obchodzić, ale sytuacja nie dawała jej spokoju aż do wieczora. W końcu nie wytrzymała i wezwała ją do siebie. Gdy nazajutrz spotkały się rano, Beata wyglądała jak cień samej siebie.

– Zapytam krótko. Co się z tobą dzieje?

– Nie rozumiem – mruknęła Beata.

– Wczoraj skontrolowałam twój teren. Klienci zapomnieli, jak wyglądasz, niekompletne portfolio, poniszczone displaye, wyblakłe roll-upy.

– Przesadzają. Wiesz, jak to z klientami. – Beata wbiła wzrok w podłogę. – Ostatnio miałam gorszy okres, ale spokojnie wszystko nadrobię.

– W porządku, przyjmuję twoje tłumaczenie, ale mam przeczucie, że dzieje się coś złego. Wyglądasz strasznie.

Ance nie dane było dokończyć, przerwał jej głośny szloch. Z oczu Beaty trysnęły strugi łez. Pomiędzy spazmami opowiedziała o ciężko chorej siostrze. Dziewczynka była umierająca i lekarze nie dawali jej wielkich szans na poprawę. Jej stan wymagał przeprowadzenia co najmniej dwóch skomplikowanych operacji, w dodatku niepodlegających refundacji.

– Mama nie ma pieniędzy, ja też zarabiam za mało, dlatego podjęłam dodatkową pracę. Nie wyrabiam. Nie daję rady. – Beata wierzchem dłoni otarła łzy. – Jak chcesz, to mnie zwolnij. – Zapłakana kobieta łypnęła wrogo. – To już bez różnicy.

– Ale ja wcale nie mam zamiaru cię zwalniać. Wręcz przeciwnie. Zaraz przydzielę ci jakiegoś stażystę do pomocy i ustalę w finansach, jak wyglądają pożyczki pracownicze. Ostatnio uprościli zasady przyznawania, więc jak chcesz, to możemy spróbować. Choć nie wiem, jak to będzie teraz, bo teraz to nikt nic nie wie.

– Boże. – Beata rozpłakała się na dobre. Rozległo się pukanie i w drzwiach stanął Arturek.

– Nie teraz! – Anka zgromiła go wzrokiem i głową wskazała mu przeciwny kierunek. Wycofał się bez słowa. – Nie płacz, coś się poradzi. Mam znajomą lekarkę. Podobno jest świetna. Kardiochirurg dziecięcy z prawdziwego zdarzenia. Zaraz was skontaktuję i może ona coś poradzi na wasze kłopoty.

– Boże. Nie wiem, jak cię przeprosić, muszę ci coś powiedzieć. Ja zrobiłam ci... coś podłego.

– Wiem.

– I mimo tego chcesz mi pomóc? – Beata ze zdumienia zapomniała o płaczu.

– A dlaczego by nie? Nie jestem świnią i choć nasze granice przyzwoitości znajdują się na dwóch przeciwległych biegunach, i tak zasługujesz, by ci pomóc. W grę wchodzi życie dziecka.

– Dziękuję – szepnęła tamta. – Za wszystko.

– Dobra już! Zanim wyjdziesz na korytarz, idź do mojej toalety i doprowadź się do porządku. W szufladzie jest zestaw kosmetyków. Głupio, żebyś chodziła po biurze taka rozmazana – powiedziała Anka i od razu wyszukała w telefonie numer do Zochy.

W kilku zdaniach nakreśliła sprawę.

– Masz – wręczyła komórkę Beacie. – Powiedz jej wszystko, co wiesz na temat choroby twojej siostry.

Anka wyszła z biura po coś do jedzenia. Przez chwilę poczuła się jak Święty Mikołaj. Nawet nie zauważyła, że cały czas się uśmiecha. Gdy kilka godzin później opowiedziała o wszystkim Lucynie, ta również nie mogła w to uwierzyć.

– Czyli nie może być taka zła, skoro ją wreszcie sumienie ruszyło.

– Przeżywa dziewczyna kryzys. Z tego, co widzę, wszystko jej się wali. A umierające dziecko każdego by ruszyło. W takich razach nie pora na fochy.

– Pod warunkiem, że to prawda. Sama wiesz, że ludzie robią różne numery. U mnie na studiach była taka dziewczyna, która cały czas twierdziła, że mąż ją bije. Fakt, wiecznie chodziła posiniaczona i obita, więc jak się nasi koledzy z akademika skrzyknęli, żeby gościowi spuścić łomot, to się okazało, że chłop Bogu ducha winien. Laska w tajemnicy przed nim trenowała karate, a oni o mało chłopu zębów nie wybili za bicie kobiety.

– A nie prościej mówić po prostu prawdę?

– Pewnie, że prościej. Przynajmniej nie trzeba pamiętać, co się powiedziało – celnie skwitowała Lucyna. – A jeśli już jesteśmy w temacie kłamania, to mam wyznaczony termin drugiej rozprawy. Jak dobrze pójdzie, za miesiąc będę wolna.

– I co zrobisz z tą wolnością? – Anka zapuściła dyskretną sondę.

– Jeszcze nie wiem, ale mam pewne plany. – Lucyna speszyła się wyraźnie.

– A ja nawet domyślam się jakie! – Anka parsknęła śmiechem.

– Ech. Tobie coś powiedzieć.

– Nawet jakbyś nie powiedziała, to ślepy by zauważył, że coś jest na rzeczy. Rafał wodzi za tobą oczami jak głodny jamnik, a ty wkładasz coraz to lepsze ciuchy.

– Myślisz, że on?

– Myślę.

– Jest tylko jeden problem.

– Co znowu? Podobnie jak Marta, ostatnio nie lubię słowa „problem".

– Po prostu strasznie się boję, że się zakocham. Rafał jest dla mnie taki dobry. Po raz pierwszy w życiu czuję się zdobywana. Jeszcze nigdy nikt tak się o mnie nie troszczył. On potrafi zadzwonić do mnie do pracy i zapytać, czy mam ciepłą kurtkę, czy jadłam śniadanie. Dzwoni ze sklepu i pyta, czy czegoś mi nie trzeba. Ostatnio przyniósł mi hiacynta w doniczce. Powiedział, że dostał od klienta, a że nie ma cierpliwości go podlewać, to przyniósł do mnie, żeby Franek się nim zaopiekował.

– Akurat! Numer stary jak świat! – Anka prawie pękła ze śmiechu. – Poza tym pozwól się życiu dziać. Wszystko po kolei. Niedługo oficjalnie pozbędziesz się Karola. Podzielcie sobie, co tam chcecie i jak chcecie, ale z miłości nie rezygnuj. Tak myślę, choć żaden ze mnie autorytet – podsumowała smutno.

– Tak się boję, że się zakocham.

– A ja się boję, że się nie odkocham. Nawet po tym, co mi zrobił, cholera, tęsknię za nim. Wiem, że ma inną, że mnie nie chce, a mimo wszystko nie potrafię zapomnieć. Cały czas mnie to gdzieś ciśnie i uwiera. Jak wrzód na tyłku. Też długo się wstrzymywałam, to wszystko było jakieś takie niemrawe i bez emocji, ale w końcu ruszyło. A jak już ruszyło, to się schrzaniło.

– Nadal siedzi?

– Tak. Nikt nic nie wie dokładnie. Firma wynajęła adwokata. W sumie to się cieszę, że nie muszę go widywać, ale przecież nie takim kosztem.

– To witaj w klubie bojących. – Lucyna wyjęła z zamrażalnika pudełko lodów ciasteczkowych. – Jemy?

– Raz się żyje. Nakładaj!

Anka wsunęła podwójną porcję, tłumacząc się sama przed sobą, że przecież w domu nie ma niczego do jedzenia, ostatnio zgubiła zbędne kilogramy, a na zakupy nie ma już czasu, bo woli pobyć z Lucyną. Nawiasem mówiąc, bardzo ją cieszyło jej zainteresowanie Rafałem. Sama zdążyła poznać go na tyle, by przekonać się, że ma do czynienia z przyzwoitym człowiekiem. Sushi po prostu go uwielbiała, a jak wiadomo, zwierzaki mają pod tym względem nieomylne radary.

Ech, przynajmniej tutaj jest szansa na jakiś sukces, pomyślała w drodze do domu. Faktem było, że gdzie się ostatnio obróciła, wszystko szło nie tak. Co z tego, że w ciągu minionego roku zrobiła prawdziwy milowy krok w sprawach zawodowych, skoro teraz wszystko mógł trafić szlag, a sprawy sercowe znajdowały się w opłakanym stanie. Nie miała jeszcze trzydziestu lat, ale jej zegar biologiczny już tykał. Wprawdzie nie słyszała tego tykania zbyt wyraźnie i do alarmowego dzwonka było jeszcze daleko, ale miała świadomość, że ten moment nadchodzi. Jeszcze nie bała się o swój wiek, ale gdy kolejny raz wracała do pustego mieszkania i pogadać mogła tylko z kotem, coraz częściej odczuwała tę dziwną pustkę. A przecież tyle miała do zaoferowania. Wykształcona, ambitna, nieźle sytuowana, zadbana i całkiem ładna. Nigdy nie była pięknością, ale też nie zaliczała się do brzydkich, a ostatnio przez drastyczną zmianę uczesania jeszcze zyskała na atrakcyjności. Przez stresy straciła na wadze i w końcu przestała się zamartwiać, że jest za gruba. Choć właściwie nigdy nie była gruba, to za sprawą jednej, wiecznie odchudzającej się koleżanki wpadała w wyimaginowane kompleksy. Nieraz Lucyna namawiała ją, by zechciała łaskawie obliczyć sobie wskaźnik BMI, ale bezskutecznie. Anna i tak wiedziała swoje. Doskonale potrafiła znaleźć na swoim ciele miejsca, które według niej były zbyt miękkie, a to wystarczyło, by stracić humor i nie patrzeć w lustro.

– Ale ty jesteś głupia – mówiła nieraz Lucyna.

– Dobrze ci się gada.

– Boże, co ja bym dała za twoje kształty. Apetyczna stuprocentowa kobieta, a ja? Zero tyłka, zero cycków, solniczki przy obojczykach i wystające łokcie.

– I rozmiar trzydzieści cztery, którego od zawsze szczerze ci zazdroszczę.

– No widzisz, jak to jest?

– Widzę. To znaczy nie widzę, bo jeszcze nigdy nie spotkałam kobiety, która byłaby z siebie w stu procentach zadowolona, a przecież głównie o akceptację siebie tu chodzi. Choć są wyjątki. Popatrz choćby na Jennifer Lopez, jakie dupsko ma wielkie i co? Symbol seksu. A ta pokraka Kate Moss? Widziałaś kiedyś takie krzywe nogi? I co? Najlepiej zarabiająca modelka na świecie. Żadna z nich się nie przejmuje.

– Wierz mi, przy takiej forsie też bym się nie przejmowała, a zaręczam ci, że one i tak się przejmują. Po prostu baby tak mają i już. I faceci też. Niedawno czytałam, że pewnemu aktorowi sen z powiek spędzały jego łydki.

– Jezu, łydki? – Anka szczerze się zdziwiła.

– Twierdził, że są zbyt wątłe, i wszczepił sobie silikonowe implanty.

– Nienormalny czy jaki? – Anka z politowaniem postukała się w czoło. – Przecież poza nim pewnie nikt nie zwracał na to uwagi.

– Sama widzisz, jak to jest. Sami u siebie widzimy to, czego nie ma.

Któregoś kolejnego samotnego wieczoru, kiedy przeszukiwała w internecie oferty pracy, Anka powzięła postanowienie, że zacznie biegać. Pewnie sama by na to nie wpadła, gdyby nie jej sąsiad z mieszkania obok. Poprosił Ankę o wyprowadzenie psa na spacer. Sam zwichnął sobie kostkę i nie mógł zejść po schodach, a psisko miało przecież swoje potrzeby. Dobrze kojarzyła sympatycznego pana w średnim wieku, więc zgodziła się chętnie i w ramach pomocy dobrosąsiedzkiej dwa razy dziennie wyprowadzała owczarka na długi spacer. W pewnej chwili zaczęła truchtać, a znudzone psisko oszalało z radości i w podskokach pobiegło przy niej. Efektem tych spacerów były dwie decyzje. O bieganiu i o psie. Już następnego dnia Anka zasięgnęła informacji na fachowym forum dla biegaczy i kupiła sobie odpowiednie buty z silikonowymi wkładkami tłumiącymi drgania i kurtkę ze specjalnej termoaktywnej tkaniny. W następnej kolejności odwiedziła strony kilku psich hodowli, ale tutaj wybór był o wiele trudniejszy. Wszystkie szczeniaki kusiły słodkim wyglądem i maślanymi spojrzeniami. Przy galerii zdjęć piątej z kolei hodowli Anka kompletnie straciła głowę. Nie miała pojęcia, na co powinna się zdecydować. Miała świadomość, że Sushi obrazi się na całego, ale przecież nieraz widziała kocio-psią miłość.

– Miałabyś towarzystwo, co, mała? – powiedziała do kici i pokazała jej palcem zdjęcie małego golden retrivera. Sushi okazała niewielkie zainteresowanie potencjalnym towarzyszem i jakby spodziewając się nadchodzącej zdrady stanu, ostentacyjnie obróciła się tyłem do monitora.

Anka znów przełączyła się na portal z ofertami pracy i odłożyła decyzję na później. Wróci do tego tematu, gdy od nowa poukłada sobie sprawy zawodowe, a to mogło potrwać jeszcze chwilę.

W pierwsze dni wzmożonej aktywności fizycznej bolało ją wszystko, co tylko może boleć żywego człowieka, ale z dnia na dzień było coraz lepiej. W przeddzień wyjazdu na konferencję do Gdańska znowu zrobiła sobie wieczorną przebieżkę. Śniegi już stopniały na dobre, a nowe buty same ją niosły. Wytresowany owczarek sąsiada biegł równo przy nodze i nadawał tempo. Nawet nie zauważyła, kiedy dobiegła aż do biura. Dokończyła wodę mineralną i wyrzuciła do kosza pustą butelkę. Spojrzała na Armanda. Spragniony pies siedział z wywieszonym jęzorem i ledwie zipał.

– Armand! Do nogi – rzuciła komendę i pchnęła drzwi wejściowe do firmy. Drzemiący nad gazetą portier poderwał się nagle i spojrzał na nią zdziwiony. Już otwierał usta, żeby powiedzieć coś o zakazie wprowadzania psów, ale Anka przyłożyła palec do ust i nie pytając go o zgodę, przeszła przez bramki. Na piętrze paliło się światło, więc wstukała kod i weszła do kuchni. Schyliła się do szafki w poszukiwaniu czegoś, co nadawałoby się na miskę dla psa. Zziajany zwierzak przysiadł w kącie i cierpliwie czekał na wodę.

W końcu znalazła, czego szukała, i napoiła spragnione psisko. Sama również sięgnęła do lodówki i wypiła kilka łyków nałęczowianki. Przygasiła światła i już miała wyjść, ale po drodze zwróciła uwagę na sączącą się z biura IT błękitną poświatę. Amortyzujące podeszwy i miękka wykładzina całkowicie tłumiły jej kroki. Przez nikogo niezauważona przystanęła w progu.

– A kto to widział tak harować po nocy? – powiedziała wesoło. Zaskoczony Arturek aż podskoczył na krześle. W pokoju panował mrok. Wnętrze rozjaśniało jedynie światło z korytarza i błękitna poświata z dwudziestocalowego płaskiego monitora LCD.

– Pracuję. Tak wolę. Po godzinach, kiedy już nikogo tu nie ma, mam ciszę i spokój. Tylko to buczenie wentylatorów chłodzących stacje robocze. To moja muzyka. A co ty tu robisz? – zdziwiony spojrzał znad monitora. W niebieskawym świetle jego twarz wyglądała jak maska.

– Nic. Biegałam i wpadłam do biura po wodę. Nie sądziłam, że jeszcze kogoś tu zastanę o tej porze. – Anka znacząco spojrzała w dół na swoje nowe buty i rozpięła sportową kurteczkę z soft shellu. – À propos, wiesz, że nasz Józek z portierni przycina komara na całego? Obudziłam go przed chwilą – powiedziała rozbawiona i odrzuciła w tył głowę gestem charakterystycznym dla osób z długimi włosami. W dalszym ciągu nie umiała wyzbyć się tego odruchu.

– Nawet nie wiesz, jaka jesteś piękna, gdy tak odrzucasz głowę do tyłu – powiedział Artur i powoli uniósł się z obrotowego fotela.

– Daj spokój, w takim stroju? – Anka parsknęła śmiechem.

– Strój nie ma tu nic do rzeczy.

Dopiero po chwili zauważyła, że jej przyjaciel przygląda jej się dziwnie. Jego twarz stężała, a oczy patrzyły jakoś inaczej.

– O co chodzi? – zapytała niepewnie i odruchowo obejrzała się za siebie. Zmęczony pies leżał na korytarzu za drzwiami i odpoczywał.

– Ciekawe, jak długo jeszcze będziesz udawać, że niczego nie dostrzegasz. Jeśli myślisz, że dalej dam się wodzić za nos, to jesteś w błędzie. – Artur wlepił w nią uporczywe spojrzenie.

– Czego nie dostrzegam?

– Ty naprawdę nic nie widzisz? Tego, że od dawna świata poza tobą nie widzę? Naprawdę nie zorientowałaś się, że od pierwszego dnia naszej znajomości jestem w tobie zakochany i wszystko, co robię, robię po to, żeby ci się przypodobać?

– Ale Artur, ja wcale... – próbowała coś powiedzieć, ale nie dał jej dokończyć.

– Nie zauważyłaś, że cały czas nad tobą czuwam, że pomagam ci częściej niż innym? Że choćby nie wiem co, cały czas jestem po twojej stronie?

– Widzę, oczywiście, że widzę.

Postąpił kilka kroków w jej stronę. Anka cofnęła się odruchowo i napotkawszy za sobą ścianę, oparła się o nią plecami.

– Czy ty się mnie boisz? – zapytał Arturek i podszedł jeszcze bliżej.

– Nie, skądże – zapewniła, choć teraz wcale nie była tego taka pewna.

– To dobrze. Nie mam zamiaru cię skrzywdzić – powiedział. Stał teraz blisko. Anka była bez obcasów, więc w tej chwili dorównywał jej wzrostem. Ich spojrzenia spotkały się na jednej wysokości. Artur pocałował ją delikatnie. Zaskoczona oddała pocałunek, ale szybko odwróciła głowę.

– Przestań – poprosiła cicho.

Artur delikatnie wziął ją za rękę i położył ją sobie na piersi, w okolicy serca.

– Czujesz, jak mocno bije? Bije dla ciebie.

– Czuję, Artur... – Nie wiedziała, co więcej powiedzieć.

– Czy ty naprawdę do tej pory niczego nie zauważyłaś? Tego, jak ci pomagam, jak cię chronię?

– Oczywiście, że zauważyłam. I doceniam to. Tak właśnie robią przyjaciele.

– Ale ja nie chcę twojej przyjaźni! – zdenerwował się Artur. Mimo półmroku zauważyła, że mocno poczerwieniał na twarzy. – Jedyne, czego chcę, to żebyś mnie kochała. Przyjaciółek to ja mam na pęczki – prychnął z pogardą.

– Ale...

– Ja wiem, że jestem niski, brzydki i jeszcze rudy na dokładkę, ale robię, co mogę, żeby rozwijać w sobie inne zalety. Jestem miły, dowcipny, sympatyczny, dużo ćwiczę. Dotknij tylko, jaką twardą mam klatę. – Ujął jej palec wskazujący i dźgnął sobie nim w napiętą pierś. – Nieźle, co? I co? No i nic z tego. Zawsze chętnie zapraszano mnie na imprezy, bo ze mną zawsze było wesoło, tymczasem żadna panna nie chciała ze mną wyjść, bo chodzić z takim ryżym kurduplem to był obciach po całości. Ale ja wiem, ile jestem wart, i dłużej nie dam sobą pomiatać.

– A czy ja tobą pomiatam? – Anka zdziwiła się szczerze.

– Nie, nie pomiatasz, ale podobnie jak inne zamiast mnie wolałaś wybrać tego wymuskanego pedała z trzydniową bródką. Daj rękę – zażądał. Anka nie miała zamiaru oponować. Czuła, że panuje nad sytuacją, do chwili, w której Artur położył jej dłoń w okolicy rozporka. Przez gruby dżins poczuła wyraźną erekcję.

– Teraz widzisz, jak mocno cię pragnę? Ja nie kłamię. Nawet się nie domyślasz, co on potrafi. A zaręczam, że wiele potrafi. – Arturek lubieżnie przyciszył głos.

– Matko, Artur! Przestań, tak nie można! – Anka speszona wycofała rękę.

– Tak, jasne – syknął złośliwie. – Ja nie jestem Grzesio. Z nim można, ze mną nie!

– Wiedziałeś o nas? – zdziwiła się. Wcześniej była pewna, że nikt o tym nie wie.

– No pewnie – rzucił z wyraźną satysfakcją. – Widziałem was kiedyś razem w restauracji. Każdy głupi by się domyślił, że coś jest między wami, choć do niedawna miałem tylko dziewięćdziesiąt pięć procent pewności.

– Nie rozumiem.

– Dopiero jak dałaś mi swoją komórkę, nie miałem żadnych wątpliwości.

– Grzebałeś w moim telefonie?! – Anka wściekła się na całego. – Miałeś go tylko naładować! Jak śmiałeś?!

Zagotowała się ze złości. Traktowała go jak najlepszego przyjaciela, a on ośmielił się naruszyć jej prywatność dla swoich potrzeb.

– Anka, przestań. Nie słyszałaś, że w miłości i na wojnie wszystkie chwyty są dozwolone?

– A gdzieś mam taką miłość i wojnę! – Spróbowała zasunąć suwak przy kurtce, ale ze zdenerwowania trzęsły jej się ręce. Po raz kolejny podjęła próbę, ale za nic nie mogła połączyć dwóch części zamka. – Wiesz, poza tym jesteś świetnym gościem. I wcale nie jesteś ani taki niski, ani brzydki. No rudy jesteś, nie da się zaprzeczyć, ale to przecież żaden mankament. Kurczę, widziałam niższych, którzy byli w szczęśliwych związkach. Nie wiem, co ci się w sobie nie podoba. Pewnie niejedna dziewczyna chętnie by się za ciebie złapała. Wiesz, pół światu tego kwiatu.

– Ale cały problem w tym, że ja nie chcę tego pół światu. Ja chcę ciebie – powiedział cicho i chwycił Ankę w objęcia. Przyparł ją do ściany. – Myślisz, że po co załatwiłem ci tę robotę?

– Myślałeś, że się z tobą prześpię za pracę? Poza tym to nie ty… – syknęła i w obronnym odruchu spięła całe ciało. – Przestań! Zwariowałeś?!

– Nie – wysapał i całując na oślep, przycisnął ją jeszcze mocniej, nerwowo wciskając rękę pod jej bluzkę. – Będziesz moja. Jak nie chcesz po dobroci, to siłą wezmę, co mi się należy.

Zaskoczona sytuacją i spanikowana na całego, w ostatniej chwili odzyskała względną trzeźwość umysłu.

– Armand! Bierz go! – krzyknęła w nadziei, że wymęczone psisko zareaguje jak trzeba. Była przerażona, ale gdy usłyszała złowrogie warknięcie, natychmiast poczuła się pewniej. Oderwała stopę od podłogi i energicznie wycelowała kolanem w krocze rozochoconego zalotnika. Niestety chybiła i w panice uderzyła go w udo, a nie tam, gdzie chciała, ale Armand dokończył za nią zadanie. Przywarował, spiął się do skoku i zaatakował napastnika. Zębami chwycił przerażonego mężczyznę za nadgarstek, a gdy ten zaskoczony atakiem runął na podłogę, Armand stanął mu łapami na piersiach i groźnie powarkując, spojrzał na Ankę w oczekiwaniu na komendę.

– Sam zadzwonisz na policję czy ja mam to zrobić? – zapytała drżącym głosem. Ze wszystkich sił próbowała nad sobą zapanować, ale marnie jej szło.

– Ten bydlak mnie pogryzł. Złożę donos! – Arturek jęknął sprowadzony do parteru.

– Tylko spróbuj coś pisnąć, a zlecę odtworzenie nagrania. Józek pewnie nadal przysypia, więc na twoje żałosne szczęście pewnie niczego nie widział, ale zaraz mogę go obudzić. – Wskazała palcem na zamontowaną w kącie kamerkę wewnętrznego monitoringu. – Pies jest szczepiony. Bez obaw, a nawet jakby nie był, to niech cię szlag. To nie mój pies i nie moja bajka.

– Ożeż w mordę. – Do oszołomionego Artura właśnie dotarło, że kompletnie zapomniał o obecności kamer.

– Armand, do nogi! – rzuciła komendę. Pies wypuścił ofiarę i natychmiast przywarował przy Ance. Wyglądał na bardzo zadowolonego z siebie i wyraźnie czekał na nagrodę. Bez pytania sięgnęła po ulubione herbatniki pokonanego szefa działu IT i hojnie nagrodziła psa.

– Ale Ania…

– Zjeżdżaj, ty żenujący dupku! – wycedziła pogardliwie i na odchodne tak strzeliła drzwiami, że mało nie wyleciały z futryny. Zawołała psa, obiecała mu w nagrodę największą kość świata i czym prędzej opuściła budynek. Gwizdnęła na swojego czworonogiego wybawcę i jakby ją kto gonił, pobiegła w stronę domu. W głowie czuła pustkę. Taką totalną. Miała wrażenie, że jak klaśnie w dłonie, to z wnętrza odpowie jej echo. Coś na podobieństwo odgłosu wrzuconego do głębokiej studni kamyczka. Nawet nie czuła zdenerwowania. Właściwie to nic nie czuła, co dziwne było w sytuacji, kiedy nagle zewsząd wylało się tyle emocji. Była pewna, że to efekt opóźnionego zapłonu i jak tylko minie pierwszy szok, przyjdzie pora na zdenerwowanie, rozczarowanie, niedowierzanie i ulgę, że na szczęście nic się nie stało. Była na siebie trochę zła, bo podczas biegania zawsze dobrze jej się myślało, a teraz ta uporczywa pustka w głowie jakby sparaliżowała jej myśli. Anka biegła przed siebie jak szalona. Nawet pies się zmęczył i na czerwonym świetle przysiadł z nadzieją na chwilę odpoczynku, ale gwizdnęła krótko i żeby ominąć zebry, pobiegła ścieżką rowerową. Przebiegła cały dystans w czasie o połowę krótszym niż poprzednio i jak nieżywa dopadła drzwi mieszkania. Spragniona sięgnęła do lodówki, ale nie znalazłszy niczego do picia, capnęła za portfel i zbiegła na dół do sklepu. Dużą butelkę wody mineralnej opróżniła na miejscu i pewna, że prędko nie zaśnie, wyjęła z chłodni puszkę piwa. Piwo zawsze działało na nią usypiająco, więc i teraz liczyła na jego zbawienne działanie. Była przekonana, że za chwilę owładnie nią tabun niechcianych myśli i podczas bezsennej nocy tylko zmiętosi pościel. Po namyśle dorzuciła do koszyka drugą puszkę i podeszła do kasy. Ostatkiem zdrowego rozsądku zrezygnowała z zakupu trzeciej. Przecież następnego dnia nie dość, że musiała wstać stosunkowo wcześnie, to jeszcze czekała ją trasa do Gdańska. Do tego tam na miejscu miał ją czekać jakiś sądny czas, więc wypadało przywdziać twardy pancerz i stawić czoło przeciwnościom.

Wzięła prysznic i spakowała się na wyjazd. Nadal czuła tę okropną pustkę. Normalnie w takiej sytuacji pierwszą rzeczą, jaka przyszłaby jej do głowy, byłaby rozmowa z Lucyną, ale nie dziś. Nie teraz. Może jutro, jak już sama nabierze dystansu. Jedyny człowiek w firmie, którego ceniła i któremu ufała, właśnie wylał jej na głowę kubeł z pomyjami.

Rozdział 19

Ale jaja, pomyślała i z radosnym piskiem okręciła się dookoła na obitym skórą biurowym fotelu. Z przyjemnością pogładziła lśniące drewniane podłokietniki. Gabinet położony na piętrze przeznaczonym dla członków zarządu i rady nadzorczej po prostu zwalił ją z nóg. Jeszcze nigdy nie widziała aż tak ekskluzywnego biurowca. Wszystko tutaj, począwszy od sprzętu komputerowego, poprzez całe wyposażenie, a na wyłączniku światła skończywszy, było z najwyższej półki. Co prawda do funkcji członka zarządu OTC Distribution Ance było jeszcze bardzo daleko, niemniej nowe biuro położone w tak atrakcyjnym sąsiedztwie zrobiło na niej odpowiednie wrażenie. Rozmyślania przerwał jej zwalisty mężczyzna. Wszedł do środka bez pukania i rozejrzał się wokół wzrokiem gospodarza.

– I jak biurko? Sam żem wybierał. Podoba się?

– Wspaniałe, bardzo dziękuję. – Anka poderwała się na równe nogi.

Mężczyzna wyjął spod pachy prostokątny przedmiot.

– To tabliczka na drzwi. Sama przywiesi czy wzywać monterów?

Antoni Mnich wręczył Ance elegancką imienną tabliczkę z napisem: „Anna Jaskółka – wicedyrektor do spraw handlowych OTC Distribution".

– Łał! Dziękuję, panie prezesie! Jest świetna, ale nie mam przy sobie wiertarki. Musiałabym przywieźć ją z domu, jeśli więc...

– Dobra jest. Niech zostawi na stole, to zaraz chłopaki przywieszą. A kawy się napije?

– Z przyjemnością – uśmiechnęła się szeroko i oddała mocny uścisk dłoni. W oczach prezesa dostrzegła roziskrzone radosne chochliki. Mieli jeszcze do podpisania kilka dokumentów, więc bez słowa przeszli do sali konferencyjnej biura zarządu. Dziewczyna w sekretariacie na ich widok stanęła na baczność. Wystrój sali konferencyjnej onieśmielał. Wszystko tu było najwyższej jakości i zupełnie nie przypominało poprzedniego biurowca, w którym urzędował Antoni Mnich.

– No, już. Niech podpisuje i miejmy to z głowy – pospieszył Ankę i wręczył jej wieczne pióro ze złotą stalówką. Zaczęła uważnie czytać dokumenty. Już jakiś czas temu nabrała nawyku czytania tego, co podpisuje, szczególnie zwracając uwagę na tekst pisany najdrobniejszym drukiem. Anka wzrok miała świetny, niemniej przy wielu dokumentach musiała skorzystać ze szkła powiększającego. Tutaj na szczęście obeszło się bez konieczności używania lupy. Doczytała do końca. Wieczne pióro na chwilę zawisło nad dokumentem, nadal nie wierzyła. Uszczypnęła się w pośladek.

Przecież na ostatnią konferencję jechała jak na ścięcie, ale wbrew jej wcześniejszym obawom drogę powrotną dosłownie przefrunęła, a była pewna, że będzie pełzać niczym pokonany zbity pies. Przez tych kilka dni zafundowano jej tak wiele wrażeń, że momentami miała uczucie, że śni. Była pewna, że wszystko pójdzie źle, i przygotowała się na najgorsze. Firmowi zdrajcy i spiskowcy nie próżnowali, a po niedawnym przecieku z działu kadr mogła spodziewać się tylko najgorszego. Przez cały czas robiła, co do niej należało, ale i tak nie zyskała wielu poplecznikÓw. Ostatni przyjacielski bastion w postaci Arturka właśnie runął z wielkim hukiem i pozbawił ją resztek złudzeń. W korporacji liczył się wyścig szczurów, morale nie istniało, a wszelkie sentymenty zostawiało się za progiem. Jeśli nawet ktoś się komuś przypadkiem przysłużył, zawsze oczekiwał zapłaty w najbardziej odpowiedniej dla siebie walucie. Jadąc nad morze, była pewna, że to jej ostatnia konferencja w OTC. Od zawsze stawiała sprawę jasno. Nie miała najmniejszego zamiaru przeprowadzać się do Warszawy, tymczasem ten właśnie argument miał ją pokonać. To, że w firmie niebawem wszystko wywróci się do góry nogami, było wiadomo od dawna, ale też nikt, nawet najśmielszy spekulant, nie zakładał, że rewolucja będzie aż tak duża. Decyzją udziałowców całkowicie zlikwidowano krakowskie biuro handlowe i część etatów przeniesiono do centrali w Warszawie. W niektórych kręgach było jasne, że ci, którzy nie będą chcieli się przeprowadzić, ostatecznie pożegnają się z pracą. W tej grupie znajdowała się Anka, i z tą właśnie myślą kilka dni wcześniej wyjechała z Krakowa. Po męczącej całodniowej trasie wreszcie dojechała do hotelu. Nawet nie zdążyła porządnie się odświeżyć po podróży, kiedy wezwano ją do apartamentów szefostwa. Wiedziała, po co idzie, tym bardziej zdziwił ją widok przedstawicieli ze Stanów Zjednoczonych. O ile ich widok mocno ją zaskoczył, nie sądziła bowiem, że do zwalniania średniej kadry kierowniczej potrzeba obecności najwyższych władz firmy, o tyle widok Antoniego Mnicha we własnej osobie kompletnie zbił ją z pantałyku. Po chwili okazało się, że ten gburowaty jegomość wszystkie swoje ostatnie inwestycje czynił pod patronatem jej firmy, by w efekcie zostać prezesem zarządu nowej spółki dystrybucyjnej OTC Distribution.

Ance zaproponowano zaś stanowisko w krakowskiej strukturze. Gdy na moment zaniemówiła, Antoni Mnich stłumił śmiech. Nieco później miała się dowiedzieć, że to właśnie on, już wcześniej skonszachtowany z jej szefami, stał za rozwojem jej kariery. Nie mogła uwierzyć, że to jemu zawdzięczała swoje awanse. Gdyby wcześniej wiedziała, kto miał na to wpływ, może inaczej zarządziłaby swoją karierą. Może nie obwiniałaby Grześka. Teraz wszystko stało się jasne. Wszystkie elementy układanki ułożyły się w całość. Anka nie tylko nie straciła pracy, ale zyskała jeszcze lepsze stanowisko. Nie wiązało się to wprawdzie z jakąś znaczącą podwyżką, ale i tak była bardzo zadowolona. Część osób z biura krakowskiego istotnie wyraziła zgodę na przeniesienie do stolicy, a kilka zrezygnowało z pracy. Sporo osób miała też przejąć nowo powstała spółka dystrybucyjna i tym już miała zająć się Anka. Tutaj też potrzebowano handlowców, zatem postanowiła, że przejmie cały swój dotychczasowy zespół.

– Zgłupiałaś do reszty?! – Lucyna na tę informację aż poderwała się z krzesła. – Ty na serio chcesz przyjąć te flądry?

– A czemu nie? Przydadzą mi się. Tam miały mocne plecy, tutaj nie mają żadnych.

– Nie lepiej zatrudnić nowych ludzi?

– I od początku ich szkolić, wdrażać i uczyć wszystkiego od nowa? O nie!

– Jak tam sobie chcesz. – Lucyna spojrzała na przyjaciółkę z ukosa i w oczekiwaniu uniosła lewą brew.

– A, i zemsta jest rozkoszą bogów. Podobno – dodała Anka i puściła do Lucyny oko. – Ech, jak ty mnie dobrze znasz.

Wieczór spędziły w doskonałych humorach. Jeszcze przed odjazdem Anki na chwilę dołączył do nich Rafał, ale widząc, co jest grane, nie chciał przeszkadzać w babskiej naradzie wojennej, tylko zabrał Franka i poszli na górę pograć w Minecrafta.

– Uuu, kochana. Iskrzy tutaj jak przy zwarciu na transformatorze przy chałupie mojej ciotki – Anka nie mogła darować sobie komentarza.

– No co? – spłoniła się Lucyna. – Czekam na rozwód. Już niedługo. Nawet nie wiesz, jak bardzo chcę być już wolna. – Powiodła wzrokiem na górę i otarła łzę z kącika oka. – Nawet nie wiesz, jak go kocham. Będzie mój.

Anka z radością uściskała płaczącą ze szczęścia Lucynę.

– A myślałam, że nadaję się już tylko na śmietnik. No wiesz, że jako kobieta jestem jak połamana tania marionetka – chlipnęła.

– Idiotka. – Anka czule pogładziła ją po głowie. – Zapytaj może Rafała, czy nie ma jakiegoś brata, kuzyna może.

Obie parsknęły głośnym śmiechem.

Pełna dobrej energii wróciła do domu. Stęskniona Sushi jak strzała wyskoczyła zza łóżka i rozpoczęła koncert miauczenia połączonego z mruczeniem i ocieraniem się o nogi. Anka od razu dała jej jeść. O ile zdążyła się zorientować, teraz w nowej pracy będzie mogła lepiej usystematyzować sobie każdy dzień. Obszar działania firmy był nieco mniejszy od tego, który obsługiwała dotychczas, zatem i dalsze wyjazdy będą rzadsze. Od dawna myślała o psie, który zgodnie z zapewnieniami Lucyny bez problemu dogadałby się z kotem, ale ostatecznie zdecydowała się na drugiego kota. Wbrew pozorom koty to towarzyskie stworzenia i Sushi też się coś od życia w tym względzie należy, pomyślała Anka i zdecydowała, że zaraz po tym, jak tylko poukłada sobie wszystkie sprawy w pracy, przygarnie jakąś małą kocią sierotkę. Od razu po wieczornej przebieżce z Armandem wykąpała się, wskoczyła w czysty dres i przystąpiła do działania. Po kwadransie była już nieźle zorientowana w sprawie kocich adopcji. W internecie aż się roiło od szukających domu uroczych futrzaków. Anka, pełna zapału, wygodnie umościła się przed komputerem. Wyłączyła górne światło i wyjęła z lodówki ostatnie piwo z wcześniejszych zakupów. Tyle dni leżało w lodówce i było tak lodowate, że prawie ją przytkało przy pierwszym łyku. Nie zdążyła jeszcze opróżnić całej puszki, kiedy u drzwi rozległo się pukanie.

– Proszę! Otwarte! – krzyknęła pewna, że to sąsiad. Dziś zdjęli mu gips i wcześniej się zaawizował, że wpadnie z wyrazami wdzięczności w postaci własnoręcznie upieczonych bułeczek. – Już idę! Postaw na stole! – krzyknęła znad laptopa. Uniosła głowę i zaniemówiła. Sama nie wiedziała, czy bardziej z zaskoczenia, czy ze strachu.

– Przepraszam za najście – powiedział cicho Arturek.

– Czego tu szukasz? Wyjdź natychmiast! – Wstała tak energicznie, że przewróciła stojące obok krzesło. Wskazała mu drzwi.

– Oczywiście, zaraz wyjdę, ale najpierw chciałbym coś powiedzieć. Mogę? W końcu jesteśmy cywilizowanymi ludźmi i chyba możemy porozmawiać.

– Czego chcesz? – prychnęła opryskliwie.

– Nie odbierasz ode mnie telefonów.

– A czego się spodziewałeś? Że z przyjemnością odbiorę i radośnie zapytam, co słychać? Nie bądź śmieszny.

– Przepraszam – Arturek skruszony zwiesił głowę. – Nie wiem, co we mnie wstąpiło. Naprawdę nie miałem zamiaru cię przestraszyć.

– Dobre – parsknęła pogardliwie i znacząco wywróciła oczami. – Nie sądziłam, że stać cię na taki numer.

– Wypaliłem wcześniej jointa, nie byłem sobą, co nie oznacza, że kłamałem. Teraz wiesz już wszystko. Niczego nie oczekuję – powiedział smutno i odwrócił się w stronę drzwi. Zanim wyszedł, jeszcze raz odwrócił głowę.

– Idź już. Nasze drogi rozeszły się na dobre.

– Masz cholerną rację, ale zanim odejdę, chciałbym ci powiedzieć coś jeszcze.

– Co?

– Grzegorz jutro w południe wychodzi z aresztu na Montelupich. Zarzuty zostały wycofane.

– Skąd wiesz? – zapytała zaskoczona.

– Ha, zapomniałaś już, że informatyk wie wszystko? – Teraz już sam nie wiedział, czy to powód do wstydu, czy dumy. – Możesz sobie teraz pomyśleć, że jestem frajerem, którego ruszyło sumienie, bo tak właśnie jest – powiedział Artur. – Ale nieważne, co sobie pomyślisz, i tak chciałbym coś dodać.

– Masakra jakaś – mruknęła zniesmaczona Anka. – Śledzisz wszystkie cudze maile? Przecież to nienormalne, a temat Grzegorza raczej średnio mnie rusza.

– Chciała, żeby już sobie poszedł. Jeszcze całkiem niedawno przepadała za jego towarzystwem, teraz przeszkadzało jej, że dawny przyjaciel oddycha tym samym powietrzem, co ona.

– A powinien. Ekhm – odchrząknął speszony. – Nie jestem tak do końca pewien w sprawie tamtej jego korespondencji z tą kobietą z Niemiec. Mam na myśli te maile, które pokazałem ci w szpitalu.

– Nie rozumiem. – Żołądek w jednej sekundzie podjechał jej do gardła. – To nie on to pisał?

– Pisał on, ale trochę mu w tym pomogłem. To znaczy trochę pozmieniałem – wyrzucił z siebie Arturek i teraz już tylko czekał, aż Anka wybuchnie i rozerwie go na kawałki.

– Nie wierzę! Sfałszowałeś tamte maile?! – Pobladła i ciężko opadła na krzesło.

– Tak bardzo chciałem, żebyś go zostawiła. Pragnąłem cię najbardziej na świecie, a on wlazł mi w paradę. Cel uświęcał środki. Teraz mam już pewność, że nigdy mnie nie zechcesz, więc mówiąc ci to, przynajmniej nie wyjdę na skończonego skurwysyna. Powinnaś znać prawdę.

– Wyjdź! – Palcem wskazała mu drzwi. Jej oczy pociemniały z pogardy. Czuła, że jeszcze chwila, a zrobi coś, za co idzie się do więzienia, i minie się w bramie z Grześkiem, a przecież miała mu coś ważnego do powiedzenia. Artur skulił ramiona i po cichu zamknął za sobą drzwi.

Anka nie wierzyła własnym uszom. Opróżniła do dna puszkę z piwem i żałowała, że nie ma następnego. Już zbierała się do sklepu, kiedy u drzwi znowu rozległo się pukanie. Tym razem rzeczywiście był to sąsiad z bułeczkami. Pod pachą trzymał czteropak tyskiego. Ance nie wypadało spławić delikwenta. Teraz wcale nie miała ochoty na towarzystwo, ale miło spędziła kolejną godzinę, choć była tak pochłonięta własnymi myślami, że nie bardzo do niej docierało, co mówił sąsiad. Musiało to być coś zabawnego, bo mężczyzna co rusz wybuchał śmiechem, a ona czyniła to samo, z tą różnicą, że nie wiedziała, z czego się śmieje. Odetchnęła dopiero, gdy wyszedł. Ogłuszona rewelacjami sprzedanymi przez rudego zdrajcę, zapadła w sen. Nazajutrz czekał ją kolejny, naprawdę ciężki dzień.

Ponad godzinę siedziała w samochodzie na parkingu przed bramą więzienia. Nie miała zielonego pojęcia o więziennych procedurach, ale zakładała, że formalności przy zwolnieniu zatrzymanego mogą się przeciągnąć. Pewnie przypominało to wypis pacjenta ze szpitala. Trochę się bała, że może przyjechała za późno, ale obecność innych ludzi, podobnie jak ona czekających pod bramą, dawała nadzieję, że nie minęła się z Grzegorzem. Co rusz niecierpliwie zerkała na zegarek. Korzystając z chwili nudy, wysprzątała sobie w torebce i wyrzuciła śmieci ze schowka w samochodzie. Anka zagapiła się przed siebie, w jej głowie szalała inwazja wielu myśli. Zamyśliła się tak mocno, że na dźwięk pukania w szybę podskoczyła przestraszona.

– A kogóż to moje piękne oczy widzą? – powiedział Grzegorz i uśmiechnął się szeroko. Anka wyskoczyła z auta jak z procy. Nie poznała go. Ogolony na gładko i z wyraźnie dłuższymi włosami wyglądał zupełnie inaczej niż zwykle. Jego twarz wydawała się szczuplejsza.

– To naprawdę ty?

– We własnej osobie. Już prędzej bym się diabła tutaj spodziewał niż ciebie. A może ty nie po mnie? – Grzegorz niepewnie rozejrzał się wokół.

– Po ciebie, wsiadaj!

Ruszyli z parkingu i przez chwilę jechali w milczeniu. Grzegorz ciekawie rozglądał się wokół.

Anka z emocji nie wiedziała, co powiedzieć. Chciała go zapytać o tyle rzeczy, ale bała się otworzyć usta. A co, jeśli znów to wszystko okaże się nieprawdą i teraz tylko zrobi z siebie idiotkę? Grzegorz również czuł niezręczność sytuacji. Odezwał się pierwszy.

– Najwyraźniej o czymś nie wiem, ale mam nadzieję, że się dowiem. Wybacz, ale w ostatnich tygodniach miałem mnóstwo czasu na myślenie. Państwowy wikt i ciekawe towarzystwo sprzyjają refleksjom jak nic innego. Wiesz, co zrobiłem?

– Co?

– Napisałem książkę.

– Poważnie, a o czym? – Anka zapytała wdzięczna, że może powiedzieć cokolwiek. Cała sytuacja była tak idiotyczna, że aż chciało jej się śmiać.

– O naszej firmie.

– O tak, mogę ci dorzucić to i owo, ale zanim rozpoczniemy współpracę, muszę cię o coś zapytać.

– A bardzo proszę.

– Kim jest ta kobieta z Niemiec? – wypaliła i zamieniła się w słuch.

– Która kobieta z Niemiec? – zdziwił się Grzegorz. – Znam ich tam wiele.

– Ta, do której tak często jeździsz i kupujesz dla jej dziecka zabawki.

– A skąd o niej wiesz? – popatrzył zaskoczony.

– To nieważne. Odpowiesz mi czy nie?

– To moja bratowa, a konkretnie wdowa po moim bracie. Trzy lata temu okazało się, że ich synek jest opóźniony w rozwoju, a ten gnój mój brat od nich odszedł. W dniu, w którym spakował manatki, pojechał do baru i upił się do nieprzytomności. Wsiadł do samochodu. Skończył na pierwszym ostrym zakręcie. Nie było czego zbierać. Od tamtej pory całą rodziną opiekujemy się nimi.

– Czy ty ją kochasz?

– Nie, skąd ci to przyszło do głowy? Z bratem mieliśmy pod tym względem zupełnie inny gust.

– Boże – wyszeptała wstrząśnięta. – Mam ci tyle do powiedzenia. Przepraszam. Wtedy w szpitalu. Ja kłamałam. – Uczucie ulgi było tak silne, że wzruszenie ścisnęło jej gardło.

Zatrzymała samochód pod jego domem i wysiadła na zewnątrz. Grzegorz obiegł auto z drugiej strony i porwał Ankę w objęcia.

– Jak ja cholernie za tobą tęskniłem! Codziennie zasypiałem z twoim obrazem przed oczami i budziłem się z nim. Po naszym ostatnim spotkaniu, kiedy bez znieczulenia spuściłaś mnie po brzytwie, nawet nie śmiałem marzyć, że dziś po mnie przyjedziesz. Nie wierzyłem własnym oczom. Trzy razy musiałem się upewnić, czy to naprawdę ty.

– Grzesiek, kocham cię – szepnęła i ze szlochem wtuliła się w niego jak dziecko.

– Ciii... – wzruszony scałował jej łzy. – Zaczniemy jeszcze raz. Teraz już nikt i nic nam nie przeszkodzi. Jutro rejestruję swoją firmę szkoleniową i zaczynam pracę na własny rachunek. Nie będę już za nikogo nadstawiał karku. Dopóki w firmie bali się, że mogę coś sypnąć, bez szemrania płacili adwokatowi, ale jak się okazało, że jestem niewinny, odmówili płatności. Teraz będę się upominał o odszkodowanie od Skarbu Państwa i zaczynam wszystko od nowa. Z tobą. Od początku do końca z tobą.

– Do trzech razy sztuka – odpowiedziała szerokim uśmiechem i zarzuciła mu ręce na szyję.

Grzegorz odsunął Ankę na odległość ramienia.

– Zeszczuplałaś. I te włosy. Ech, czymże sobie na to zasłużyłem – westchnął i pocałował ją mocno.

– Och przestań – skarciła go delikatnie. – Sąsiedzi już się gapią przez okno.

– A niech się gapią – mruknął jej w ucho i przytulił ją jeszcze mocniej.

Następnego ranka Anka jak skowronek wfrunęła do biura. Nowi pracownicy działu handlowego mieli zacząć dziś pracę i czekali na jej instrukcje. Właściwie jeszcze sama dobrze nie wiedziała, co robić, i nie znała wszystkich szczegółów, ale Beata była na tyle doświadczonym pracownikiem, że powinna bez problemów poradzić sobie na stanowisku menedżera regionu. Polecając ją na to stanowisko, Anka nie miała najmniejszych wątpliwości. Upewniła się tylko co do tego, czy Beata poradziła już sobie z prywatnym kryzysem, po czym złożyła podpis na jej angażu. Przy tej okazji zawarły ze sobą jeszcze coś na podobieństwo umowy dżentelmeńskiej i patrząc sobie w oczy, uścisnęły dłonie.

Anka przemaszerowała przez biuro i z uśmiechem przywitała wszystkich napotkanych. Był to pierwszy dzień pracy dla nowo przyjętych pracowników i chciała się upewnić, jak sobie radzą. Schodami na końcu korytarza zeszła na najniższą, najmniej reprezentacyjną kondygnację. Tutaj już nie było tak ładnie jak na górze. Zamiast ekskluzywnych mebli wstawiono stare i solidnie podniszczone wyposażenie z poprzedniej siedziby, również przechodzony sprzęt komputerowy prosił się o wymianę, ale na razie szefostwo miało w planach inne wydatki. Na korytarzu natknęła się na niezadowoloną Milenę.

– No cześć – tamta uśmiechnęła się nieszczerze.

– Witaj, mogę ci w czymś pomóc? – Anka przybrała słodki ton.

– Czy naprawdę muszę pracować w tej suterenie? To jakaś nora! I dlaczego mam takie małe biurko? – powiedziała Milena z wyrzutem. – A to auto? To seicento pamięta chyba króla ćwieczka! Przecież to złom! Jak ja takim czymś podjadę pod dom? Powiesz mi dlaczego?

– Jasne! To proste. Jesteś tu nowa – rzuciła niedbale przez ramię Anka i odeszła w swoją stronę. Na jej twarzy zagościł uśmiech pełen satysfakcji. W końcu niemało zachodu ją kosztowało, by przydzielić Milenie najstarszy i najbardziej zdezelowany samochód w firmie i usadzić ją w najmniej reprezentacyjnej części biurowca.

Kto mieczem wojuje, od miecza ginie, pomyślała i zadowolona weszła do swojego gabinetu. Fachowcy właśnie uruchamiali nowy ekspres do kawy. Po kilku chwilach podłączyli urządzenie i po serii syknięć, prychnięć i sapnięć wielka maszyna wypuściła z siebie kłęby pary i strumień wrzątku.

– To jaką nasypać? Kolumbijską? – zapytał młodzieniec w firmowym uniformie dostawcy kawy i wskazał na pojemnik z ziarnami.

Anka skinęła głową i podeszła do biurka.

– No jasne, że kolumbijską. Ech… – westchnęła głośno i z lubością pogładziła blat ekskluzywnego mebla.

KONIEC ☺